读客® 知识小说文库

读小说，学知识

历史上真实的鲁班，不仅是木匠祖师，也是暗器与杀戮机关的祖师爷。

鲁班的诅咒

4

武夷竹海阴宅村

圆太极 著

江苏凤凰文艺出版社
JIANGSU PHOENIX LITERATURE AND ART PUBLISHING, LTD

目录

鲁一弃静静听着老叉的话，然后仔细地看那些礁石，看它们是否真的有变化。

果然，那鬼礁中有一块先前瞧着像个短厚的蘑菇，船行一会儿后就成了个短柄锤子，再一会儿变得像个帽子。

就在“蘑菇”的旁边，有一块礁石如同一个老头蹲着，一会儿就变得像个女人的胴体，再接着变得像一个张着大口的怪脸。

鲁一弃的视线从这张“怪脸”上移开，可马上又重新回到“怪脸”上。因为就在这瞬间里，感觉告诉鲁一弃，这张“怪脸”有蹊跷。

步半寸说：“仔细瞧那些渔船，不颠不抖，跟个剪画似的。”

再看那些船时，鸥子大张着嘴巴，呆了。真的是那样，那些船行驶得定定的、死死的，就和它上面的灯火一样，没有一丝的颠颤。

“‘船影子’，你们说的是‘船影子’。这和我家那边见过的‘人影子’、‘驼影子’该是一个理儿……”盲爷说到这儿，突然打住，他能感觉到说这话时有很多目光在看着他。其中有自己船上的人期待他继续讲下去的目光，也有从不知什么地方过来的死死的、沉沉的目光，让他的脊背直冒凉气。

“立浪冲滩！”步半寸一声高呼，洪亮的声音随风送出很远很远。

“立浪冲滩”，鲁家造船技法之一，指大船中暗藏一只小船或者可以将船体某一部分改变成小船。在滩远水浅大船靠不了岸时，用作港子和大船间的联络，也是遇险时逃难的绝妙后手。

“立浪冲滩”，也是奇门遁甲第八手，是指将主要力量集中攻击对方防守基础，并且层出不穷，不让对手有喘息的机会。同时还要用小股力量彰显大气势，多方面地给对手压力。

“立浪冲滩”，更是步半寸拼却性命的一次攻击……

第四章 老锡匠的嗜血红绫鬼头刀 / 101

见大家对他还是满脸的疑虑，笑佛儿退两步到了屋子正中神柜架子前，将上面的红绫轻轻掀开……

红绫盖着的是一把闪着淡蓝锋毫的鬼头刀，宽刃利尖儿，八边菱形护手，鲨鱼皮条缠柄。刀背是个笑脸鬼头，柄尾是拇指粗的钢环，上面系着一块很大的红绫，刚才这刀正是用柄环上的大红绫盖着的。这笑脸鬼头刀一现，屋子里的那些铜锡器一下子全没了光泽。

第五章 独闯空无一人的阴宅村 / 131

如果真是个小镇，那么这镇子也实在太小了些。那里的房子虽然远看排布得层层叠叠，数量其实并不多。而最重要的一点，那些是小房子！房檐的高度看着只比正常人高出一头左右，门框更矮，估计进出房门时都要弯着腰。房子的面积也小，差不多是正常房子三分之一的样子。

小镇里见不到一个人影，也听不到人声，就连鸡叫犬吠都没有，静谧得如同是一个不为人知的世界。

第六章 踏入养尸地，鬼爪缠身 / 187

周天师所说的养尸地，就是将尚未死绝之人用三角形纯银箔封泥丸宫，这样可以使得尸体散了七魄，仍留三魂在体中。然后将尸身竖直埋在土下，头部距地面一尺半，为阴阳交汇的界线。这样尸身就能同时吸收阴阳两股地气，这就叫养尸。养尸具备阳尸阴魂的特点，无痛无觉、力大无穷，在咒符引动下，为器为杀，为迷为煞。关于养尸，宋代黎岱所著《异葬记》、元代无名氏的《黔治野谈》中都有记载。

第七章 鬼婴壁：鲁班家族的梦魇 / 237

鲁天柳到此时才彻底看清那些鬼婴，它们的体型和模样真的很像婴孩，但动作显得有些笨拙呆滞，要不是亲眼见到，很难想象它们能跑得这么快。它们全都一丝不挂，惨白的皮肤上暴出根根青紫色的粗大血脉；硕大的滚圆头颅，却长得龇牙尖鼻；一双眼缝很长大，却像怎么也睁不开一样。

……

现在鬼婴壁已成，就像是个圆筒，将四个人牢牢罩住。成壁后的鬼婴形态各异，难怪它们要比百婴壁数量多，因为它们有大有小，各自扭曲。

“百婴壁，圈无命。”这是江湖上坎子家都知道的俗语。

第一章　黄海之中
神秘莫测的百变鬼礁

鲁一弃静静听着老叉的话，然后仔细地看那些礁石，看它们是否真的有变化。

果然，那鬼礁中有一块先前瞧着像个短厚的蘑菇，船行一会儿后就成了个短柄锤子，再一会儿变得像个帽子。

就在“蘑菇”的旁边，有一块礁石如同一个老头蹲着，一会儿就变得像个女人的胴体，再接着变得像一个张着大口的怪脸。

鲁一弃的视线从这张“怪脸”上移开，可马上又重新回到“怪脸”上。因为就在这瞬间里，感觉告诉鲁一弃，这张“怪脸”有蹊跷。

入海流

东北之地，开江流凌是有节气规律的。如果时间太早，天气重新回冷，会导致下游冰面再度冻结。这样上游浮冰与下游冰面叠压堆积，就会阻塞流道，造成江水泛滥。眼下才是立冬不久的时节，就已经冰凌满江，如鳞如甲如龟背，但流动顺畅，一泻不止。真不知如此情形是由于天宝镇了凶穴，还是下陷式火山爆发让地表温度升高导致。

伫立于浮冰上的鲁一弃脚下突然一阵摇晃，身形不由往前踉跄。这一滑一跌，险些栽入江中。

趴在浮冰边缘，他真切地看到一张脸从黑水之下、流凌之间浮了上来，接着一只惨白的有多处深深伤口的手臂突兀地从黑水中探出，滑脱了几下才勾住浮冰的边沿，上半截身体随之勉强攀伏上来。

鲁一弃伸出手，希望能让水中人借把力爬上来，因为那人是猎神郎天青。

猎神摇摇头："我的事了了，该走了，当年承诺老任的已经兑现。而且我的狼、犬都死光了，肩臂又受重伤，再帮不了你什么。"

鲁一弃没有站直身体，而是侧身就势坐在猎神面前，手臂依旧探向他："那你也该先上来，等到了一个合适的地方再走，总不能老泡在冰水里。"

"你先别管这些，只需静心听我说几句，这些都是老任留下的话。这老铁匠早年丧妻，膝下只有一子。因他儿子年少恃强，滥用他做的利器，误伤了好人。于是心生愧疚的他遁到关外，并借此由头全力来帮你鲁家做成大事。而他的儿子则留给他师傅代为管教。你此番事了重回关内，如有机缘，务必带上他的儿子做趟事儿，给他个成器的机会。"

"哪里能找到他儿子？"

“你不用找，老任之前发江湖信给他师傅了，他们会来找你。茫茫人海，碰到是缘，碰不到是命。只需记好，他师傅有第三只手。”猎神重新调整了一下勾住流凌边沿的手臂，“另外江湖有传讯，南下的各条道路都有高手想要堵截你，现在你最好就是由此顺流而下，直达鸦头港。老任说了，到那里后找个船老大步半寸，他受过鲁家恩惠，会从海路送你们南下的。再有，你身边有不可信的人。可他并非本性泯灭，而是受奇异虫扣所制。但虫扣入肉太久，解扣已经不易。”

“我知道！”鲁一弃心头蓦然涌上一股酸楚，这话说晚了，中了虫扣的鬼眼三已然葬身山体之下。

“知道了就好，我原来就觉得凭你的能耐，告诉你这些很是多余。行，其他再没什么了，我走了。”

猎神说走就走，没有一点的迟疑反顾，转身扑到水里，手划脚打，在黑色的江水中留下一道淡红的水道道。他绕过几块浮冰后，再也没有体力游向堤岸，只能艰难地爬到另外一块漂游的小浮冰上，一动都不动，不知是死是活。那小浮冰流速很快，与鲁一弃脚下的浮冰逐渐拉开距离，最终不见了踪影。此时鲁一弃心中蓦然升腾起一股惆怅与伤感，不知不觉中，一滴湿润从眼角淌下，在如同石块一样没有表情的脸上冻结成晶莹冰珠。

与脸上的冰珠相反，脚下的浮冰在快速融化，这和江水的温度以及流速都有关。照这速度，不用多久，鲁一弃他们三人将在江心的急流上失去唯一的托浮……

海上有些小波浪，将阳光反射得如同一张刺眼的金网。在金网上乘风急行的是一艘铁头叉尾桐木双桅渔船。这艘船与其他渔船有很大区别，头尖尾宽，船底窄深呈尖弧状。这样造型的船破浪时如犁耕刀切，能大大减少水的阻力，转向也轻巧灵活。船尾上方的帮框呈双叉形探出，下部为流线型滑尾，这种设计既可以在急弯时保持船体的稳定，又扩大了后舱的储存空间。船头是用生铁铸成，可以加大船体强度，与礁石和其他船只碰撞时有较强防护能力，另外也增加了船头分量，保证狭窄船头与宽大船尾间的平衡。整个船体不大，却用的双桅，这就有了足够的速度保证。

从船身吃水来看，这艘船上目前没有装载多少重物，所以行驶得有些颠簸。

海面有些小波浪，对于海上讨生计的人来说算不了什么，而对于从没见过大海，更没在海上航行过的人来说，没准儿就会被颠得吐个底儿空。

鲁一弃从没有见过大海，更没在大海上乘过船，盲爷和女人也一样，但他们三人却有着截然不同的表现。鲁一弃就好像船上的一根缆桩，也不用抓扶点什么，随意地一站便纹丝不动，随意迈步便如闲庭信步；而女人则已经吐得在船舱中昏睡过去；盲爷那样好的轻功，也不免晕头转向，连着几天吃不好，睡不着。

其实能像鲁一弃那样控制自己身体的人并不多，即使是混了一辈子海上饭的水手，也难免会经常跌撞、攀扶。“控制”是一种天赋，即使锻炼可以让这能力提升，却始终不能做得像鲁一弃那样完美。因为鲁一弃的这种天赋得益于感觉，超常的感觉可以告诉他，下一个倾斜、摇晃的方向、角度和力量，也告诉他应该如何顺应船体的变化，趋势顺势，着力附力，让肢体和心灵都处于自然状态，与周围环境融为浑然的一体。

此时鲁一弃正稳立于船头，直视着前方茫茫大海。而船尾舵位旁有个黝黑精瘦的汉子，一对潮鸥般锐利的眼睛却饶有兴趣地瞄住了鲁一弃。

这人就是鲁一弃在鸦头港找到的船老大步半寸。

鲁一弃他们三个从萨哈连江踏浮冰顺流而下，浮冰逐渐融化。眼见着就快载不下他们的时候，江面出现了个急弯，水流将浮冰甩向弯角。

他们从弯角上岸后，便没再下到满是冰凌的江里，而是雇车沿江而行。一路下来，吃饭雇车花光了三人身上所有能换钱的东西，二十多天后终于赶到鸦头港。

寒冬腊月，又不是出海货的潮汛。偏僻的港子里突然来了三个陌生人，没一个时辰就全知道了。也就在这一个时辰之内，步半寸主动找到他们三个，并且确认了鲁一弃衣领边不明显露出的“弄斧”玉符。

鸦头港外方圆三百里海域是个绝好的渔场，盛产大小黄花鱼、北鲳鱼、马鲛鱼、鲅鱼，还有刺参和须虾。就是这样一个大好的渔场，让这港子里的一族人过得兴旺富足。

步半寸的父辈原是外来讨生计的游民，一家老小幸亏这一族的渔民收留，才免得饥苦流离的生活。所以当南方有一群海客要强占港外渔场时，步家便义不容辞地担负起与对方赌赛的重任。

赌赛的内容很简单，就是在当月月底回潮无汛时，往渔场中放十条号称“北海狐狸”的蓝鳍白豚，然后双方各出一艘船，逮得多且快者胜。

回潮无汛，也是海流转向的时候，此时海面下两股暗流交叉，水况多变，常会出现怪浪漩涡。这样的局面下要想赢得赌赛，必须要有特制的快船。

步半寸的老爹连夜奔驰几百里，寻到塞外奇工任火狂，又由任火狂江湖传讯请到当时都还在北平的鲁家昆仲，一同赶到鸦头港，用三天两夜的时间赶制了一艘铁头叉尾桐木双桅渔船，最终赢得赌赛，保住渔场。

步家为报答鲁家援手，承诺出人帮鲁家完成大事，并接受了鲁家一工技法的抄本。步家出的人就是步半寸。

步半寸不是他的真名。是因为在“带鱼平[1]”这样的大风中，他都可以稳稳地掌牢了舵，脚下移动不会超过半寸。所以人们才给他起了个外号“步半寸”。

和鲁一弃不同，步半寸控制自己依靠的是下盘的定力，也就是脚掌的扒附力。他的脚掌经过多年的锻炼就像是对吸盘，不要说赤脚，就算隔着薄底鞋子，也一样可以紧紧吃住光滑的甲板表面。但是在有风浪时，步半寸必须由脚底到腰腿再到肩背脖颈一线用力，才能稳住身形。这也就是他常年如此习以为常，否则是非常吃力的。而鲁一弃的方法却是顺其自然，着力附力，自己根本不用费多少力气，和平地上行走站立没什么差别。所以步半寸对鲁一弃才如此有兴趣。

步半寸的话不多，而鲁一弃又是个不喜欢发问的人，所以自从上船以后，他们没交谈过几句，但是步半寸却很清楚自己的职责。当年与别人赌赛争夺渔场时他还是个孩子，而现在他已经身为人父，但几十年前的承诺他一直都惦在心里。鲁家出力为一村乡亲夺取延续多少代的福运生计，这样的恩惠自己必须一命承还，否则对不住的是心中的“信义”二字。

1　过去少数渔家用来代称风力，其他还有“历书翻”、“干豚晃”、“龟壳掀”等。

鲁家六工中步半寸拿到的是“立柱”，这一工的技法对他驾船极有帮助。按理说，“立柱”一工如果是关五郎那样有超人力量的人修习，可以事半功倍，省却好多手段和程序，但是鲁家技艺终归是让平常人修习使用的，以巧夺力才是宗旨，所以这一工中许多以巧见大力的技法让步半寸受益匪浅。比如说立桅，一般需要四五个水手才能立起的桅杆，他用三角绳缆连环轮一松双收，一个人就可以将桅杆竖起，而且还没有倒桅的危险。再比如盘缆、绞锚等等都需要多人才能操作，他都可以利用一些器械单独完成。

船上除了步半寸和鲁一弃、盲爷、水冰花以外，还有三个人。

一个年轻灵巧的小伙子，叫鸥子，他正站在船楼上，眺望着远方。据说他可以从远处水波的纹路和粼光知道鱼群的位置、种类和数量。

一个脸上有道长长刀疤的老头，大家管他叫老叉，是个捕大条（大鱼）的好手。因为他会使一手挂索飞叉，四船身[1]以内的大条，就算游得再快，都逃不过他的叉子。

还有个壮实的汉子，浑身的肌肉疙瘩，像座铁塔一般。看着身胚极其凶悍威猛，却整天咧着张大嘴笑呵呵的，是张天生的弥勒脸。他叫鲨口，在船上负责剖鱼晒干，还有就是给大家做饭。

船始终沿着海岸线航行，选择这样的航道既可以借船行路，而且当遇到什么风险时，只要将船头折向，不用一袋烟的工夫就可以进入近岸的浅水滩区，快速登上陆地。

不过这样的航线相对而言情况也会复杂一些，比如说此时他们正驶入的这个山体临水、峭石为堤的沿岸海区。

“到断头崖岸了！注意百变鬼礁。”鸥子在船楼上大声喊着。

步半寸眉头微微皱了一下，随即缓缓点了下头。

鲁一弃没有注意到步半寸的表情，但是鸥子的话却让他有些许诧异。经过了那么多的礁石、小岛他都没有报地名，怎么到这里报了，而且报出的名字很有些吓人。

1　船家判定距离的概念，大概在五十米左右。

负责维护各种捕具的老叉，此时正好在鲁一弃旁边整理“鞭串滚花钩[1]”，听到鸥子的喊声后也开口了，声音却很轻，也不知道是在给鲁一弃解释还是在自言自语：“每个角度看都不一样。雨天、晴天不一样，白天、晚上也不一样。在海上这儿就是绿林道，是强盗剪径设伏的好围子。”

鲁一弃静静听着老叉的话，然后仔细地看那些礁石，看它们是否真的有变化。

果然，那鬼礁中有一块先前瞧着像个短厚的蘑菇，船行一会儿后就成了个短柄锤子，再一会儿变得像个帽子。

就在“蘑菇”的旁边，有一块礁石如同一个老头蹲着，一会儿就变得像个女人的胴体，再接着变得像一个张着大口的怪脸。

鲁一弃的视线从这张“怪脸”上移开，可马上又重新回到“怪脸”上。因为就在这瞬间里，感觉告诉鲁一弃，这张“怪脸”有蹊跷。

步半寸似乎也发现到什么，一脚踏在左舷帆绳上，身体往系住舵把的绳子上靠了靠。是的，在宽阔平静的海面上行船，只需要把舵把固定住，等出现情况后再由人操纵。帆面一下子变成斜面对风，舵把也微微转动了一点，船头往左侧偏转，朝着远离礁石的深海方向斜插过去。

就在步半寸调整方向的同时，鲁一弃清楚地看到“怪脸”吐出了一艘翘头秃尾的三桅大船。三层的船楼，翘头是倒三角，秃尾是圆底四方。船身上有桨孔，甲板上有炮台，是典型的明式战船。

“怪脸”刚喷吐出一艘，旁边一个“鸭子”的屁股后面又钻出了一艘。两艘船的速度很快，呈双缠藤枝状[2]朝铁头船迂回包抄过来。

鲁一弃他们的铁头船虽然只有两面帆，但是船体分量轻、体积小，分水弧底、导流滑尾又都是鲁家工法精心特制的，所以速度比那两艘战船都要快。

本来那两艘战船预先设下的拦截范围就像个口袋，鲁一弃他们进了袋口，就算能及时调头，也无法逃出它们的包抄半径。但是步半寸当机

---

1 一种捕具，像鞭炮一样将连串的滚花钩子挂在一根绳索上。滚花钩本身就有三个钩叉，用于抛钓，鞭串滚花钩则用于在密集鱼群中的抛钓，一次可以拉上许多条鱼。

2 木工雕饰中的术语，有些像交叉的双S形。

立断斜转向，这样不但没有费时调头，而且对方反倒要随着他们来调整角度。

先在方向和距离上将对手拥有的优势大大减小，然后在改变方向后的行驶中再进一步夺取先机。步半寸正是这么做的，他微转舵把，让船体稍稍倾斜，这是个始终改变方向的操作，能让船行驶成一个很大的弧线。战船在转向的灵活度上远不如铁头船，所以只能眼睁睁看着铁头船撞破口袋，从双缠藤枝的搭头口（交叉点）冲了出去，并且远远将他们甩开。

步半寸黝黑的脸庞上露出得意的笑容。从他独自操船开始，还没谁能在海面上捉住他。

“不好！他们提速了。”笑容没来得及完全展开，就被船楼子上瞭望的鸥子打断了。

果然，两艘战船速度一下子就上来了，原先拉开的距离在迅速缩短。

“他们起了力把子（船桨），把操儿（划桨的人）的劲儿挺大，数儿也不少，不见力乏，可能是几队子轮换着一个把呢。”

鸥子的眼力见儿是绝对准的，但分析却偏差很大。海船上的桨，都是又长又大的，需要几个人同时用力才能划转起来。要是像鸥子说的那样，一个桨几个队，那么一条船二三十个大桨，单是划桨的人就需要四五百人，再加上其他扯帆把舵的人员，以及这些人必须配备的食物、水和各种用品，那是个很大的负重。而现在从那两艘战船吃水上看，它的负重很轻，不会有那么多的人。那么这些大桨都是什么样的力士在划？

“那些桨不是人在划。”鲁一弃轻声说了一句，这句话只有他自己和身边的老叉能听见。

“那会是什么？”老叉不仅好为人师，也很好学。但是谦逊的他低眉垂眼的，竟然没注意鲁一弃此时正半闭着眼睛，背对战船的方向。

“木牛流马。”

鬼操船

一切仍都在井然有序地进行着，被步半寸吩咐到的人都清楚自己该做什么。

主帆边翅展开了，就像鱼儿伸出一对腹鳍。副桅“吱呀”怪叫着往上升高了两尺，帆缆松开了三扣，帆叶将风兜起，胀鼓鼓地带足了力。

鲁一弃感觉船头翘了翘，原先轻微的颠簸变成了跳动。他们也加速了，而且还快得像是贴着海面在飞行。船头的水花溅上了甲板，船尾搅起的白浪引来了好几只海鸥。

但是即便达到这样的速度，背后的两艘古战船始终没有再被甩开。因为铁头船是想用一个大弧线甩掉两条古战船。这个过程中方向始终在变化，船帆所受的风力也在变。虽然步半寸巧妙地调整帆叶，尽量保证最大的受风面积，并且松帆叶尽可能多兜风量，但终究还是会影响帆的出力。

而那两只古战船除了同样巧妙地在控制着帆叶外，两边的桨子也一直都没有停歇过，并且划动的频率似乎还变快了。

同时铁头船上几个使船的好手还发现，那两只古战船在追赶中有一种非常巧妙的配合。应该是交叉双线形的轮换航线：一艘船直线追赶，一艘船弧线追赶。走直线的是抄近路，这样冲劲大，速度快，能很快超过走弧线的同伴，迅速拉近和铁头船之间的距离，但是当铁头船从它前端弧线点上过去之后，直线船会马上变成弧线追赶，而原先弧线追赶的那艘战船此时会瞄准下一个点直线赶上。这就像是两张渔网要交替着兜捉一条鱼。

这种配合他们都没见过，因为就算控船能力再强，他们也都只是个渔夫水手。而那两艘古战船使用的分明是一种战术配合——奇门遁甲第十三局的“斛下递锥[1]”。

此时铁头船基本上已经整个掉头了，船速也变慢了，但是船头的浪花反倒更大了。因为此时已是在逆波而行。

“那是什么？”鸥子的惊叫声很高。

这句话让步半寸身形微微一抖，他是头一次听到鸥子在船楼上说无法确定的话。

鸥子从小就跟着他师傅在清兵营里混。师傅是兵营中查看地形、测绘地势的专职。所以鸥子也练出一双望远定距的好眼力，十八九岁已经是兵营中不可或缺的“神目号头[2]”。后来没禁住诱惑，把都统的老婆给睡了，大好的前程让一个徐娘半老的娘们儿在床上用盏茶的辰光给毁了。那都统怕脸面有损，也没声张，只是借个由头先把他赶出了军营，然后出高额暗金在江湖上买他的脑袋。于是他四处逃亡奔命，直到在鸦头港被步家收留。

距离太远和无法判定的东西鸥子是不会开口的。而现在鸥子分明是在告诉大家，在一个可以构成威胁的距离中，有个东西他无法判定。

“那是谁家的船？”鸥子紧接又是一句惊叫。

这句话让步半寸和另外两个水手很是诧异，鸥子这是怎么了？刚刚还看不清的东西，转眼就成了条船，他不会连条船都看不出来吧？

迎面而来的是一艘渔船。这船虽然不能与步半寸的铁头船相比，却也不是普通的渔船。双翘头的造型，头尾豁口，底部尖削，这是鸦头港里才会有的独特船型。

“看看谁家的。”其实没等步半寸吩咐，鸥子就已经在那船上寻找特征辨认起来。老叉和鲨口也都扑到船头往那船望去。

渔船是直冲着铁头船而来的，距离越来越近，可是谁都看不出这是谁家的船。那船虽然造型是鸦头港的，可是颜色和外表却陈旧得有些怪异。步半寸熟知鸦头港里每一条渔船，可是这一条他只是觉得似曾相识而已。

1　奇门遁甲第十三局，字面上理解，就是在递酒斛的同时，从下面给别人扎入锥子，指的以一种表象来掩盖真实的攻击，也指两种不同形式的攻击同时进行。

2　冷兵器世代，军营中负责侦查、了望、报警的士兵小头领。

船上看不到一个人，包括最重要的舵位，可那船仍是快速准确地接近着。

只有一个人能看见对面船上的“人”，那就是双目微闭、状态迷离的鲁一弃。其实出现在他感觉中的也不是人，而是一张人脸。人脸在船帆上，很大，没有色彩也没有表情，像是张白描的画，悠悠忽忽、若隐若现。那船上鬼气弥漫，鬼气之中隐约有透明的人形，却不知这算不算人。

“是鬼操船！真的是鬼操船！”鲁一弃的话音不高，语调却有些怪异。贴近他身边的老叉和鲨口听到了，船楼上的鸥子听到了，就连船尾舵位上的步半寸也清楚地听见了。

鬼操船！他们曾经在海上的传说中听到过，当时也只是当故事笑谈而已。没想到现在面前真真切切就有一条鬼操船，而且那鬼船正向着他们直直地冲撞过来。

“左帆缆放三寸，人都往右舷靠！右缆收三把，当心了！转！走！”虽然明知道那样结构的渔船在撞击之下绝不会是铁头船的对手，但是步半寸还是果断地决定避开。也难怪，是人都不愿意撞鬼，而且就算那条不是鬼操船，也不能撞。一撞之下，连贯的速度就会停滞，再要提速走起来就要花好大一阵工夫。而背后正有两条大船紧追不舍，逐渐逼近。

甲板上的老叉、鲨口连同鲁一弃一同扑向右侧船舷，船楼上的鸥子一步纵出楼栏，然后挂在右侧楼栏外，身体尽量往外伸。铁头船“吱呀”发出一声怪叫，然后船体整个大幅度侧转过来，就像是在用一半船底航行。桅杆却偏斜得不多，不过只有半边帆着风力，副帆更是软塌塌地垂挂着。

半边着水面，半边着风力，让这艘不算小的船一下子掉过头来，变成与鬼操船同向而行，只是比鬼操船超前大半个船身。

“松右缆，收左缆，平桅摆右！”随着步半寸的号令，几个人在甲板上快速动作起来，随着他们准确的动作，正、副帆再次被风兜满，帆面涨得鼓鼓的。只是刚兜上风，提速还需要一点时间。也就在这时，鬼操船赶了上来，与铁头船齐头并进。

步半寸将平桅摆右，是让船偏右航行，这样就算鬼操船赶上来也不会被贴住，但是紧接着发生的事情让他知道自己错了。

那是艘鬼操船，既然是鬼操的船就不会按常理航行。这艘鬼操船不但能快速往前行驶，赶上铁头船，而且在前行的过程中它还在一抖一跳地往右侧平移，横向贴靠过来。

步半寸傻眼了，操驾过无数船种的他从没见过这样的船。无法想象是什么动力在驱动那条船?

两艘船往同一个方向并排极速航行，本身水的排流吸合作用力就会让它们往一处靠，再加上鬼操船无法解释的平移。所以用不了多久，铁头船就会被鬼操船贴靠住。

鲁一弃手上用劲，在船舷上推了一把，让自己趴着的身体站立起来。随即，他聚气凝神，放松身体，让自己再次进入自然的状态，趋应船体的每个微小变化。这一切都在瞬间完成，经过这段日子的磨砺，鲁一弃越来越熟练地掌握了这种状态。

“能不能再加点速，撞向右边那条战船！”鲁一弃只看了周边局势一眼，就大声向步半寸提出这样一个建议。

“鸥子、鲨口下舱踩翻轮，老叉撑住船头，别让它贴。”

鸥子和鲨口滑进舱门，舱底一番动作带来的响动让人听得清清楚楚。

甲板轻轻一震，应该是个挺大的物件落入槽口。紧接着船底发出了“轰隆隆”的水花声，船速立马提了上来。

鲁一弃探头往船舷下看了一眼，发现铁头船双尾叉下方多出了两道疾劲的暗流。其实此时如果他进到底舱，就可以看到船下两侧多出两个转动的叶轮，这是鲁家人给铁头船设计的人力助推装置——踏转翻轮。

船速刚刚提起来，还没来得及将鬼操船甩开三个凳长[1]，排流吸合力则因速度加快而增大，鬼操船轻巧的船头一下子就往铁头船船舷偏撞过来。

一支钉头带镰钩的长篙重重地撞在鬼操船的船头上，持篙的是老叉。他一双并不粗壮的胳膊有着别人难以想象的力量，又长又粗的竹篙在他手中撑作了一张巨大的弯弓。

1　鲁家估量距离的尺度，一凳长大约在两尺五左右。

竹篙变作了一张弯弓，也就意味着侧面的船没有被推开。而且老叉一下子陷入了两难的境地，气息一时回转不畅，脸都憋红了。

本来一篙撞出，或者竹篙微微一弯再往外一弹，这样的力道足以让对方船头打个顿，可鬼船仍在往这边平移，丝毫没有被推开的意思。

粗大的竹篙弯作了巨弓模样，老叉不能松手，他只要稍一松劲，就可能被竹篙击伤。当年在浙江桉目江“漂子帮[1]”中做“头漂引子[2]”时，他就多次见过有人被弯曲的竹篙把内脏弹击得粉碎。现在他只能这样死死撑着，等待船体能缓缓分开。

老叉撑不住了，颤抖从他的双腿开始，大腿、膝盖、小腿、脚踝这一线的掼力已经扭曲，于是竹篙也跟着颤动起来。

鲁一弃见状快步走到老叉背后，单手推住老叉的背部，双脚前后箭步，前面的左脚抵住老叉的脚后跟，给他下盘增加了个支撑点。

老叉借机喘了口气，但依旧没法脱身。有鲁一弃的助力，那竹篙不抖了，却弯得更厉害。

竹篙的最大弹力是建立在弧度与纵向的转换上的，这和竹篙弧度上的承力点有关。承力点越多，承受的力量越大，弹性变形越小。笔直的竹篙从头到尾都是承力点，但这样的话它具备的只有纵向的支撑力而缺少横向弹力。弯曲后的竹篙承力点会变少，这样弹性变形就会增大，而承受的力却会变小。也就是说有足够的横向弹力，而纵向支撑力却不足。只有在一个最佳弧度范围内，两种力量才会协调作用，释放最大能量。

现在，竹篙的弯曲已经超过了一定范围，这就导致竹篙随着承力点的大幅度减少，自身的强度也接近了极限。

“迈一步，折了篙子！”步半寸喊道。

想法是正确的，动作却远不如对面的船迅捷。鬼操船的船头微微往外一跳，竹篙的弯曲度重新变小，力量也再次提高。老叉只急促地发出一声闷哼，便再次咬紧了牙关涨红了脸。

鲁一弃脚下开始打滑，他不是个练家子，下盘极不稳固。他脚下这一滑，老叉也开始后滑。

1　一个专门利用水路漂流运送木材、竹子的民间帮会。

2　连接成串的漂流筏子，在最前面一个筏子上控制方向，避让漩涡和障碍的人。

很难说这是好事还是坏事，后滑让竹篙的能量缓缓释放，也让鬼操船的船头再次贴近。

一只枯瘦的手抓住了竹篙，同时一根尖细的盲杖撑在甲板上。盲爷出来了，其实他一早就站在了舱门口，只是不知道发生了什么状况，该从哪里帮忙。此时他听出些端倪，特别是听到鲁一弃被一根什么篙子推抵得撑不住了，于是想都没想，出手帮忙。

三个人的力量可以让竹篙始终保持弯曲，却无法阻止鬼操船贴近。

竹篙再次颤抖起来，却不是因为鲁一弃他们三个支持不住，而是由于鬼操船的跳动。

鬼操船有规律地跳动着，让弯曲的竹篙变成了一个传送带。一个接一个的力波通过竹篙传来。

鲁一弃被震跌出去，幸亏他超常的感觉让他顺势退出三步，卸掉冲劲，在甲板上站稳。

老叉此时的身形已经变成前倾，整个身体几乎是趴伏在竹篙上。紧握住竹篙的双手骨节暴凸、青筋蠕动，虎口处已经出现血线。整个上半身目前还能拼全力与竹篙间保持相对稳定，但是他站成捣步的双脚已经开始在光滑的甲板上渐渐往后滑动了。

盲爷的脚步倒是没有一丝移动，他移动的是抓住竹篙的手掌。枯瘦的手因为用力而失去血色，苍白得如同新尸。竹篙一点点滑过手掌，发出像骨头断裂一般的“毕剥”声。撑在身后的盲杖也已经受力弯曲，身体随着竹篙的抖动不住摇晃，把脑袋摆甩得就像个拨浪鼓。

“再撑会儿，十抛网[1]后碰斗！”步半寸虽然不知道撞船后会有什么后果，却依旧按着鲁一弃的吩咐在做。

鬼操船似乎也知道了铁头船的意图，在铁头船的引导下，一并往离得离得最近的那艘古战船冲去。这不是正常的行船路数，操船的高手这样做，要么是有巧妙的招数，要么就是做同归于尽的局。所以鬼操船必须在撞船之前靠上铁头船，控制住它。

鬼操船的甲板上一股阴风旋起，鲁一弃感觉到那股风是黑色的，是几

1 过去渔家用抛网的长度来表示距离，一抛网大概在二十五到三十米之间。

个透明的人形气相旋转而成的，而且旋转之后，显出几张颇为清楚的脸。

几张脸和北平院中院见到的鬼脸差不多，只是相比之下这里的脸惨白中还带着青绿，木然中还透着凶狠。

旋风直扑铁头船的甲板，因为只要老叉将篙子这端一松，鬼操船往铁头船上一靠，就什么都解决了。到那时，鬼气入心，把心窍迷住，要怎么着就怎么着，你再有翻江倒海的本领也是枉然。

“尸气！哦不！鬼气！……”目前船上懂点尸鬼之道的只有盲爷，但是他在刚闻着点鬼味儿，吼出几个字儿的当口，便被那旋风裹住，再也憋不出半个字。

老叉涨红的脸也转瞬间发紫、发黑。

旋风没裹到鲁一弃，他刚才被竹篙的抖动力道撞出，离那两人有着三步的距离。

“咋了？”一个女人的声音从船舱口传来，与声音一同出现的还有一张披头散发的女人脸。

刹那间，那鬼力旋成的旋风猛然一滞。紧接着，旋风变直风，风声如哨响，直直退回到鬼操船上，再也不见。

在鲁一弃的感觉中，旋风中的几张脸突然间变得无比惊恐，射回鬼操船便隐匿起来。而鬼操船帆上的鬼脸也不知道什么时候不见了，鼓起的帆叶一下变得平贴。

“嗨！”老叉终于吐出一声发力的喝喊，把鬼操船的船头推开。

“啊！大船！要撞！”舱口的水冰花没注意到一侧的鬼操船，更不知道发生了怎样惊心动魄的事情。她站立的位置正好可以看到船头的方向，古战船巍峨高耸的船头像山一样迎面压过来。

浪峰行

“站稳！转！”步半寸大吼一声。鬼操船一离开，他的气势立刻犹如挣断缰绳的野马。舵把往左一推，铁头船再度往右一个倾斜，真像野马一般纵出。

古战船如同一只巨大的耕犁，从铁头船和鬼操船中间破浪而过。

另一艘古战船正斜侧着从前面战船的船尾驶出，正好挡住了鬼操船的前行路线。

铁头船借助古战船犁出的波浪，绕过了战船上探出的巨大桨叶，往百变鬼礁的方向冲去。

鲁一弃先将刚从船舱里出来的水冰花扶稳，让这个被海浪折磨得披头散发的女人在船舱口坐下，然后跑到步半寸旁边，站在船尾远远地望向那纠绊在一起的三条船。

两艘大船很明显地主动转向避开，给鬼操船让出航道。但是鬼操船没有继续追赶，只是缓缓地靠着惯性滑行，像突然卸了力一般。船上此时不再显得阴森，也没有了飘忽的鬼脸和人形，陈旧的船体在海面上如同水中的一片枯叶，有一种悲伤孤寂的感觉。

甲板上出现了两个女人，两个活生生的女人，只是她们身上的鬼气远比人气要浓重得多。

绿衣女人恶狠狠地望向鲁一弃这边，目光中刺出吓人的寒意；白衣女子则背朝着鲁一弃，肩背间有些耸动，似乎是在哭泣。

绿衣女人是双膝山峡谷中遭遇过的养鬼娘。至于那白衣的女子，虽然看不见面目，但鲁一弃只一眼便肯定她是养鬼婢。见到养鬼婢，鲁一弃有些激动，但激动之余是更多的困惑。她们为什么会来到这里？养鬼婢为何而哭泣？最难解的是她为什么不朝自己看一眼？

鲁一弃自始至终都在关注着养鬼婢，却完全没有考虑下鬼操船为什么要拦截自己。

就在鲁一弃激动与疑惑交替之间，铁头船已经转进了百变鬼礁。才进到鬼礁之中，一种不妥的感觉就像湿凉的黏虫爬上了鲁一弃的脊背。

步半寸在船板上跺了两下，同时对老叉喊道："落副帆，主帆降半。"随着他跺脚的咚咚声，船尾多出的两道暗流变得平缓。老叉拉开绳扣，用一块鹿皮布抓住经滑轮减速了的绳索，让绳索缓缓滑过，副帆慢慢落下，接着同样降下一半主帆。船速一下子慢了下来。

船速慢了，步半寸反倒比刚才更加谨慎小心起来。礁群中水流多变，礁石间风向怪异，所以他只用半帆。现在船的动力主要由下面的机械提供，而且还是给的缓劲儿。

"老叉，探左右水深。"

老叉已经提着一圈浸漆绞绳站到舷边。绳头上拴着一只二斤八的铅砣，这是测水深的挂砣绳，也起拴缆抛绳的作用。

老叉从铅砣落水的声响就能听出大概的水深，这是他以前做"头漂引子"练出的功夫。那时他往头漂上一站，篙子往水面上一戳，就知道水深多少。

礁群中的水一般比外面海面子要浅，因为这里毕竟是长海石子的地方，搞不好有些石子尖儿就在水面下一点，稍不小心就会扎底触礁。但鬼礁里却不同，越往礁群中间去，水反倒越深，更没有穿面儿的海石子，就像被刻意清理过一样。加上外围巨大礁石的挡风遮掩，这里其实是个极好的深水港湾，难怪能藏下两艘大型的古战船。

晋时，风水堪舆的祖师青乌子收有三大弟子，其中一人为东方海国子民，名许钧文，其著有《捏脉寻首全典》，其中有章"水脉篇"讲到："浅为滩，深为港；窄为潭，宽为港；受风为洋，掩风为港。"是为古时渔民、海植者选居息处所的要诀。

鲁一弃那不妥的感觉变得更加浓重，一团烦躁堵塞在胸口，缕缕疑云在脑海中翻腾：莫非一切都在别人算计之中？莫非又钻入了别人设好的坎面？最好还是赶在什么事情都没有发生之前离开这里。

"见礁三层浪，近礁五分漩。"渔民和操船人都知道这个道理，步半寸当然更清楚此诀要义，但当眼前礁群中一反常理地出现了如此平静的水面时，他错愕间竟不知该做出如何反应，便任由那铁头船轻飘地滑入这片平静之中。

的确是平静，就是鲁一弃超常的感觉都不曾捕捉到丝毫跌宕。这一点让他很是疑惑，两艘古战船和那只鬼船与自己也就相隔着几块礁石而已，怎么一点威胁都感受不到？

鸥子和鲨口从船舱中钻了出来，看到已经进到个平静的湾子里，不再有船只追赶，不由得兴奋起来。

“刚才那两只大舟子幸好没吐火弹子（放炮），要不然离得那么近，怎么都得让我们碎点壳（船体受伤）。”鸥子毕竟是兵营里出来的神目号子，对于战场上的一套很是了解。

“那只鬼船也挺怪异，看着还眼熟，样子应该是我们港子里的。到底是谁家的，怎么被群晦气鬼给霸了？”老叉对鬼船心有余悸，说这话时，手指间将测深绳捏搓个不停。

鲁一弃感觉船尾舵位上有双锐利的目光瞟视了自己一下，那是步半寸。他在监视周围情况的同时突然给自己这样一个目光，摆明是想听听自己的一些看法。

“从刚才那两艘古战船的行动路径看，他们是想把我们逼得远离百变鬼礁，而不是要捉住我们或者灭了我们。”鲁一弃觉得对家至少该有活捉自己的打算，“至于那艘鬼船，我也搞不明白。但那船我看仔细了，通体木质呈深水色，纹缝间有苔痕，帆叶折迹处有盐斑渍，整条船像是泡在海水中好久似的。”

“你是说沉船出水？！”老叉问话的语气惶惶的。

鸥子瞪大了眼，鲨口张大了嘴，步半寸在微微点头。

“应该是这样的吧。”鲁一弃把求证的目光转到步半寸身上。

步半寸轻咳了一声，这是他的习惯，每次他极力要把什么事情说清楚之前都会这样：“两艘大舟子没有前挡后锁，而是兜底围，这应该和鲁门长说的一样，是要赶我们，而且是想把我们往深海中赶。可那只鬼船逼迫的方向倒是要我们往岸上靠。这有些怪，要么他们本来就不是挂串儿（一起的），中间起着叉儿呢。”

“那艘鬼船看着的确是我们港子里的，三年前左码子金家才合出（造出）艘新舟子，就应承别人捕对海桌子（巨型海龟），兄弟父子四个独舟奔深海洋道，自此没再拔舵（回来）。我们港子中这些年来都是群捕，相互照应，不会出什么大事，只那年短了金家的舟子。鬼船应该就是那艘舟子，也不知道当年是让人抄缆（抢夺）了，还是没海子后新近被别家起水？”

步半寸每句话都说得很清楚，以至于都疏忽了对周围情况的监视。

船上的人也听得很认真，特别是鲨口。他似笑非笑，张着大嘴，样子像是要说话却又插不上。

“那！看那！”鲨口终于插上了句话头，话不多，却充满了惶恐和畏惧。

百变鬼礁就是百变鬼礁，不但是礁石本身，就是礁石间的水道也不是一眼就看清的。就好比步半寸盯住的那个可以通过战船的大水道，其实转过一个弯后，就可以看出往里的水道并不宽；而这边一个巨礁背后，眼见着没有水道，可当绕过礁石的凸角，一条豁然宽敞的水道便出现在眼前。

让鲨口惶恐的不是水道，而是水道连接着另一个宽敞平静的水面，在那里停泊着两艘船，又是明式战船！它们就像两只怪兽，正虎视眈眈地盯着铁头船。

“快逃！”鸥子下意识地喊了一句，但是船上却没有一个人动。

如果说有人动了的话，也只有步半寸，他握住舵把的手臂的确是微微颤了颤。这样一个微小的动作让铁头船不经意间调转船头，缓缓朝着平静水面的中央移动过去。

“这不是刚才追赶我们的那两艘。”老叉低声说道，那紧张的语气似乎是害怕惊醒沉睡在海底的水怪。

“没错。”鲁一弃心中也极度紧张，但语气却很平静。他依旧坚信自己的判断，没有危险。

战船还在缓缓地移动，却没有往这边驶来，而是轻飘飘地绕着圈儿，像是在寻找什么。

没等铁头船漂到水面的中央，鬼操船又出现了。这次是鲁一弃最先发现的，他感觉到一股凝重的鬼气从另一个狭窄礁石间隙中传出，像一缕沉厚的雾。

鬼船停在那个狭窄水道中没有继续往里来，船上也不见一个影子，只有一挂长长的招魂幡无声地飘着，阴气森森，透着股寒劲。

铁头船停了下来，一动不动，仿佛一块礁石。

礁石群中天色黑得快，落日的余晖早早地就被诡异耸立的礁石挡住了。四周变得漆黑，分不清哪是礁石哪是海水，天空也灰沉沉的，仿佛随时会坍塌下来。

一道火光闪过，是在鬼操船那边。

火光让阴森的鬼船亮了起来，也让鲁一弃的一双瞳子燃烧起来。火光照映中，出现了绿衣养鬼娘俏丽的背影，也出现了养鬼婢秀美的脸庞。虽然离得远远的，但鲁一弃还是能感觉到，养鬼婢的脸庞已经不像北平时那样苍白，多了日晒风吹的痕迹，也多了些血色。

鬼船上点燃的是招魂幡子，发出刺目的绿光。绿光过后，灰烬中留下星星点点忽隐忽现的断续光点，光点衔接而成的是一排扭曲的字。

“速离，莫去。”昏暗中这几个字虽然扭曲，却很显眼，这对于擅长瞄远的鸥子来说，打眼间就已然看清。

幡子很快就烧完了，在火光消失的瞬间。鲁一弃感觉养鬼婢的脸上有一丝笑意，这笑意让鲁一弃心中一荡，一种莫名的甜润油然而生。而就在他沉浸于惬意甜美的遐想中时，鬼船已经在狭缝水道中悄然消失。

鬼船离开后，鲁一弃一下子像丢了什么重要物件一样，周围的气氛也突然间变得微妙起来。

轻叹一口气，鲁一弃转过头来，发现水冰花不知道什么时候站在了身后。此时女人的脸色冷冷的，真就像她的名字一般。但这冰冷的脸色鲁一弃看不见，因为天光已尽黑。他能看到的是女人的眼睛，那双眸子在黑暗中分外明亮，隐约还透着些许暗红的血光。在那血光中，鲁一弃仿佛看到自己的存在，于是他诧异了，茫然了。

“什么？！”盲爷灵敏的听觉突然搜索到了些什么。

鲁一弃也感觉到了，那是一种力量，一种无与伦比的巨大力量。

鲨口一言不发，面色一沉，纵身跳进船舱。还没等鲁一弃他们反应过来，他就又重新钻了上来。

“是夜潮，一线声，滚花浪……”鲨口喊声未完，船上所有人都已听到那潮声了。

大海的力量，难怪鲁一弃会被这样的一种力量所震撼。

步半寸微皱了一下眉头，扫视周围的那些礁石，不时还伸出手来，做出各种手势与那些礁石比对着。这是鲁家的度测技法，步半寸是想找出一个让铁头船藏身躲潮的位置。

行船的有句老话：“面子上怕浪，缝子里怕潮，港子里怕火。”意思是说宽阔的海面上怕遇到风浪，因为无遮无挡；礁石间的狭窄地方怕遇到潮水，因为礁石中的复杂环境会让本来有规律的潮水变得变化莫测，甚至将已然具备巨大能量的潮水，在礁石的狭道中汇聚、集中，使其挟带的力道成倍放大；港湾之中最怕着火，因为船靠着船，火势蔓延无处可逃。

钻出舱的鲨口快步走到左舷，也和步半寸一样往周围望去。他在观察的时候，用的又是另一种比测方法，是将双手拇指压在两侧太阳穴上，其余八指平排在眼前，不断地调整着指间的缝隙。

“东北铺，左三礁吃浪，右四礁分；舟子往右多走三个头尾位，最多颠个尖儿。”鲨口说完这句话之后，放下架在眼前的手，刚刚还阴沉的脸重新像弥勒佛一样舒展开了。

鲨口刚才钻进船舱是去听潮声的。他是南方人，以前虽然不行船，倒也是靠海吃饭的。从小就在鱼排上帮着养鱼、杀鱼。整年都吃住在鱼排边的船上，所以能听出各种潮水、波浪的大小和方向。特别是在船舱里，因为船舱可以起到扩音作用，更利于辨别。

鲨口听出这趟夜潮是一条长线的翻滚潮头，从东面偏北过来，所以在观察了周围礁石的分布情况后，他建议步半寸把船再往右面过去三个船位。

步半寸听了鲨口的话后，想都没想，舵把一推，顺手把帆叶摆桅的牵绳一拽，铁头船便往右边飘移过去。

“下舱！都下舱！”夜潮的来势特别凶猛，此时林立的礁石已经让那潮水显得势不可挡，经验丰富的步半寸让大家赶紧躲到船舱里。

鲨口下去了，相比之下他还是喜欢待在船舱里面，那地方让他有安全感。

鸥子也下去了，他毕竟是兵营中出身，虽然有好眼力，但对海上的把式和自己脚下的定力还是信心不足。

女人一直没有动，不知道是不愿意动还是没有反应过来，所以盲爷转身进船舱的时候，顺手也把她拖了进去。

鲁一弃没下去，他是想见识一下大海的神奇力量，亲身体会下什么是真正的震撼。

老叉也留在甲板上，他从前当“头漂引子”时应付过无数次的激流和山潮，所以有信心以自己过硬的功底抗住即将到来的潮浪。

潮声滚滚而来，如同山崩地裂，又仿佛万马奔腾。但鲁一弃他们都没有看到浪，就连个小小的浪花都没有。

没有浪并不代表没有潮。就在鲁一弃还在犹疑诧异的当口，老叉在旁边突然对他喊了声：“稳住了！”

依旧没有颠簸和冲撞，鲁一弃只感到自己在拔高、在上升，就像一双大手将他们连同船只平平托起。

剪子潮

铁头船升起很高后又骤然落下，位置几乎没有发生任何改变，更没有一点撞向礁石的迹象。

鲁一弃在船体拔到最高处的时候，快步走到船舷边上，并且探头往外看去。这动作着实让老叉吓了一跳，下意识将一只手在吊缆上缠了两道，然后纵身跃向鲁一弃。

就在老叉抓住鲁一弃没有手的右臂手腕时，铁头船刚好落下，船体狠命地一个大震，让老叉的手重新滑落。

铁头船在上下起伏了几下后稳住了，鲁一弃脚下几个走步，卸掉起伏势力，也平稳地站立在那里。然后他用询问的目光看了看老叉，然后又看向步半寸。

老叉也是满脸茫然，他甚至都没有注意到鲁一弃的眼光。

步半寸却是深吸一口气，将自己刚才突然被提起又落下的失重心境调整了一下。然后侃侃道来："潮水过来虽然是一线花，但遇到礁群后便会包绕过来。潮头子都被外围礁石给挡了，而潮头下方的涌流却无法被阻挡。包绕过来的道涌流从许多礁石狭道中一起涌入，一下子就将礁石群中间的水位给顶上去。等潮线一过，顶起的涌流一下子失去了后续的力道，便直线落下。幸好这里礁石间的狭道大小和位置分布还算对数（平均的意思），我们的船位置也搁得好，不对冲道，而是立在数道涌流一同作用的托面上，这才没被甩到边上哪块礁上。还有刚才……"

步半寸的话没有说完，就被船舱中一个带些哭腔的声音给打断了。那是鲨口，他正咧着大嘴干号道："剪子潮！回头的是剪子潮！剪口对直铰过来了！！"

步半寸和老叉猛然回头，同时朝藏着明式战船的方向观望，满脸惊骇之色。鲁一弃也随着他们往那边看。什么都没有，就连点了许多灯盏的两艘大战船都看不见了，因为那两艘船都死死贴紧两边的礁石，用索缆在礁石上固定，所以从鲁一弃这边的角度最多只能看到两艘大船的尾角和支出的一段帆桅。

一种利刃割破布帛般的声音响起，紧接着黑夜中两股雪亮的水线聚成一朵尖削的水浪，那浪头子越升越高，越聚越大，仿佛水中探出一把闪烁着寒光的巨斧，直劈过来。

"速离！"养鬼婢离去时招魂幡子烧出的两个字如电光般在鲁一弃脑中闪过，但他的身形却在这一刻凝固。

肯定有人比他反应快，也肯定有人早就知道会出现这样的情况，所以还没等那巨浪出现，步半寸就已经跺脚大喝一声："转桅，踏轮！"整个铁头船被跺脚和喝叫声震得"嗡嗡"发颤。

"巨斧"朝着铁头船拦腰劈来。

老叉已经来不及调整缆绳，于是纵身吊住帆叶最下面一根横杠，借着身体荡出的惯力将帆叶扭摆出一个角度，然后双脚挂住对舷的几根缆绳，把自己的身体变成一个拉缆。

船舱下传出几声怪叫，那是拼命发力的叫声。船底又有暗流涌动起来，铁头船在最短的时间里提速了。

步半寸将舵把子用力地推到右侧的最底边，并且将身体尽量往右边倾斜，死死压住舵把，不然它退回分毫，同时不断地在背后浪头和前方礁石间瞄来瞄去，度算着船头的角度和方向，以便随时应付突如其来的变化。

鲁一弃呆呆地注视着直劈而来的巨大浪头，这是他从未见过的景象，这奇怪的浪头到底是从何处而来？海面下到底是什么怪异的力量在支配着它？

眼见着那巨大的“斧头”从那两艘大战船中间冲过，掀起的波涛让那两艘船在礁石上碰撞摩擦。由此发出的“咔咔”怪响与那两艘船上尖利的惊呼声混杂成一个长长的高分贝，就连潮头的喧嚣都不能将其掩盖。

铁头船转过了一个角弧，从那“斧锋”的路线看，它只能是从铁头船三船宽外冲过。但浪头后侧交叉而来的力道无法躲避，只有冲过这股力道，抓准时机调转船头，从侧面那几块礁石的狭道中闯出去，才能避免铁头船被潮头掀甩到礁石上。步半寸构思的连串操控必须拿捏得毫厘不差，所以他咬紧牙关，摆正身体，蓄势待发。

鲁一弃怔怔地站着，他仿佛能看到两艘古战船与礁石摩擦后木屑乱飞、碎石四溅的景象，也能看到船上人们慌乱的身影和他们惊骇恐惧的脸。不知道怎么回事，他在这些惊骇恐惧的脸中还看到了自己的脸，同样地恐惧，不！甚至更加恐惧。

就在“巨斧”从礁石间宽大的水道通过，刚刚冲入鲁一弃他们铁头船所在水面时，“斧体”微微一跳，“斧锋”骤然分开，往两边拉伸成了一道更高更快的水墙。

水墙没有到铁头船跟前就轰然倒下，但是倒下的水墙后面还有无数道水墙在前进、在扑倒，前赴后继、摧枯拉朽。铁头船仍在它们前进的范围内。

铁头船瞬间提速了，匪夷所思地提速了。

水墙也提速了，倒塌的频率更加迅疾，已经追到船尾。

步半寸的脸色变得铁灰，他绝望了，而且是在船提速的那一瞬间绝望的。给铁头船提速的就是后面的水墙！扑倒的水墙冲入铁头船的船底，推着船走。一切都被剪子潮给控制了，现在他们任何的努力都是白费。

铁头船直奔前方耸立的锤子型礁石而去。撞击无可避免了，礁石已经近在咫尺。同时，船底汹涌的力量变得更加无法捉摸，翻腾奔涌间似乎要直接将铁头船碾碎。铁头船的骨架“吱呀”作响，船体几乎要倾覆过去。持续倒下的水墙冲力将它压得只剩左侧船尾还在水中，其余部分已然湿漉漉地出水了，欲迎还羞地朝锤型礁石献去“亲吻”。

鲁一弃已经看不到前面的礁石了，他只能看到脚下的甲板往自己身上压来。更可怕的是，他顺势附势的步法再也找不到踩点，这让他仿佛在百尺高楼上突然间一脚踏空，只能任由身体自由坠下，深深地坠下。

不知道过了多久，鲁一弃感觉自己的脸上湿乎乎的，嘴角也咸津津的。他没有马上睁开眼睛，而是在聆听，在感觉，在等待。周围始终静悄悄的，感觉中好像还有好多双眼睛在盯视着自己，这让他显得很孤独无助。

鲁一弃深深吸了一口含氧量极高的海上空气，像个久未解瘾的瘾君子久久不舍来之不易的一口大烟。他能感觉到气息透过鼻咽胸肺，乃至丹元，乃至四肢，乃至肌肤的每个毛孔。

通畅的气息让他胸口的郁闷一下子烟消云散，纠缠着的脑筋也一下子解开了，就连敏锐超常的感觉也似乎变得更加随心所欲。灵犀之光总是在这种好状态下闪过，所以鲁一弃在这个瞬间明白了许多事情，他心中有底了。

虽然依旧没有睁开眼，但感觉在告诉他，周围的气相发生了变化。盯视着他的都是高手，能觉察到真正高手气相的高手。于是他们都被鲁一弃的气相变化震骇了、惊慑了，于是他们的气相散乱了，畏缩了。

鲁一弃睁开了双眼，纯净的深蓝天空中有无数璀璨的星斗，这让他想起小时候在天鉴山，夏夜纳凉时，自己也是如此舒服地躺在竹榻之上看星星。不同的是现在除了星星，还可以看到四周高耸微晃的桅杆顶子。这些桅杆的排布是“四象局・井栏式”，由此可知，自己是在其他大船的重重包围之中。看来现在想要突围冲出，单凭一艘小小的铁头渔船是办不到的。更何况到现在为止他还没有搞清楚，自己到底身在何处，是不是还在铁头船上。

睁眼后看到的第一个人让他知道铁头船没有被撞碎，自己也依旧躺在铁头船上。那人是步半寸，他倒是仍然坚守在舵位上，紧握住舵把。只是此刻他的脸色一片死灰，神情低落得就像个刚从水中捞上来的鸡仔儿。鲁一弃能理解为什么会这样，这次恐怕是步半寸有生以来第一次遭受惨败。虽然鲁一弃昏迷之后错过了许多，也不懂什么水理、潮理。但有一点此时他已能确定，就是从一开始一切便尽在对家落下的坎面之中，而且是坎后垫坎的落法，势必将自己这条船扣住才会罢休。

步半寸是低垂着头，却不完全是因为遭受了打击而变得垂头丧气。江湖人要是心态如此脆弱，那早没法混了。他主要是在关注鲁一弃，面色的死灰和紧张也是因为鲁一弃的状况。要是让鲁一弃栽在自己船上，那不是辜负了鲁家和父辈的重托吗?

看到鲁一弃睁开了眼，步半寸的眼睛中有了光芒；看到鲁一弃脸上泛起的微笑，步半寸的脸上这才透出些愧疚的红渍。

鲁一弃缓慢地爬起来，悠闲地舒展了一下双肩，再要有个哈欠那就真和甜睡后醒来没有什么两样了，如此地慵闲和随性，似乎完全没有意识到自己所处的境地。

站起身后，鲁一弃没有马上移动，而是微眯着双眼，找寻他要找的也应该可以找到的气息。感觉告诉他，随着他的起身站立，周围的各种气相在继续发生着变化，退缩着、收敛着。于是就将原本隐藏在众多气相中却没有丝毫变化的一个气相给凸现出来。

鲁一弃迎着那股气走了过去，一直走到船头再也无法前行为止。此时鲁一弃身上腾跃而出的气息已然和那股气交汇在一处了，却没有一丝激荡和惊澜。

骇异的人很多，两股绝顶高手才会挟带的气相竟然极度平静地交融在一起，没有半分气势起伏，这已经是许多人无法理解的一个境界了。

对于鲁一弃来说，对面的气相是熟悉的，像是老友一般。再加上他已经知道对方不会将他置于死地，所以把身体放得很轻松自然，和平时在甲板上顺附船体的态势没什么两样。

对于对面船上的人来说，面前这个年轻人又给了他一次新的震撼。自己虽然将气相控制得很稳很静，却没有一丝收敛，反倒是将丹元处绷得很紧，本息填得丰满坚固。因为他着实是准备和这个年轻人在气势上来一次碰撞和较量，这是他期待很久的一件事，也是试探对手的一个绝好机会。可是当双方的气息刚一接触便立刻发现情形不对劲，自己发出的气相竟然没有任何的着点。对手挟带的气相好像根本不存在，又好像无处不在，有种包容万象的态势和涵度。虽然自己的气相可以像万流奔腾，但在这里却如同都注入大海中，失去了意义。于是他立刻停止了气相的推进，这一个极其细微的变化，除了他自己，大概也只有鲁一弃可以察觉到。

技击高手，特别是练气者，可以觉察出其他高手在运转力道积聚能量时散发出的气息流相，另外善杀者还能辨出杀气、血气，驭刀剑者可以辨出刃气、剑气。其实这些是从人体呼吸、肌骨运转以及温度变化、气味变化，还有环境、光线等各个方面总结出的一种经验。

而鲁一弃是个例外，因为他天生具备超常的感知，所以他甚至能看到没有生命的物体在呼吸，辨别出没有生命的物体上所挟气息的强弱，从而鉴定出什么是真正的宝贝。也许正是因为这个原因，他意识中自然知道什么才是最好的气相，怎样的呼吸才能获取到最可观的气势和最绚丽的气相。再加上他从小就领悟到的道家自然之理，让他在气相上、气势上直接成就为一个无可比拟的高手。

但这种高手的气相和对手所带的气相绝对是两种概念。鲁一弃的气相只是一种现象，一种态势，一种虚无的影像而已。也许在修习调整下，可以将他驾驭气息的方法变成一种养生之道，却绝不会有能量的积聚和输出。而对手的气相是多种力量汇聚凝结在一起的一个能量场，其中包括了重力的借助、呼吸的起伏、筋骨的绷转、肌腱的拉伸、血管的膨胀等等诸多方面，这种气相如果锻炼到一定程度，甚至可以伤人于无形。

如果说双方气相的交汇如同是一把双刃斧矗立在两人之间，那么鲁一弃这边气相就是个虚空。也就是说他那一边没有“刃”，只有对家那边有“刃”。但是对家在不了解鲁一弃实力的情况下，又怎敢贸然去推对着自己的“刃”？

鲁一弃看见了自己要找的人，正是一个多月前江心凶穴边的青衣人，“五重灯元汇”的“灯芯”。他今天依旧是青色素服飘逸，显几分道骨仙风，也依旧是轩昂之气难掩，举手投足、眉目流转中尊荣霸气纵横。只是这次他没带“蜜蚁奇楠盒”盛装的“万凶之器”，身边叼着红线的红眼睛怪物也换作其他许多奇形奇相的人物。

大船靠得很近，几乎都要贴住铁头船了。大船很高，鲁一弃必须仰着头才能看到船头的青衣人。于是鲁一弃索性在船头坐下，身体仰靠在船舷上，这样可以舒服地与青衣人对视。

谁都没有急着说话。青衣人在仔细打量面前这个人，虽然他曾经明里暗里多次观察过，可每当再次见到时，总感到上次没能将他看清楚。鲁一弃却是很随意地四面看看，自己乘的铁头船现在是在百变鬼礁外足有百多个“屋纵[1]”的位置，差不多是白天与古战船遭遇的地方，而且已经被对家四条高大战船实实困住了，如同坐在井中。

1　鲁家算房子门口到里墙的纵深，一般一屋纵在五到六米。

第二章　船影子：海上沉船的不散幽魂

步半寸说："仔细瞧那些渔船，不颠不抖，跟个剪画似的。"

再看那些船时，鸥子大张着嘴巴，呆了。真的是那样，那些船行驶得定定的、死死的，就和它上面的灯火一样，没有一丝的颠颤。

"'船影子'，你们说的是'船影子'。这和我家那边见过的'人影子'、'驼影子'该是一个理儿……"盲爷说到这儿，突然打住，他能感觉到说这话时有很多目光在看着他。其中有自己船上的人期待他继续讲下去的目光，也有从不知什么地方过来的死死的、沉沉的目光，让他的脊背直冒凉气。

盏茶约

大船上缓缓地吊下一只用栗油金麻绳系着的篮子。鲁一弃一眼就认出那篮子是用浙东淡竹林海中产量极少的“淡青金粉竹”编制的，和鲁家制作“地方天圆镂网龛”用的编制手法路数相同。

篮子中放着一只用“墨里泛青”砂料做的紫砂杯，杯子的造型是“单夹棱外卷六沿”，质地细腻得仿佛琉璃一般。杯子中盛着的绿色茶水清澈得好似老坑子九分水的翡翠，其中散发的清香，在篮子才下到一半时，就已然让鲁一弃有些沉醉。

鲁一弃的确是渴了，他没有半点犹豫地端起杯子，在鼻下一晃，这叫嗅香，再小抿一口在唇舌间，这叫品味。最后一口喝干，让茶水在舌根和喉咙间尽情流淌，这叫尽爽。

喝完后，鲁一弃将杯子在仅剩的那只左手中稍稍把玩了一下，然后放回到篮子里，说道：“秋末的头霜青乌龙才有如此芳冽。应该是产在背阴多雾的地方，这才不会有躁涩冲喉的感觉。茶树高不过尺，根须附土四分，附石六分，茶汤才会如此清澈剔净。最重要的是此茶未炒未酵，而是用八层纱捂，这才会如此碧绿如翠。请再给我添一杯。”

青布衣人笑了，很开心地笑了。天下最难得的是对手亦是知己。

四面船上众多的高手心悦诚服地惊叹着。年轻人从容的气度，豁达的胸襟，广博的论知，岂是一个江湖可以容下的。

鲁一弃不知道别人怎么想，他只知道对家不会也不需要下毒要他的命，所以从容喝下了茶水。而一番言语虽然是品茶的高论，但他其实不是什么品茶的高人。只是在北平上学时有个同学家里开了全国少有的大茶庄，这个同学曾经借给他两本有关茶的古籍——《茶秘》和《百茶辨乐》，所以他记得上面的一些内容。

茶篮又降到鲁一弃面前，鲁一弃对给他茶的人报以诚挚的微笑。但这次端起茶杯后，他却没有喝，只是静静享受着茶水散发的清香。

只有将笑容放淡了、收敛了，才能让嘴巴清楚地说出自己要说的话："这么快又见面了！"话出口时，鲁一弃的面容已经平静如常。

青衣人的话和鲁一弃几乎同时："等你好久了！"

不过两个人都听清了对方同时说出的话，于是又一同笑了。

鲁一弃："心境不宁，光阴难度。"

青衣人："虽有把握，欲速难达。"

鲁一弃："无欲无求，气走玄道，体行自然，自达清灵。"

青衣人："无欲难辞天之任，无求须当众之责。还望体谅。"

鲁一弃："自然体谅，只是何苦？"

青衣人："吐纳天地气，修炼自然身，只可惜修不了先天之命。"

鲁一弃："命一场，梦一场，天下几人辨得清、道得明？"

青衣人："你我亦然，劝我还是劝己？"

鲁一弃苦笑："我不如你，没得退。退了，你能依吗？"

青衣人的笑颜依旧："你让我一物，我让你天地，何乐而不为？"

鲁一弃的面容重又恢复了平静："如若天地不容，又有何乐？又怎能为？！"

"秤有百星分，尺有十寸断。你我今日一聚总要有个分说。"

"客气，秤、尺都在你手中，轻重长短还是你来定。"

"我定的话你会无乐。"

"漫天要价，就地还钱。"

"那么就你先入一日，我随后。其后各显手段，生死凭力凭命。"

"三日！"

"两日！"

青衣人说出"两日"时，鲁一弃在他眼神中见到了刀锋般的光芒。这锋芒是在坚定这最后的价码，也正是这锋芒乱了他很稳很静的气相。鲁一弃知道，这趟交锋自己又占上风了。

"成交……不过不需要你们押着我们走，给我路线图，你们在后面跟着。"

“可以！”锋芒更盛。

“哦，再有，你们要先给我们补充水和食物。”

“也可以！”锋芒中似乎还加带了利齿的光泽。

“还有还有！再给我搞点这种茶叶。”

锋芒一下子全消失了，本来边缘已经开始散乱的气相重新凝结成团。青衣人意识到鲁一弃是故意在激怒他，搅乱他的状态，于是立刻收凝本元。

船移波荡，大船让开了路。铁头船平静地驶出，带着刚装上船的补给和一张路线图。

望着远去的铁头船，青衣人发出一声重重的叹息：“最恼之事莫过此子不是我朱门中人！最惧之事莫过此子与我朱门为敌！”

铁头船驶出好长一段距离后才升帆加速。所有人都来到甲板上，步半寸挥手让鲨口过来替他把舵。要是平时在海面上，步半寸只需要用绳扣将舵把一系就成。此时却不行，一则黑夜之中，视线不清；二是现在船行的方向是侧向洋波，摆头流，较难控制。最主要的是与对家的这趟遭遇，让他再难放心将舵把交予一根绳索。

航线图很简单，有百变鬼礁，这是出发地，也有目的地，但没有标名字。中间一条蜿蜒红色曲线是极清晰的，周围有几个大标识，其他都是模糊的大概轮廓。

步半寸没有细细辨别自己的位置和航线，而是直接寻到标明的目的地。那是个很圆很圆的圈，一个血一样红的圈，这给步半寸一种不祥的预感：这目的地会是个自己从未听说过，并且去过后便从此不愿再提起的险恶水域。

鲁一弃缓步走了过来，看到步半寸捧着那张图久久不放，便说：“不用细看，先大体往南，差不多到位后再细掰着往准点上靠。你还是先把最后是怎么出礁被围的事给我说说，这船上就你看清了。”

没等步半寸开口，老叉就先抢着说了：“我说我说，一线潮不可怕，怕只怕回头浪。刚才那潮水从百变鬼礁过去后，肯定是撞上喇叭口了。这才回头双绞，剪口还正好对准礁豁儿。”

虽说鲁一弃这几个月来江湖套话没少学，但这番行船的行话他还是听得有些云里雾里。

步半寸拍了一把老叉的肩膀，止住了他的话头。

“是这样的鲁门长，那里的海岸线肯定是个角形或者斛形，一线潮撞上岸后回头，就形成了两道交叉的滚浪，两道滚浪交织的潮头势力最大。我们都管这种回头潮叫剪子潮。鬼礁那里的剪子潮比别处要凶猛几倍，它的两股滚子浪斜向下卷，激起的浪头就好像刃头出水，更为奇特的是它还恰好从礁石当中最宽水道通过。”

“那也合着我们运气差。”鲁一弃显然是想安慰步半寸。

“不是！刚开始我也这样认为。可是从浪头突然变水墙时我才发现不妙。也许回头剪子潮是偶然，也许剪子潮的通行路线是偶然，但接下来的变化肯定有人作为。”

“有人可以操纵那样的潮水？”

“不是有人操纵，而是利用。除了季节洋流、天气变化外，潮头子是很少变化的，所以这种一线潮回剪子潮的现象对家肯定早就了如指掌。他们可以对那里的礁石群做一番改造，将原本挡道的礁石炸掉，让剪子潮直通礁石间的港子，然后再将暗藏于水下的礁石进行修整，使得那里平时看着风平浪静，潮头一来便翻天覆地。”

“你又是如何肯定是人为改造，而不是天然形成的？”盲爷问。

“就因为剪子潮高耸如刃的潮头突然间被个‘立牛擎水’的局给改了。大家也许都听说过‘卧牛定水’局吧？许多地方治理江流河道时，常在口子处沉一两只青铜卧牛，这是因为卧牛体型流线，水流冲过，可以导流疏淤。可是这里立牛的作用却正好与之相反，它的作用就相当于奇门遁甲第三十六局‘破峰成嶂’。”

“一峰断破成千重叠嶂！”鲁一弃知道此局意味着什么。

“眼见着船不受控，直撞礁石，我已经完全绝望了。可偏偏就在这关头，前面礁石的根部现出个甩头漩，看着有些像《班经》里一种廊尾亭的建法，是叫做‘飞云摆帜’的。我没来得及看清那下面到底是怎样的设置，船便从一旁狭小的礁石缝隙中给挤了出去，飞射入外面的海面子。等船稳住时，却正好嵌在那四只大船中间。”

“哦，原来是这样。看来今天我们不管怎么逃脱，都在他们算计中，不跟我做成那笔交易是绝不罢休的。只是对家又是怎么知道我们的航线和时间的呢？”鲁一弃像是在自言自语，但是说者无意，听者有心，这句话让所有的人心中都擂起了鼓，寻思是不是自己在什么时候不小心溜音儿的。

“对了，鲁门长，我正想要问你，你们说的那交易是什么意思呢。”老叉永远是那么好学好问。

“你不知道？”鲁一弃的话里听不出是调侃还是卖关子，因为他的语气平静得没有一丝变化，“是找宝贝，让我先找，他们在我背后两天再跟过来找。”

“那他们也真够傻的，两天？不怕我们先找到？”鸥子说着嘿嘿地笑了。

“运用种种奇妙坎扣把你们这帮海上好手硬生生囚困住的人会傻？要能找着宝贝他们早就启了，也不用和我做什么交易。这两天的时间其实就是条绳索，牵着我们替他撬壳开豁呢。而且我觉得对家绝不会对我们如此放心，肯定会下其他扣子盯着。什么叫凭力凭命？那是说我们就算先找到了，他们也是要下手抢的。”

“真他妈的费劲，刚才那情形，怎么着都要挨他们摆布，还一本正经地讲交易说条件，玄玄乎乎的。对家就算不傻，那也是‘整脑壳’（脑子是实的）。”

“他们不能也不敢！”

“为啥？！”老叉好奇又惊讶地问。

“因为有我。”鲁一弃平静的话语中透着股无形的气势，这话说完后便不再多话，径自走下船舱。

铁头船孤零零地往南航行，对家很守信，那些明式战船再也没出现过。但步半寸常常会站在船尾发怔，他始终有种感觉，对家的船只随时都会从意想不到的地方冒出来。

而鲁一弃却一反常态，整日地窝在舱底，似睡非睡，也不和谁多说话。没人知道他到底在干什么、想什么。

这一天半夜时分，鲁一弃悄无声息地爬上步半寸的舵位，像是梦游一样。他脸色茫然地面对着步半寸，许久之后，才声音低沉缥缈地问了个绝对清楚的问题："对家留的图中，地名中可有'福'、'琅'、'滩'这些字的？"

步半寸想了一下，随即回道："没有。"

"不会呀！怎么会呢？怎么会呢……"鲁一弃就这样嘟囔着，重新回到船舱里去了。

步半寸瞧着很是怪异，心中不免有些担心，这年轻的鲁家门长可不要魔障了。

海上行了有一个多月，太阳下感觉棉衣里热烘烘的。虽然依旧刮的北风梢子，却已经不太寒冷。大概是因为快打春了，也因为他们一直都在向南航行。顺风顺水地一路南下，不知道走了多远的海路，也不知道到了什么海域。只有步半寸知道，因为图在他手中，但他没说，别人也没问。

鲁一弃变得越发怪异，几乎除了吃喝拉撒就是睡觉。但是他又好像总睡不好，眼睛一闭就做噩梦，抽搐、惊悸，女人抱住他、抚着他都没有用。他的手总探在怀里，那个和《机巧集》一起启出的玉牌正贴放在那里。这些天他一直在努力辨别玉牌上的一行文字，但真的很艰难，只勉强看出个"离"字，而且还是因为这个字前面的怪异符号有些像"离"卦的爻形才推断出来的。"离"在正八卦中方位为南，而在先天阴阳八卦中却是暗指的东。

眼睛认不出的东西有时候可以通过其他途径知晓，这就像世上的女人一样，看着总不如亲手摸摸了解得多。鲁一弃整天迷迷糊糊，手却没离开过"离"卦爻形后面那一行看不懂的符号。于是他开始不断地说梦话，不断重复着"福"、"琅"、"滩"这几个音。

再后来，他也不把手伸到怀里，也不再重复那几个字了，而是改作了一句不知所云的话："到了，要过了。到了，过了。"最近几日索性没有声音了，连个大点的喘息都没有，只是闷头沉睡。

一船的人都在担心，没了主心骨，谁都不知道下一步该怎么办。只有步半寸还能镇定地保持着航线，始终按地图上的标注前行。其实步半寸心里也很是无措，他不知道该快还是该慢。快了，在赶到准点儿前，鲁一弃的状态能及时恢复过来吗？要是一路上错过了什么就糟了；慢了，对家让出的就两天时间，总不能都浪费在路上吧。

眼见着就要到图上圈出的目的地了，步半寸一直都没发现与鲁一弃念叨的那几个字有关的东西。他一直都在想，鲁家这年轻门长绝非等闲之辈，他说出的东西总会有些道理的。可四面除了茫茫大海还是茫茫大海，唯一有变化的就是日头从升到落的过程，还有就是偶尔飞过的鸥鸟，到后来连鸥鸟也都不见了踪迹。

说实话，步半寸也从没有漂过这么远的海路。从图上标示的距离估算，他们这只船起码已经漂出几千里了，前面的海域已经处于外海洋面了。对于这样的远航，自己的船显得小了点也老了点。幸亏是鲁家匠人打造的船，异常牢固，而且这船虽然有些年头，但平常很少使用，只是每年三遍桐油地养护着，这才能承受外洋浪涛的颠簸。当然，一路没遇到大的风浪也是很值得庆幸的事。

这些日子步半寸始终坚持自己掌住舵把，很少让人替他。要是平常，他只需从季风洋流和天上日月星相就可以辨别出方向来。可是这趟他却从箱子底下翻出一只样式古老但外相颇新的罗盘，时时都盯着，注意上面的每一个微小变化。也不知道这只藏了许多年的罗盘有没有坏，步半寸对应星相后发现指针似乎不太准，稍有些偏东。

又是一天日落，海平线上血红血红的，把蓝色的海洋染成一片血海。

鲨口从船舱中钻出来，望着落日，脸上佛陀般的笑容显得有些僵硬勉强。

步半寸看见鲨口，便和平常一样随口问了一句："还那样吗？"

"不！今天犯糊得更厉害，一直眯着眼瞎嘟囔，两顿没吃了。"鲨口的话里透露出由衷的担心。

步半寸叹了口气，然后面无表情地继续望着前面的茫茫海面，船不紧不慢地航行着。

老叉在一旁忙活着些什么，他只是在鲨口诉说鲁一弃状况的时候停了一下手。这样一条小船也不知道哪有那么多事情好忙的，无非就是反复在检查那些绳索、捕具什么的。不过还是有两个人始终在关心他忙活的事情，步半寸和盲爷。他们发现老叉每天要收拾三遍那些并不复杂的器具，收拾完了就制作些小玩意。反正他是不让自己停下来，似乎是要用这种方式来疏解些什么。

船影子

最近鸥子的变化也很大，以前他在舱台顶上做瞭子总是有说有笑，可自从百变鬼礁那场遭遇之后他变得沉默，每天就坐在舱台上看着远处发呆，不知道在想些什么。

“有火光！”已经许久没有说话的鸥子突然冒出一句。

老叉的身体猛然一抖，停住了手中的活计，其实此时最后一丝余晖也已没入海平线，就是做活计也看不清了。

“又多了一处！”鸥子说这句话的时候一个弹身站了起来。

与此同时，船舱里枕着女人大腿说胡话的鲁一弃也猛然坐了起来。

船舱口探出个细小脑袋，那是盲爷，鸥子的第一句话他就听见了。江湖经验告诉他，终于出现状况了。

鲁一弃的动作让女人吓了一大跳，而他眼中闪烁出的锐利光芒，更让她体会到什么是心底的惊寒。这目光，像无坚不摧的利刃，随时可能刺穿些什么。

“大少，上去看看吧，看看到底出了什么妖事儿。”盲爷轻声说道，他听到了鲁一弃发出的动静。

鲁一弃始终看着一个方向，那目光仿佛穿过了船板，穿透了海水，穿越了茫茫夜幕。

“鲁门长醒了吗？步老大要他这就上来瞄下子。”鲨口从船舱口探进个脑袋。他不知道鲁一弃已经醒了，但他的话意思很明确，不管怎么样，都要赶紧地把鲁一弃给叫醒。

“这就来。”鲁一弃这么多天终于说出一句正常的话来。

当大家都聚到甲板上的时候，船的四周已经出现了十几处的灯火。那些灯火不知道用的什么光盏子，没有一丝的扑闪和跳耀。

鲁一弃虽然显得有些虚弱，但表情很平静，目光也坚定。对于面前的情形他没有表示出一点大惊小怪，似乎早就在预料之中。他也没有刻意地观察那些灯火，而是朝着船前行的方向看了看，又回头看了一眼来的方向，低声说句："过了，已经过了。"

然后提高声音接着说："那些都是渔火，前面还有更多。不过不要接近，绕开它们。"

海面上夜里要比白天冷许多，但是大家没一个下到舱里的，因为越往前，情况变得越发诡谲难测。

"是船，真的是渔船！好多呀！"鸥子有些兴奋地叫着。其实他说这话的时候，其他人也都影影绰绰地瞧出些渔船的轮廓来。

果然像鲁一弃所说的，前面的灯火越来越多，看样子他们是闯入了一个正在夜捕的大流子（鱼汛）。

"是在夜捕呀，上路子的说法叫'照光捕'。那些灯是光诱子，用来吸引喜欢光亮的鱼群。这面子看来是个大渔场，附近要么有陆地要么就有大岛子。"鲨口说的这种捕鱼法子就连船上另外几个靠海吃饭的都听着新鲜，他们也不知道鲨口从哪里懂的这些法子。

步半寸微微摇了摇头没有作声。老叉皱了皱眉也没有作声。

盲爷在听，认真地听，耳廓不时地会抖动几下，也不知道他要用灵敏的听觉搜索什么。

"那些船在动吗？"盲爷突然突兀地问了一句。

"当然，就是慢些。"鸥子快言快语地答道。

"可船行无声吗？"盲爷声音沙沙的颤颤的，有些像在叫魂。

大家脸色瞬时有些变了。

鲨口钻进舱里，他要亲耳去证实一下。

从鲨口出来时的脸色就可以知道结果了，但他似乎还是不信："可能太远了，可能是太远了才听不见。"而他心里清楚，平常这样远的距离，自己是能从舱里听到船行的动静的。

步半寸说："仔细瞧那些渔船，不颠不抖，跟个剪画似的。"

再看那些船时，鸥子大张着嘴巴，呆了。真的是那样，那些船行驶得定定的、死死的，就和它上面的灯火一样，没有一丝的颠颤。

“‘船影子’，你们说的是‘船影子’。这和我家那边见过的‘人影子’、‘驼影子’该是一个理儿……”盲爷说到这儿，突然打住，他能感觉到说这话时有很多目光在看着他。其中有自己船上的人期待他继续讲下去的目光，也有从不知什么地方过来的死死的、沉沉的目光，让他的脊背直冒凉气。

在西北的大荒漠上，常常能够见到些飘忽的影子，有的像人，有的像驼队，老辈人说这是出门在外半路出事的游魂野鬼。他们都管这样游荡的鬼魂叫“人影子”、“驼影子”。

盲爷从小就听过这样的传说，也见过荒漠上飘荡的“人影子”。所以步半寸一说船的样子，他马上就想到了。而突然间把话头打住是因为他还想起老辈人留下的另一个传说：谁说“人影子”的事，让“人影子”听到了，那么它就会上你的身，让你的魂魄替它在外面游荡。

亮着灯的船越来越近，几艘离铁头船近的船都是直接从跟前冒出来的。就好像原先就在那里，只是没有亮灯，等铁头船离近了才把灯给掌亮。船影子的数量也在不断地增加，这让躲让变得越来越困难。

“那些是、那……沉船！是……”

“住、口！”

鸥子的话语有些颤抖，他本来要说出的不是沉船这两个字，临时改了是因为害怕吓坏自己。盲爷的制止也有些发颤，他不害怕“人影子”，他曾经还跟别人赌赛到荒野里追过“人影子”，但是这里的“船影子”是怎么回事他不知道，一进这茫茫大海，他这个踩了一辈子实地的西北贼王，心就惴惴着没有放下过。

但是鸥子说的也真的没错，可以看出，离得近些的几条船和百变鬼礁的鬼操船一样，外部布满了青藻和水锈，还有厚厚的珊瑚泥和死贝壳，看上去比鬼操船沉的时间还长。

这样看来，对家肯定早就探过此地，否则不会有那么准确的海图。就连养鬼婢所乘的鬼操船，很有可能也是从这里掠回去的“船影子”。当然，也只有养鬼娘和养鬼婢才有操弄“船影子”的能力和手段。

鲁一弃看着那些船便想到了鬼操船，想到了养鬼婢，想到了招魂帕子燃烧后显出的后两个字“莫去。”莫去哪里？是这里吗？

站在舵位上的步半寸用脚尖挑开自己身前的一块隔水布，里面是他最近取出的罗盘。那罗盘好像是失灵了，指针正不停地旋转着。这是海上传说中的一个怪异现象——鬼乱向。

“鲨口，你来把舵！”步半寸的声音很闷，像是不敢高声，怕惊动了什么。

鲨口握住舵把的时候，有些为难地看了步半寸一眼，在这么多船影子中躲闪穿行，谁都没有十足把握。

步半寸没有理会，径直跳下舵台，跑到舱口处的一个防水箱前，掀开盖子，端出一个瓦罐子。

瓦罐子放在船头的时候，舵位上的鲨口突然“啊”的一声惊呼，紧接着铁头船船身一侧，斜地里从一个刚刚亮起的灯火边擦身而过。那是一条突然间出现的“船影子”，从外形看像是东洋人才有的火轮船。

那船离得很近，移动中没有一丝的波动。就是铁头船从它旁边驶过带起的水浪也没能让它有一点点起伏。

船过去时，鲁一弃看到对面船上隐约有人形，样子似乎真的是在进行捕捞。只是从那边随风飘过来的一阵霉晦味道，让他一阵作呕。

“天地太清，日月太明，阴阳太和，海祖公照应，海祖公照应了——”步半寸拖长着声音高高喊出。边喊着边从瓦罐中拿出一堆黄裱纸符和几块块状的祭香，他把黄裱纸符分作了两堆。一堆散落着撒到瓦罐中，腰间掏出火镰，轻轻一磕将瓦罐中的符燃着，然后将祭香按三阳爻的位置落入火中。另一堆纸符捧在手上，在火堆上方绕圈。绕到第九圈时，他猛然一收，站起身来。

“快，趁热给粘到船舷的外沿去。”

女人对步半寸所做的一切很好奇，所以站得很近，听步半寸一说，马上伸手就要拿纸符。

“娘们儿别碰！”步半寸厉声喝止，不留丝毫的情面。

这也难怪，本来渔船出海都是不带女性的，被海祖公看上了就要掀船接人。这趟带上女人步半寸心中已是十分不愿，但看在鲁一弃的面上也实在没法子。此时女人又要动纸符，那更是万万不能的。

几个男人分了符咒，在船的四周贴起来。这种符与平常的符差别很大，只是在黄裱纸上用红丹笔工工整整地写了一个“禹”字。咒符背面原本就有胶，一烘之后很有黏度。

女人被步半寸的断喝吓住了，满脸的委屈，眼泪都快掉下来了。她以前从没在男人面前示弱过，可是被鲁一弃破了石女之身后，她莫名间有了些小女子情怀。

鲁一弃看着很不落忍，从女人身边走过时，悄悄塞给她几张咒符。

女人笑了，不是为了这几张黄裱纸做的咒符，而是由此看出鲁一弃很在意她。

“船影子”越来越多，那些不摇不动的暗绿色渔火已经串成了片，完全笼罩了这片海域。也因为有了这些光亮，周围远远近近的那些“船影子”也渐渐清晰。从外形看，有的像是商船，有的像渔船，也有战船，他们甚至还看到两艘军队里的铁壳炮艇。

所不同的是，现在的渔火虽多，却不再突然出现在铁头船的前面，只是在两侧和后面突然间显现，这就没有与“船影子”相撞的危险了。

“将主帆再降下一半。”虽然铁头船一直是在缓慢航行，可步半寸觉得应该把船速控制得更慢些，因为没法预料前方会出现怎样的凶险。

老叉将帆缆一松，主帆直滑而下。老叉手中的绳子像变魔术一样瞬间做好一个双叠绳扣，绳扣往缆桩上一套，主帆便“喀”的一声被收住，帆叶正好下到一半。

“鸥子压船头，顺带瞄远。老叉溜右沿，鲨口溜左沿。”随着步半寸的吩咐，鸥子拿了根大竹篙架在船头，随时防止有什么“船影子”迎面撞过来。老叉提了支单股棱叉，守在右舷。鲨口拿根钩矛守在左舷。

“鲁门长，你们三个都到舱台后面猫着，有事我叫你们。”

听了步半寸的话，盲爷没动地儿，女人却不管，拉着鲁一弃就往舱台背后走。舱台和舵台之间有个狭窄的过道，他们两个就站在那里。女人紧紧抱住鲁一弃的胳膊。

一阵海风吹来，从那不宽也不长的过道中穿过，显得格外寒冷，鲁一弃不禁打了个冷战。

风小了，鲁一弃又打了个冷战；风住了，鲁一弃还打了个冷战。女人觉出鲁一弃冷，便改抱胳膊为抱住身体。可是鲁一弃还是在打冷战，一个接一个。

“鲁门长，怎么了？”站在他们后面舵台上的步半寸看出不对劲了。

鲁一弃一抖一抖地的，说话也断断续续很不清楚：“唔，当心、雾，下雾，当心。”

“什么？你说什么担心？”步半寸大声地又问了一句。

他的动静将其他人也都吸引过来。盲爷两个纵步就到了过道口，老叉和鲨口也都移步到过道这边往里看着。只有鸥子依旧坚守在船头，虽然没有过来，却不时回头往这边看看。

女人从正面紧紧抱住鲁一弃，并且将脸颊贴在鲁一弃的脸颊上。

鲁一弃感觉到丹田的地方一暖，然后有股暖流缓缓投入。他本来无助僵硬的双手此时很自然地环抱住女人的腰背。

鲁一弃和女人这样的姿势持续了很久，步半寸他们几个都感觉有些肉麻了。就在他们要各自回到自己位置上的时候，恢复平静的鲁一弃清晰地吐出一句：“当心，要起雾了。”

步半寸抬头看了一眼清朗的天空和闪烁的星辰，心说：这天气会起雾，不是又在说梦话吧。

“什么？！快看！那是什么？！”船头传来鸥子慌乱的叫声。

几个人一同转头望去。船头前方有一团巨大的白色压了过来，看着实实的、硬硬的，在那些暗绿色的渔火照耀下，有缕缕淡绿色的烟雾飘溢而出。

“注意，是流冰礁子，快升帆踩轮子躲开。”步半寸毕竟海上事情经历得多，那白色的东西一出现他就想到冰礁子（冰川）。鸦头港靠近极北海场，经常会有这样的冰礁子漂过来。

虽然都听到步半寸的喊话了，但是船上没一个人有所反应。步半寸也随即醒悟过来：这船能往哪边转向？这里可不同于平常的海面，无遮无拦。此时两旁已经布满了各种诡异的“船影子”，而且越贴越近，往哪边转都是会和这些“船影子”撞上的。

尽浮沉

眼见着真是躲不过了，老叉和鲨口同时往船头奔过去，他们的想法是一致的，三个人一起在那冰礁子上撑一把，减缓铁头船和它之间的撞击。

步半寸将舵把往旁边绳上一绕，自己单手吊住一根挂缆，从舵台上直接荡到帆桅旁，顺手将帆叶的吊缆绳扣一解，帆叶“哗啦啦”直落到底，船速降到最低。然后他也直奔到船头，一把从鲨口手中抢过钩矛，同时对鲨口说：“我来撑头，你下舱倒踩翻轮，力要轻，让船停下就成。”

步半寸没有让鲨口大力后踩退避，因为船不但左右转不了弯，就连后退也不成，船尾后面也跟满着“船影子”呢。

鲨口双脚在光滑的甲板上一纵一滑就到了舱口。正要钻进去，却因为一个平静的声音停住身形：“不对，冰礁子怎么会漂到这里来。”

鲁一弃虽然对渔家的行话、暗语懂得不多，但像“流冰礁子”这样的词他还是能估摸出意思的。冰川结构都集中在南极和北极，这流冰礁子如果是从北极冰板块上断落后随洋流漂到此处，这好几千公里的距离，得漂多少天呀。在洋流的温度和海水的冲刷下，早就该融没了。而且就算在鸦头港也从没遇过那么大的流冰礁子，见到最大也就三桅船的样子。

“那这是什么？”步半寸喃喃地，脑子像是灌了浆。

就在这错愕间，铁头船与白团已经近在咫尺了。鸥子奋力将竹篙往白团上撞去，不料大力之下落了个空，身体一个踉跄直往船头外跌去。

老叉手疾眼快，一把拉住鸥子的腰带。鸥子没能从跌空的惊恐中恢复过来，因为虽然没有跌出船去，却是跌入一个浑浊的世界。就像一下浸泡到一缸浓豆汁中，眼中看到的只有浓厚的白。

“是——起——雾——了！”老叉拖长的声音中有感慨和惊惧混合在一起。

这里的雾和鲁一弃他们上趟在双乳山碰到的雾又有不同。双乳山的雾升腾得虽然很快，来得却不突然，更没有什么明显的界限，缥缥缈缈，有淡有浓，有来有去。这里的却不然，那些雾就像是凝聚而成的一个茧，浑浊与清明间有极为明显的界限。船往里一钻，就像到了另一个世界。

船帆全落，铁头船没有任何的动力了，但是船却没有停，也并非随着海面波涛随意漂泊，而是朝着一个方向在直驶，速度越来越快。

这是怎么回事？！这是要往什么地方去？！这浓雾中有什么在拽着他们吗？能解释这些的只有可能是鲁一弃，但是他们现在连鲁一弃在哪里都看不见。

“往这边走，进舱!”鲁一弃身边幸好有个不用眼睛看就知道事的盲爷。盲爷是个久经江湖的老贼，知道周围起了能遮掩一切的浓雾后，他第一反应就是保护好鲁一弃，不能在这种环境中被暗算。船虽然钻进浓雾之中，船舱中却不会有雾，在那里不会被偷袭。

钻到舱里，女人从鲁一弃袋里找出萤光石，将萤光石往船舱木阶下一放，然后三个人都退到一个角落里。这样他们可以看清每个进舱的人，而进来的人却看不清他们。

所有这一切鲁一弃都不知道。船驶人浓雾的那一刻，他便突然昏厥过去，全是靠盲爷和女人将他架了进来。

退到角落里后，女人慌乱成一团，又是掐人中，又是捏虎口，可是鲁一弃一点反应都没有。

盲爷还算镇定，但他却有满腹的疑虑。枯瘦的三指搭住鲁一弃脉门，盲爷发现鲁一弃的脉搏有力却杂乱，这和练气走火入魔的症状相似。鲁一弃不是练家子，那么出现这种状况，只可能是他进入了另一种神秘的状态。盲爷还是贼王时，曾经躲在甘肃虎踞关外的迦叶寺中，连着三天，偷听一群来自印度、缅甸和西藏的僧侣讲论密宗典著《佛显圣》。他们提到一种和鲁一弃现在很相似的状态——通灵。说是达到一定道行的高人，可以让精神的范围转移到一个很远的地方感知一些东西，道行极深者甚至可以用精神的力量去左右远处的一些人和物体。那么鲁一弃现在会不会就是这样一种状态呢？

舱门一响，盲爷的盲杖尖儿立刻循声指去，女人也举起了手中的驳壳枪。

进来的是步半寸他们几个人，他们刚刚在外面费力折腾了一番。虽然也一样看不见，但是这几个人太熟悉这条船了，所以都准确地到位，迅速地升帆、转舵。结果却是白费力气，铁头船依旧是自顾自地往前行驶着。

刚跨进舱里，步半寸他们都被萤光石的光亮吓了一跳，像这样不动不摇的光亮已经折磨了他们一整个晚上了。随即看清原来是个少见的光盏子，这才都舒了口气。

"下面怎么办？"这次是老叉抢先问。

没有人回答他的问题，因为鲁一弃还没醒过来，而女人和盲爷也的确不知道该怎么回答他。

船舱里沉寂了一会儿，后进来的几个人看清鲁一弃的样子后，都不免更加焦急起来："怎么了？又怎么了？""中瘴了吗？""海雾里还有瘴？""是中尸气了吧，那么多的'船影子'，雾里尸气肯定很重。"

正当几个人七嘴八舌之时，船身一震，像是撞到了什么。

随着这一震，昏厥的鲁一弃却腾地站了起来。

铁头船停了，稳稳地，没有一丝摇晃。鲁一弃却摇摇晃晃的，似乎随时会摔倒。

没有人敢上前扶鲁一弃，他们都不知道发生了什么事，只是惊愕地瞪视着鲁一弃，茫然不知所措。

"哇"一股污秽物从鲁一弃口中喷吐出来，许久没有吃东西的他却吐得很多很多。

从未晕过船的鲁一弃竟然吐了，而且像是将上船之后该吐却一直忍着没吐的一次全吐了出来。

步半寸快速抽身出了船舱，速度不比他钻进船舱时慢。倒不是他恶心鲁一弃喷吐出的腥臭味道，而是铁头船突然停住，他必须出去看个究竟。

外面的雾淡了，像暮霭中的轻缈烟雾。刚才的浓雾像是一堵墙，已经被他们甩在身后。周围也不见了那些“船影子”，昏暗的天光下，海水非常平静，水面上只有三指高的微波。平常就算在无风的港子里，也很少见到这么小的波浪，而现在是在外海大洋之中，这种现象就更难理解了。

船并没有撞到什么，因为周围没有任何东西。那么震动从何而来，是船突然从什么地方掉落还是船下挂住了什么东西？或者是撞破了什么无形的阻隔，进入到了另一个世界？

铁头船极为平缓地漂着，平缓得让人觉得是静止的。但是这种平静并没有一点让人觉得舒服，相反的，几个人都有种胸闷反胃的感觉。

“什么海面子？怎么这样奇怪？看看前面有些啥。”鲨口说着就要往船头走，可偏偏一种慵懒的性子涌上心头，竟然很不愿意迈出步子。

鸥子听到鲨口的话，好一会儿才反应过来，瞭看应该是自己的职责呀。于是他抬头往瞭台上瞄瞄，却没有登上那个属于他的位置，而是拖着疲乏的脚步往船头走去。

站在船头，鸥子用力眨了一下眼睛，努力让光线和影像重新清晰起来，但是随着视觉的清晰，眼前的一切让他魂飞魄散。

前方轻缈的迷雾突然狂乱地翻卷起来，有个如山一样大的灰黑影子冲了出来，压向船头。

“啊！那是、那是……”

那是一艘巨大的舰艇，一艘洋人和官家兵营里才有的铁壳炮舰。这种不用帆桨只吃煤、油的铁家伙，能跑能打能撞，而且像这样大的，他们还真是头回看到。

铁头船虽然坚固，但在这种舰艇前就好像铁牙下的豆腐。步半寸唯一能做的就是喊了一声“抓紧！”然后便很无助地扶住身边的桅杆，老叉和鲨口却连抓挠点什么都来不及了。

舰艇高翘的船头直往铁头船压下来。“啊——”鸥子吓得从船头的高阶上跌滚下来。

就在这个瞬间，有几道红光闪过。舱里的鲁一弃真切感觉到了，舱外的步半寸和其他人隐约看到了。

铁头船没事，就在要撞击的一刹那，那艘巨大的铁壳舰艇熔化了、消失了，化作一片透明的雾气。

鸥子躺在甲板上，可以清楚地看到透明的巨舰从鼻子上方飘过，从步半寸他们身上穿过。

步半寸、鲨口、老叉都没有跌倒，但是他们的身体为了承受撞击而聚集的力道却顿时落空，于是，这股力道让他们血气翻腾，头晕眼花，吐不出也咽不下。

还没有等他们从这种状态中调整过来，又一艘多桅的波斯货船从左舷的雾气中突显，拦腰撞来，随后又有一只方头方桅平底滚船从右前方撞来……却都只是一片幻象而已。

他们的铁头船连续与不下数十艘各种船只遭遇，到后来，步半寸他们几个已经对这种虚幻的撞击麻木了，反倒在那些船只过来时都往前去，试图看清那些到底是什么舟子。

铁头船真的静止了，纹丝不动，就像被冻住了一样。海面子也平静得如同镜面，连一指波都没有了。也就是从完全静止的那一刻起，虚幻的撞击消失了。

当依旧虚弱恍惚的鲁一弃被女人和盲爷搀扶着出到舱外后，他的第一句话就是："没被撞上，应该是符咒起了作用。"

鲁一弃虽然没亲眼见到外面虚幻的撞击，而且他在呕吐后变得更加失神，身体也在发梦障般地不断抽搐。但此时他所感知的境界没有人知道，他的每一次抽搐都和外面虚幻的撞击吻合，而且在梦幻般的境地里他还看到，铁头船船头上有几张"禹"字咒符在起伏膨胀，放着红光。

"不动了，船一点都不动了。"鸥子现在说话有些傻傻的，从"船影子"出现后，他感觉脑筋都黏在一起了。

"没一点风，当然不动了。"老叉到底是老江湖，他的状态似乎是这四个操船高手中最好的，"你用篙子搅搅看，说不定能划得动。"

鸥子听了这话，操起一根竹篙，就要从船舷右侧往海里戳。

就在篙子快要戳到水面时，篙子的尾端被一只有力的大手紧紧抓住，这是一只能稳稳握住舵把闯海冲浪的手。

鸥子回过头，看到步半寸像帆桅一样站在甲板上一动不动，右手紧握住自己手中的竹篙尾端。这情形旁人很是吃惊，从小混扎在兵营中的鸥子不说有多少武技功力，但是一身力气还是不小的。特别是他正值身强力盛的黄金年岁，一双肌棱凸起的臂膀，出手总有几百斤的力道。可是现在，这双臂膀握持的篙子竟然被步半寸用一只手就给死死地定住了。

鸥子双眼呆滞地看着步半寸，没有意识到发生的状况。而步半寸却在犯嘀咕，鸥子的臂力不比自己弱多少，今天怎么会让自己这么一抓就止住了？

步半寸努了努嘴，示意鸥子且看鲁一弃如何决定。

鲁一弃半闭着双眼，目光迷离，正对着船头的方向，和船一样一动不动。

在他的感觉中，那个方向有跳跃的波浪，有气流的漩涡，有翻滚的云层，所有这些交织在一起，仿佛在海天之间树起一根黑色的柱子，搅动着天和海，并且把海天间所有的生灵吸入其中。

鲁一弃虚弱地抬起右臂，光秃秃的腕部指向那个方向，狠狠地说出两个字："凶穴！"

步半寸放下鸥子手中的竹篙，快步往舵台上走去。罗盘一动不动地指向船头。不对呀！自己这船是从北而来，罗盘应该常指北方，难不成这船在雾里已经整个调转？要么就是罗盘坏了？还有平时再怎么着，这罗盘指针都应该有些晃动的，不会像这样一点也不动。

罗盘没坏，就在步半寸疑虑之时，那指针抖动了一下。同时，本来纹丝不动的铁头船也震跳了一下。

鲁一弃半闭的眼睛骤然睁大，眼睛中闪烁的是恐惧和绝望的目光。

罗盘的指针不停颤动，铁头船也开始缓缓地移动了。更奇怪的是，甲板上放置的一些杂物也开始滑动起来。

鸥子的脚下有些不稳，是因为突然多出一股无形力量将篙子头直往船头拽。

老叉的鱼叉和鲨口的杆矛头子也都朝船头方向偏转过去。

盲爷的盲杖是整体受力的，仿佛有个隐形的人要将它夺去。

女人感觉有人在拉扯她的衣裤，刚开始一惊，还以为遇到好色的鬼魂了呢。接着便清楚了，这是一种无形力道在拖拉她藏在衣服里的驳壳枪和裤腿上的攮刺（匕首）。

船舱里传来一阵“叮叮当当”的响声，女人和鲨口好奇地回头往舱门看去，他们看不到舱里，却可以看到舱门上铁环渐渐地由垂挂变成水平。

清醒的鲁一弃变得更加虚弱，一下子单腿跪在甲板上，但是他指向船头的手臂却没有放下来：“不能！不能往那里去！”

罗盘指针在剧烈地抖动，船速在不断增加，但船反而行驶得更加稳定，几乎都没有带起一点浪漪。

甲板上滑动的鱼叉和杆矛突然一下子跳起，附着在铁船头上。鸥子也终于站不住了，脚下一个踉跄，手中竹篙的铁头子猛地扎在船头。盲爷将盲杖尖戳在甲板缝里，双手握住盲杖柄，与那股力量抗衡着，盲杖已经往前弯曲，成了弓形。

女人的衣服一下子敞开了，里面的驳壳枪在光滑的甲板上快速滑过，也附着到铁船头上。女人一扑想要抓住却没有抓到，反是让裤腿边的攮刺也顺势滑出。她急忙再去抓攮刺，却一把抓在了刃口上。还没等她来得及伸出另一只手握住攮刺柄，船头前方的那股力量突然加大，一下子将那把攮刺夺去。锋利的刃口划过女人的手掌，几缕殷红瞬间从指掌间渗了出来。

“快！转向！离开这道！”鲁一弃早就失去了平静和沉稳，言语间透着某种疯狂。

海粽子

可是没人有能力让铁头船转向离开。步半寸拼尽全身力量都无法将舵把推动一点。

“撬了那铁头！”刚才就说过，船上这四个使船的好手中，老叉的状态目前是最好的，所以他能看出，那股无形力量最终是集中在铁头上的，得把那铁头给撬了才行。话一说出，老叉、鲨口他们几个都直扑船头，而步半寸跑向船舷前端，在舷沿底下摸索着什么。奔船头的是想强力撬掉铁头，摸舷沿的是想从机括弦子上解脱铁头。但是两种想法的人都无法把想法变成现实，因为此刻他们全变得异常虚弱，意识模糊，所存的余力连自己身体都支撑不起来。

女人把目光从自己受伤的指掌上移开，移到了铁船头那边的一堆男人身上，她觉得很怪异也很好笑。这群爷们儿都堆爬在那铁头子上，拳掌无力地拍打着，样子倒像是在擦拭和抚摸。他们到底是做的什么祭（玩什么花样），一个个捏把得比个大妹子都娇弱。不是明明大呼小叫着要撬铁头的吗？可这样子连根毛都搞不掉。

女人站起身来，她带着好奇往船头走去。

男人们都停止了动作，把目光全聚集在水冰花的身上。她竟然是这条船上目前唯一一个能正常活动的人，凶穴巨大的无形力量只是抢走了她的枪和攮刺，对她的身心却没任何影响。

没等女人走到船头，局势再次出现变化。无形的力量骤然增大。本来斜斜附着在铁头上的杆矛、铁叉、竹篙一顺朝前挺得直直，船头也被拖拉得明显往下一沉。

船体的突然前倾让女人无法站稳，身形不由自主地往前冲。这一冲，小腿迎面骨正好绊在根竹篙上。于是再也稳不住了，直往船头跌扑过去。女人下意识地伸手撑扶了下铁船头，这让她直扑的身体改为侧向，重重跌坐在船头甲板上。

女人伸出来支撑身体的是受伤的手掌，跌坐过程中，手掌从铁船头上一路抚滑到甲板，在上面留下一道顶端有五指血印的浓浓血迹。

女人倒下的同时，铁头船发出一声“吱呀”的怪叫，那声音让人听了心中如同猫抓一般。

船上有几个人能听出来，造成这种声音的是鲁家的一种工艺手法，因此并不惊慌。在鲁家六工技法中有一个独特的工艺方法，叫做“榫隙法”，也就是在榫接的时候留下一些间隙，并且在榫接的地方采用很有韧性的材料。这样在整体结构做成后，当外部有力量施加在上面时，各个榫接部位就会一起作用，从多个环节和方向上产生微小的变形和缓冲，从而保证整体结构的稳固。这就和竹编的笼篮一个道理，不管从哪个方向推压，只要在一定力量范围内，竹条自身和竹条之间的叉接总会有韧性卸力，让笼篮只是稍有变形而不会损坏。

随着船体的扭曲，船头和船舱中又响起一阵“叮叮当当”的铁器碰撞声。刚刚被压下去的船头猛然窜起，把船头软爬成一堆的几个男人也弹跳了起来。

鲁一弃从甲板上猛然爬起，此时此刻，一种前所未有的轻松遍布全身，一个多月以来积聚的各种压力瞬间得到了释放，像脱掉了一具异常沉重的枷锁。他的视线却始终没变，依旧正对着船头方向。所不同的是那对清澈的目光由远及近，最终落在了铁船头上，落在那道浓重的、殷红的、顶端有五指血印的红道道上。

春秋时有一本《符之鬼语仙说》的著作，鲁一弃见过其残卷。其中记载了许多已经失传和不知其用法的符咒，其中就有一个和这个血迹相似的符咒，叫“喷阳符”。

但是眼下绝不是寻根探底研究符咒的好时机。“赶快转向，不能再往前了。”鲁一弃声音低沉急切地说，好像害怕再次惊吓了面前那几个刚刚恢复过来的大老爷们儿。

听到鲁一弃的话，步半寸迅速朝舵台跑去，边跑边大声招呼着：“鲨口、鸥子下舱踩翻轮！”

鲨口的反应很快，鸥子是在他的拉扯下往船舱下跑的。

铁头船下翻起一阵水花，船缓慢地启动了。步半寸将舵把往一侧压死，他只想尽快离开这个怪异凶险的地方。

“先不要回去，找找有没有宝贝的迹象。”老叉还记挂着宝贝。

“你作死，就现在往回走还不一定能逃出。”步半寸想到过来时浓重雾墙和无数的“船影子”，心中不由得一阵阵发寒。

老叉没有回答步半寸的话，而是把目光落在鲁一弃的身上。几乎同时，步半寸也看向鲁一弃。

“老叉说得有道理，步老大的话也没错。不过我想，要是能抢住眼下暂时没有危险的时间段，找着宝贝，把凶穴定了，或者带着宝贝回头走，那么平安脱出的把握反倒能多几分。”鲁一弃的话更有道理，只有凶穴定了或者带了可镇压的宝贝，才能平安地通过雾墙和避开“船影子”。

船绕着鲁一弃感觉中的那个凶穴在走，并且逐渐靠过去。能把距离控制得这么好，都是因为在按着鲁一弃的感觉操作。

洋面很平静，航行中，老叉不时往水下扔些小玩意儿。那是带铅坠的“木鱼浮鸣”，南宋时《鄱阳湖战记》有录：“军中多用木鱼浮鸣，其型如同木鱼。悬重置于水静处，船行水动则鼓鸣，其声如牛吟蛙鸣，为讯以防暗袭。”

老叉的那些东西看上去跟和尚的木鱼差不多，只是边上多出一双槽道，并连接双翘管导流。这样悬浮在水面上，不管是气流还是水流，都可以将其带动发声，特别适合在平静的水面使用。

此地的洋面虽然极度平静，问题是放下这样的东西又有什么能让它发出声响？

“先置下，说不定回头时有风有浪能导着我们不岔向。”老叉考虑得很是周全。

盲爷一直都跌坐在船头没有动地方，不知是在思考什么还是用他敏锐的听觉搜索些什么。

女人看着这个枯瘦的瞎眼老人无助地跌坐在那里，心中不由泛起一丝怜悯。将枪和攮子收好后，她伸手想把盲爷搀扶起来。

女人的手还没有触到盲爷的臂膀，一只枯瘦得如同鸡爪般的手已经闪电般反捏住了女人的脉门。

女人一下呆住，而盲爷一捏之下也不由得呆住。

“你刚才做了些什么？”

“我没做什么呀，只是摔了一跤。”

“不是，不是，你除摔跤外肯定还做了其他什么事情。”

女人看了一眼船头：“噢，还有就是手破了，把血抹在步老大的船头上了。也不知道这个凶巴巴的船老大会不会忌讳女人的血把他的船给弄脏了。”

“你先前贴过符？”

“嗯呐。”

盲爷松开手，顺势在女人手掌处抹下一点殷红血迹。

其实女人被捏住的手并没有受伤，但是在压住另一只手的伤口时，不可避免地沾上了血迹。

盲爷将沾有血迹的手指放在口中，随着他脸颊的微微抽搐，嘴角渐渐挂上一丝很不明显的怪异笑意。

盲爷的笑让离得很近的女人感到害怕，急忙脚步退后，回到鲁一弃的身边。

鲁一弃都已经将女人手上的伤口包扎好了，可盲爷竟然还像木偶似的坐在船头纹丝未动。手指也依旧含在嘴里，嘴角挂着笑，眼白子翻个不停。

“嘘！”盲爷的状态变化很突然，他的表情也十分夸张。

甲板上的人一下子都凝住了，连个大气都不敢出，只有步半寸左脚脚掌在甲板上轻轻拍了两下。船舱里也静了下来，船底再没有叶轮翻转和暗流涌动的声响。

“水流了！”盲爷压低沙哑的声音，此时不管是他的腔调还是模样，都像是个活鬼。

步半寸迅速从腰间掏出一根竹管，用嘴巴咬住管套拔掉，猛地晃了晃。管子中散出些许红色，随即飘起一股细长的白色烟柱。这是烟管，既是储备火种的器具，又可以辨别风向。

烟柱直直的，不摇不动，没有风。那么海水因何而流？如果是洋流作用的话，海面子不该这样平静，而且散发的水腥味儿应该更浓才对。

船舱中一阵急促的脚步声传来，船舱口露出鲨口佛陀般的笑脸，只是此时的笑脸比哭还难看：“下面、下面有、东西浮、浮上来了。”

步半寸把烟管往管套中一塞，也不管舵把了，一个纵身跳上舱台，再一个箭步跳上落下的帆叶，往横出的一头走去。

老叉甩手扔给步半寸一支三股鱼叉，然后将舷边一根牵拉帆叶横杠的绳扣顺手解开。横杠转动起来，让步半寸随着横杠探到船舷外面。而他自己则提起单股棱叉在另一边的船舷上站住，一只手抓住斜索稳住身体，另一只手反握叉杆，高高抬起，随时准备将叉子飞出。

鲨口从老叉平时收拾的东西中拉出一捆麻布，绳头一拉，几十支各样的叉子和钩矛铺在面前，他一手提起一支，只要步半寸和老叉需要，随时可以扔给他们。

这一整套的配合，是用来对付各种深海巨兽的，它们的体形比一般的渔船大多了，要是突然出水，很有可能将渔船掀翻。必须在它们出水之前用飞矛飞叉掷射，让它们感觉疼痛重新沉入水底。

鸥子的反应要慢些，等他从船舱中出来时，鲁一弃、女人他们都已经凑到船舷边，往外探看着。

天色虽然很暗，但能隐约看到不远处的水下冒上来一团白色，像个大气泡，有桌面大小，并且经久不破。接着这样的白团一个接一个地冒上来，越来越多，往铁头船这边包围过来，像是水底下有个巨型怪物，正边吐着泡泡边围着铁头船转圈，并且越绕越近。

那些气泡夹杂的晦涩污浊直冲鲁一弃的脑穴，类似的感觉他好像在什么地方有过。

步半寸和老叉很骇异也很惊疑，骇异是因为如果那些是水下巨型怪物喷出的气泡，那这家伙也忒大些了。而惊疑则是因为从他们的角度看，那些白团似乎并不是圆形的。另外冒出水面的气泡在大气压作用下，不可能经久不破。

“那些是什么？”女人好奇地问了一句。

步半寸和老叉没空理她，他们的注意力全放在水面上，随时准备迎击水下的怪物。

倒是刚走到舷边的鸥子回答了女人的问题：“那些是人呗，死人。”

这句话提醒了鲁一弃，没错，那种晦涩污浊的感觉和双乳山甬道中遇到那些活尸首时的感觉是一样的。

“真的是‘海粽子’！啊，瞧那里，还有‘水泡子’！”鲨口的发现其他人也都看到，白团的中间开始陆续出现浮尸，栩栩如生的浮尸，而且越来越多，很快超过“海粽子”。

“海粽子”是渔家的俗语。在海上航行中有人死去，同伴就将其尸体用白布包裹扎紧，然后抛入大海。“水泡子”则是海难中淹死的人。

但不管“海粽子”还是“水泡子”，在海里的完好时间最多几天。那么这些海里的死人都是刚刚死的吗？

“这里是凶穴所在，什么事都有可能。阴极的凶穴能收住那么多的‘船影子’，当然也能收‘海粽子’和‘水泡子’。我以前遇到过被别人操纵的活尸，不知道这些水里的尸体会不会也活了。”

鲁一弃后面的话让所有人倒吸一口冷气，女人甚至“啊”了一声。接下来是长时间的死寂，周围真的没有一点声音。所有人只能听见自己的喘息声、心跳声、血流声。他们都死死盯住无声地冒出水面的“海粽子”和“水泡子”，担心着它们会有下一步的变化。

它们没有活，只是逐渐铺满了海面，并且缓缓向着一个方向漂流起来。而铁头船也不知不觉中随着那些水中的死人在朝同一个方向移动。

船行了一段距离后，船上的人突然发现那些浮尸都没了踪影。刚才还那么多，眨眼间都不见了，就像是重新沉入了水底。

鸥子趴在船舷上，探头朝下，想寻找那些死人都去了哪里，却没想到看到了另一种诡异情景：“海底有光！前面海底有光！”

海底怎么会有光？大家往前方看去，海面倒是有片粼粼波光，看着像是月亮在海面子上的反光。但此时天上没有月亮！

探没舟

“有人唱歌。”盲爷突然幽幽地说了一句，让人听得毛骨悚然。

“啊!哪里？！在哪里？！”鸥子是越害怕越想问个清楚。

盲爷没再说话，只是把手探出船舷指了指下面。

船上没有声音了，连喘气的声响都没有了。极度的安静让其他人也听到了那怪异的歌声。那是谁都听不懂的歌，怪异而惊心。声音倒不难听，只是调子简单了些，拖着颤颤的长音，缥缈着由远及近，然后在海面上回旋飘荡了几个来回，再渐渐远去。仿佛是地狱中鬼魂的哼吟，又像是深海魔宫中妖孽的叹息。那歌声在海面上回旋飘荡时，竟然还激起了许多道细细的水纹，纵横交错，如丝如缕。

歌声远去并终于消失，现在他们面前是一个更为平静明亮的洋面，清澈的水面下都是沉船，各式各样的沉船。这些沉船在海底不明光源的映照下，外观轮廓异常的清楚。

“船影子？”鸥子问。

“不是，就是沉船。”鲁一弃很肯定地回答。

“可这些沉船怎么都像刚沉下去的？”步半寸觉得有些不可思议。

“和刚才那些死人一样，尸体可以不腐，船只当然也可以。凶穴附近，必定会有某种神秘的能量存在。”

老叉拉开一个火管抛入水中，旁边的人都吓了一跳，心中暗骂老叉唐突，也不怕火管惊动了什么不该惊动的东西？可那火管确实奇巧，喷射着耀眼的光芒，入到水里竟然不熄，缓缓下沉中，将沉船照得更加清楚。

这种火管叫“冷焰吹”，可以在水中燃亮半盏茶的工夫，是三百年前江南火令堂的秘制。自火令堂一夜间在江湖上绝迹后，此技法和配方也随之失传。老叉身边竟然备有这样的好东西，要么是他在江南当排头时搜罗来的存世孤品，要么……想到这里，鲁一弃眉头微耸。

“这里是茫茫洋面，没有可以落脚建宝构的实地儿，那宝贝会不会在这些沉船上？”鲨口佛陀般地咧着嘴。

鲁一弃的目光闪电般落在鲨口身上，“宝构”、“实地儿”，这些都是坎子家和匠家才用的说辞，这船上讨生活的鲨口怎么会说得这么溜，难道是巧合？

只是瞬间，鲁一弃的目光便从鲨口那里收敛回来。与此同时，他超常的感觉随着老叉再次扔入水中的一只“冷焰吹”往海底延伸。

“那里，往那里去。”鲁一弃像是在说着梦话。

随着鲁一弃所指的方向看去，那里只有平静的散发亮光的海面，当然，海面下还有无数崭新的沉船。没有人问为什么，鲨口拖着鸥子进了舱底，船在片刻后再次动了起来，步半寸舵把一转，铁头船往鲁一弃所指的方向驶去。

“到了！”说完这句话，鲁一弃像是从梦中惊醒了一般，迈步朝船头走去。等他走到船头时，老叉已经探头在往水下张望。

步半寸一跺甲板，船下轮叶立止，铁头船重新停了下来。

“你再往左前二十步的地方抛个亮点子。”鲁一弃吩咐一声。

老叉掏出“冷吹焰”，拉弦爆燃，抛入前方的水中。回臂时甩动的胳膊肘不小心撞在鲁一弃的肩膀上，鲁一弃身体不禁一晃，生生的疼痛让他吸口凉气。

“那里是条大船！”就连站在船尾舵位的步半寸都看清了。

站在船舷边的女人小声嘀咕了一句：“怎么是个西洋船？”

的确，那里有艘三桅的波斯货船，从造型和大小来看，不会超过三百年。两千年前鲁家先祖藏的至宝怎么会在这样一条沉船上？

女人只是疑惑，其他人却是有着各自的想法。目光全落在鲁一弃身上，包括刚从船舱中出来的鸥子和鲨口。

海面依然平静，鲁一弃脑海中却在翻腾。从百变鬼礁开始，所有的线索、现象都在他的脑海里汇聚、凝结、整理，真相在他脑海中渐渐浮现出来。

过了许久许久，铁头船已经在极小的波流中漂离了他们刚才的位置，鲁一弃也终于从某种状态中省悟过来，发现大家都关切地看着自己，歉意地笑了笑，然后左手往下一指，决然说道：“那里有宝贝，谁能下去？”

下水？在这样一个凶险的海域下水？且不说这水下那不明由来的光亮，就是那些莫名其妙的沉船也足够让人头皮发麻。

“步老大不能下，我们还要指望他把稳船呢。鸥子恐怕也不行。”鲁一弃说着自己的想法。

大家都朝老叉和鲨口看去。老叉则看着鲨口，这状况让鲨口有点不知所措。他尴尬地咧大嘴巴笑了笑，只是笑得不再像佛陀，而像佛陀手中摔破的木鱼，很难看。

虽然一样的恐惧，虽然一样的畏怯，可鲨口没多说一句废话，甩掉外衣，只留一身贴体的衣靠。此时鲁一弃才看到，鲨口身体的各个部位，贴身携带了十多把各种样式的刀鞘。他站在舷沿上舒展一下身体，然后拔出一把一尺长的双刃斗鯊芒刺衔在口中，深吸一口气就要往海里跳。

“等等！我给你布个回头线，也好让宝贝收网子。”

“等下！种个符子再下！”

是老叉和盲爷，两个人抢着说话，听起来很乱。

老叉边说边拎出“探底绳”，不同的是这“探底绳”已经被续长了，绳子上每隔一段就有个浮子，而且在前端铅砣上多系了一个“八孔收囊”。这收囊是在水上打捞的人家用的工具，能在漩涡、激流中搜捞东西。

绳子甩下去了，前端的“八孔收囊”渐渐没入到沉船的阴影中，白色的浮子也一个个舒展开来。那些浮子做得真好，乍看都一样，其实在体积和重量上设计得别有用心，使其能够停留在各个水层，一点都不乱，把“探底绳”从头到尾定得直直的。

盲爷的做法更奇怪，他拉过女人，把女人已经包扎好的手解开，在鯊口的脸上从上到下抹了浓浓一道血痕。

没人问盲爷为什么，都是聪明人，他们只是都回头看了看船头上的那道血痕，因为这两道血痕的形状很像。

鯊口深吸一口气，旁边的几个人都紧张地看着他。可鯊口就在要跃出的瞬间突然又停住了，他回头看着鲁一弃：“我下水之后干嘛？”

鸥子这会儿似乎比鯊口聪明多了：“捞宝贝呗，出点劲儿，越多越好！”

鲁一弃笑了笑，拉住鲨口，让他蹲下，伏在他耳边悄悄说了几句。

听完鲁一弃的耳语后，鲨口就蹲姿顺势往前一窜入了水，快得就连鲁一弃伏在他耳边的脑袋都没来得及收回。

人到水中，并没有发生什么异象。踩着水的鯊口此时才开始放心吸气，一段一段小口地吸。这种吸气的方法是江湖上极少见的“狸吸法”，据说是仿照南方热带海域一种善潜的海狸，它可以通过分段吸气，将空气尽量储存在呼吸系统的每个角落，从而保证长时间在水下不用换气。

终于，胸腹已经明显鼓胀起来的鯊口翻身掉头，顺着“探底绳”沉入的方向潜游下去，很快也消失在沉船的阴影里。

时间在一点点地过去，船上的人开始担心、开始焦虑。女人终于忍不住了，摇了一下鲁一弃的胳膊，轻声问道：“没问题吧？下面真能找到宝贝？”

鲁一弃没有回答，他只是微眯着眼睛聚气凝神，让自己的感觉不断地往水下伸展、再伸展……

这里的水下当然有宝贝，而且简直是个宝库。在鲁一弃超常的感觉中，水下有许多陈年宝物才会发出的鲜活气息汇聚在一起，纵横腾跃，起伏跌宕。

过了许久，女人又忍不住了：“不会出事吧，怎么到现在都没上来？”

其实有这种想法的何止女人一个，就是步半寸这样的老海子都把颗心悬得高高的。这里的水下沉船太多，情况极其复杂，勾勾绊绊肯定少不了。而且这些沉船看上去很新，像刚没水的，可说不定只是表象，实际早就腐朽得如同海泥一般，一碰就可能破裂砸压下来。而最让人担忧的还不止这些，在这样一个魔煞的海域，任何说不清的可怕事情都可能发生。

又过了一些辰光，船上的人全都沉不住气了。特别是步半寸和盲爷，他们知道鲨口入水的时间已经远远超过了一个潜泳高手和练家子的极限。老叉全神贯注地注视着探底绳，观察浮子每一个微小震动，但从他搓捻旁边缆绳头子的小动作上看，他心底也很焦急不安。

“要不我下去瞄瞄？”步半寸说着便要解下外衣。

“老大，还是我下吧。”鸥子抢着做起了准备。

就在此时，鲁一弃突然目光暴闪，他感觉到水下的气息乱了。与此同时浮子也剧烈抖动起来，老叉赶忙一把抓住绳子，随时准备发力往上拽。

水面开始翻腾，沉船开始摇晃。海底有松松软软的一层往海面浮涨上来，光线变得模糊。

“海泥扬底！”步半寸说，“老叉，试试回头绳有没劲儿。”

老叉摇了摇头，一双眼睛始终盯住浮子。那些浮子自下而上逐渐被扬起的海泥遮盖，只剩下最靠近水面的两个还可以看清。

铁头船也开始摇晃起来。不！准确说应该是跳动，船底下仿佛有股力量在往上拱。

“鸥子，下舱踩翻轮！”步半寸话没说完，就已经纵身上了舵台。不管下面发生了什么，他们必须离开现在的位置。海泥扬底是因为海底巨大的暗流引发海水涌动，这种暗流一旦上升到海面就会变成滔天巨浪，能轻而易举地把他们的小船掀翻。

鸥子冲进舱内，和他一起进去的还有盲爷。平时踩翻轮是两个人，现在鲨口下水了，盲爷主动顶替。女人也进了舱，是鲁一弃命令她下去的。

“船不能动！回头绳会移位的。”老叉大叫一声，鲁一弃上船后还是头一次听他这样大声地说话。

步半寸好像也被这声音慑住，迟迟没有给舱下发出指令。

浑浊的海泥继续上升，直往海面涌，最后的两个浮子也看不见了。

那股浑浊冲上海面后，有两尺多高的浊浪不停歇地直直喷起。海面上变得浪珠四溅，一片喧哗。

浪花中，一个影子如豚鱼般冲出了水面，一闪之后重新没入水中。紧接着又冲出，又落下，连续五六个反复。这是经过专门训练的潜水高手才会用的出水方式，可以逐渐吸入氧气，以避免体内气压突变，出现高压气肺。

最后一次出水后，鲨口深吸了一口气，从喉腔内发出一声长长的犹如喉咙撕破般的吼声。

吼声刚止，他就高喊道：“拉！快拉！慢了硬流子会把物件碎了！”

步半寸半张着口，这是在惊叹，连他都不知道鲨口会有这样高的潜水本领。

老叉则什么都不想，只管迅速收拉自己手中绳索。绳上有劲了，说明“八孔收囊”已经套拿住了什么物件。

鲨口踩着水往铁头船这边过来，在翻转跳跃的浪花中犹如出水的海神。他整个上半身都在水面以上，就像是在水中行走一样。他脸上那道血画的“喷阳符”不仅没有被海水冲淡，反而变得鲜红发亮。

鲨口很快到了船边，步半寸将一束网绳扔出船舷。鲨口一把抓住网绳，踩着绳眼攀了上来。鲁一弃这才看清，鲨口有一只手抱了个东西，除了网绳，其他拉索、篙子什么的还真的很难让他轻松上船。

老叉始终认真地收拉着回头绳，随着挂住的东西越来越接近水面，绳子上的力道也越来越重，但老叉又不敢大幅度发力，只能耐心地一点点收绳。

“快帮一把，就要出水了！”由于铁头船的跳动，老叉的喊叫如同颤音。

老叉叫帮手倒不是因为拉不动，而是绳子上的震动变大了，他需要有人和他一起控制力道，平稳地将东西拉出水面。

步半寸见鲨口上来得很轻松，便跑过去帮老叉。在两人的努力下，“八孔收囊”带着一个粗大的白铜镏金珠花把手出水了。这是一只松木包牛皮，黄铜带箍边的箱子，箱子上有镏金珠花钉排列的图案装饰，箱盖边沿还镶有玉片儿，一看就是价值不菲的物件儿。

老叉和步半寸两眼放光，脸上满是激动兴奋的光泽。

箱子渐渐出水了，也就在这箱子出水的一瞬间，浪跳得更高了，浪尖还打起旋儿，就像大海伸出了无数只手想要抢回自己的东西。

老叉和步半寸同时感觉手里一沉，箱子好像被什么无形的力量拉住了。两个人开始慢慢加力，步半寸身体已经朝后倾仰，老叉腮帮子上的肉都抖了起来，仍没能将箱子拉上船。

鲁一弃站在船舷边，他看到了一幅诡异的情景。回头绳牵着已经离开水面的箱子，呈一条斜线僵持着，绳子随着颤抖发出嗡响。而那箱子在迅速地变色腐化，在无形的拉扯下破裂变形。

倒海楼

箱子的裂缝中一股妖异晦涩的气息升腾而出。鲁一弃暗叫声不好，脚步踉跄地往步半寸和老叉那里跑去，边跑边喝声道："松了！松了它！"

可是已经晚了，箱子碎裂了，老叉和步半寸一下子向后跌去。

步半寸不愧为步半寸，脚步一个小收，脚掌在甲板上一滑一撑，五六步后收腹拧腰重新站住。

老叉则双臂乱舞希望抓住什么支撑物，手臂无意间嗑在鲁一弃脑袋上，他倒也借着这一嗑的力道稳住了身体。

带着"八孔收囊"的探底绳"嘣"的一声弹回船上，被刚好稳住身体的老叉连圈收拢。他边收边健步纵到船舷边，探头往海中看去。

碎裂的箱子中掉出了好几个瓷瓶，在跳跃的浪花上起伏几下便一个个往水下沉去。老叉抖手甩出刚收拢的"八孔收囊"，兜拿住了其中一个。然后先发力上甩，将收囊高高拔离水面，然后二次发力凌空回拽，那只瓷瓶便直接落入他入怀中，整个过程快疾准确、一气呵成。

跳起的浪花渐渐平息，海面恢复了宁静。

老叉刚才无意的一记撞击让鲁一弃昏厥了过去，醒来后他觉得脑袋很疼很晕。可当看到放在甲板上的那两件东西时，他瞬间清醒，一骨碌坐了起来。

很明显，那两件东西都不是要找的宝贝。

老叉抢上来的是个古瓷瓶，瓷是好瓷，像钧州窑[1]。只是这只瓶子的造型很怪异，四耳鳞腹，耳是大弧形的盅耳，腹鳞为三角尖鳞，底是内卷大圆边。最为特别是瓶肩有层叠的瓷楼[2]，瓷瓶瓶口被瓷泥封住，不知里面是空是实、是怪是宝？

鲨口带上来的却是一件西洋货，用黄铜做成的圆形玻璃面盒子，刚上来时还黄灿灿的，现在却已经变成黑绿色了。

鲁一弃示意女人把盒子推近点。没等女人动手，鲨口就急忙把盒子端到鲁一弃的面前。

鸥子也主动要将瓷瓶往鲁一弃面前端，但他看到了鲁一弃在摇摆无手的右胳膊。

将那盒子看了好久好久，终于，鲁一弃发出了一声叹息，充满了失落和无奈："不对了！真的是过了，过得太远了！"

没人听懂这话的意思，鲁一弃也没等什么人发问，突然转身面朝大家，用不容辩驳的声调说道："必须赶紧离开这里！"

不需要吆喝，也不需要问为什么。听到鲁一弃话的人都清楚自己该做什么怎么去做。

船动了，加速了，但是速度却不快。因为没什么风，只能靠鸥子和鲨口在下面踩翻轮来作为船的驱动力。这艘船虽然不很大，但是单凭两个人踩翻轮来行驶还是挺困难的。更何况鲨口刚才还下了趟深海，耗费了大量的体力，所以只一会儿，盲爷便把他替换下来。

"步老大，有没有法子让这船再快点？"鲁一弃现出少有的焦躁，在他感觉之中有个能摧毁一切的巨大能量已经蕴育成熟，随时都会爆发。

步半寸一脸的苦笑："说实话，我把家底子都掏了。就下面那双向直踩翻轮，你家长辈做的时候管这叫'救命轮'是到万不得已的时候才用的。我们这趟走下来，用得都没歇过。"

"那是我们这趟万不得已的情况太多了。"在舷边寻木鱼浮哨的老

1　宋代五大名窑之首，其成就在于釉中加入铜金属，经高温产生窑变，使釉色以青、蓝、白为主，兼有玫瑰紫、海棠红等，色彩斑斓，美如朝晖晚霞，被誉为"国之瑰宝"，在宋代就享有"黄金有价钧无价"、"纵有家财万贯不如钧瓷一片"的盛誉。

2　一种瓷器的装饰方法，用瓷块叠成楼宇、山峦状。

叉接了一句，这话里有豪气也有无奈。

鲁一弃很失望，下面的翻轮他研究过。虽然设计得极其巧妙，用了多重传动转换，将输出力放大好多倍，但总归无法和他在洋学堂见识到的蒸汽机相比。如果能将人力踩踏用小型蒸汽机或者电力驱动机械代替，那么……

就在鲁一弃胡思乱想的时候，一缕晨旭从远方的海平线钻出，接着一瓣血红切开了灰黑的天际，像是日出。但只眨眼间东方露出的血红已经变成半个放光的金盘，嵌在海天之间。日出不会这么快，这是天象的异变。

"来了！"鲁一弃的话有些莫名其妙，但是只过了两秒钟，步半寸和老叉就已经完全弄清鲁一弃的意思。

也就在这两秒钟里，半个发光的金盘子不见了，天地重新回复到了黑夜，不，比黑夜还黑，根本连一丝的天光都没有了，世界就像浸入到浓厚的墨汁中。

伸手不见五指。但鲁一弃可以看到，在玄觉的世界里，海天之间翻滚旋转的气柱膨胀了，扩展了，并且在一个瞬间炸裂了，爆发了。气柱化作一圈翻卷着的冲击波疾速地延伸开来，快得像闪电。

翻滚气圈从铁头船上滚过的刹那，铁头船微微跳了一下。很意外，冲击力与气势不相称，更没有人受伤，就连老叉抢上来的、眼下就放在光滑甲板上的那只瓷瓶都分毫未动。

海天之间突然一亮，他们又见到了太阳，此时已经升到有一竿子高了，这天象的变化也太快了吧。

终于有风了，风向和气圈扩展延伸的方向是一致的。这风很强劲，并且始终以不变的力度持续吹着。

铁头船迅速提速，乘风破浪。

天亮了视野就开阔许多，所以甲板上的三人错愕地看着四周。

鲁一弃茫然而呆滞地看着天边的太阳，他觉得今天的太阳不单升得快，而且比平常要亮得多，好像还在什么地方有反光。

步半寸手扶舵把，伸头朝船尾下面看去。此时的海面上已经起浪了，三尺高的浪，浪节子很短，但是当风刮起他杂乱的发梢在脸面上晃了一下时，步半寸的心整个往下一沉。因为他发现，风向和波浪的方向竟然是反的！

老叉站在船舷边，他没看太阳和波浪，而是在看“砌墙”。没错，“砌墙”！就在船头前方的远处，有一道亮白的线道出现，这是“墙基”。随即那道墙拔地而起，越起越高，两边也没有尽头。老叉想喊出些什么，但是发现自己此刻竟然发不出声音。

那无边的高墙快速地朝着他们这边移动。其高度、气势、力量都是百变鬼礁的剪子潮无法比拟的。

“啊！啊！啊——”老叉干涸的喉咙里终于挤出一声嚎叫，引起了步半寸和鲁一弃的注意。看到亮晃晃的高大水墙，鲁一弃终于也知道太阳的反光来自何处。

“老叉！还愣啥？！快倒桅！大少，下舱！”步半寸像发了疯，边说边迅速地拉扯船上的各种绳扣。

“快呀！那是倒海楼！”步半寸又大喝一声。

此时老叉才省悟过来，快步跑到桅缆处，拉绳扣放倒桅杆。

桅杆倒下时，鲁一弃已经到了舱里，舱里已经漆黑一片，本来应该点亮的油灯已经被吹灭。鲁一弃才下两阶，就被一只枯瘦的手抓住：“快！快抓个实件儿稳住了。”是盲爷。舱底有盲爷和鲨口在，他们肯定更早听出即将要发生的事情。

又一个人连滚带爬地进了船舱，然后在舱口传来步半寸的一声喊叫：“摇把子降舱顶！翻轮别停，加速！”此时舱里已经充斥着由远而近的轰响，这两句喊叫鲁一弃并没有听清。但是刚进来的那个身影一下子蹦了起来，在黑暗中准确地找到一处机括，同时角落里又一个魁梧的身躯奔出，找到另一处机括。两人同时发出一声吆喝，运力摇动起来。黑暗中，船舱顶盖快速降下来。翻轮响了一下，于是盲爷也循声窜了出去，随即，翻轮的喧嚣和舱外的轰响共鸣起来。

与此同时，甲板舵位上，步半寸用几根粗绳缆在自己的腰间和腋下系成个四脚马的挂拴扣，把自己与舱台上几个主支撑牢牢固定在一起，然后紧握住舵把，面对迎头扑来的海楼，发出一声激昂的呼喊。

真正的排山倒海，巨大的能量似乎是要将世间的一切撕扯个粉碎。

铁头船的船舱降下，变成一个密封舱、空心蛋。这种面面承压的结构却能让巨浪找不到撕裂它的口子。

鲁家造的船的确是好船，但操船的舵手更是无与伦比的。步半寸此时此刻仿佛在进行着一番洗礼，如果真的有人记录下这一幕，那么他将赢得前无古人后无来者的荣耀。

第一波巨浪到来，铁头船在浪山下无处藏身，所以这一波最重要的是减小撞击力，然后迅速从浪中钻出。锲形船头的撞击面最小，突破力大，而且还有铸铁船头，于是步半寸将船对直浪山冲了过去。

铁头船只能算浪山中一个奇怪的气泡，一下子就被狠狠压入水底。但只要是气泡就会冒上水面，更何况这个“气泡”中还有两个人在拼命踩着翻板加速它的上升。

铁头船是以难以想象的力度纵出水面的，就像是浪尖上嬉闹的飞鱼。

这一窜，船上了第一轮巨浪的波峰。步半寸喷出半口咸浊的海水，然后将舵把一拉，船走偏锋，顺着浪的卷头走，抢在后面继续砸下的巨浪之前闯过。待这轮浪头势头落了，便立刻顺势滑入浪与浪之间的凹谷，进入下一个浪的卷头。只有这样操作才能驾着浪势走，借助倒海楼的力量远离凶穴。

步半寸被闷在第一轮波浪下面之前就已经想好了一切，出水后舵把的每一次调整也都恰到好处。此时的铁头船仿佛就是一个在峰头浪底穿梭的冲浪板，显得轻盈而刁滑。

不知道过了多久，也不知道铁头船被倒海楼推出了多远。当风平浪静时，步半寸瘫软在舵台上，紧绷的意志全然瓦解，体力严重透支。

舱台升了起来，第一个出来的是鲨口。说实话，他很难想象步半寸还能活在舵位上。当他挥刀削断系住步半寸的绳索，小心地背起面色青紫，浑身都是淤块和勒痕的步半寸走下舱时，眼角不经意间有一点晶莹闪过。

鲁一弃心里揪着难受，可他不知如何表示自己心中的愧疚和敬意，只是轻握了一下步半寸柔弱无力的手。这一握让步半寸突然为之一振，颤抖着指了指自己的衣襟。在那里，鲁一弃找到那张破损不堪、湿透了的海图。

步半寸下舱休息，舵位换成鸥子守着。

鲁一弃在甲板上将湿透的海图一点点摊开晒干，女人蹲在一边小心地帮他。旁边还围着鲨口和老叉，他们是期盼鲁一弃能找到线索，告知下一步该何去何从。

鲁一弃在图纸的边缘发现了他久寻不到的字，半个“滩”字。那字本来是在图纸的边框里，被框沿纸遮盖，现在框沿纸湿透，这半个字便显了出来。

“这里是什么地方？”鲁一弃指了指图的边缘。

没有人知道那是什么地方，但从地图画法来看，那里离陆地似乎很近，应该是介于海与陆地之间的地带。

“我们就往那里去！”鲁一弃突地站了起来，目光坚定地说道。

“可、这里的宝贝……”老叉对鲁一弃的决定有些质疑。

“这里没有宝贝，更没有宝构，只有凶穴！”

“怎么会呢？”鲨口迫不及待地问。

“凶穴本不该在这地方，宝贝也不该在这地方。什么都变了，当年鲁家在建宝构藏最后‘地’宝时肯定出了什么大差错。”

“那这里会有什么？”老叉指着鲁一弃刚才指出图纸边缘的位置问。

鲁一弃的笑有些狡狯：“现在还不清楚，但找到东西的可能性还是很大的，只是要能顺利到达。”

铁头船重新升帆起航，朝着鲁一弃所指的那个地方驶去。

风不大，铁头船行驶得很平稳。天很蓝，这样的温暖天气真的很合适在甲板上睡一觉。

鲨口靠在船头舷板上睡着了，老叉也蜷在舱台上睡了，鸥子坐在舵位后的木杠上，撑着舵把似睡非睡。一夜的折腾让他们身心疲惫。

船舱里的人却都醒着，步半寸、瞎子、女人。他们在听鲁一弃讲述自己的发现和分析。

“从一开始往凶穴方向去我就感觉出不对。如果凶穴有宝构镇着，凶气再强也不会让我反应那么差，一直都昏睡做噩梦，而且总梦到已经远远错过宝构。另外一个不对就是这一路我没有发现与方位玉牌上‘福’、‘琅’、‘滩’这些字有关的地界和东西。

“在遇到‘船影子’、‘雾墙’、‘怪力吸船’、‘海粽子’这一系列怪事后，我基本确定，天宝未能藏入镇位，现在凶穴已经移位变形。但这一点需要证明，西洋货船很早以前就配置了经纬仪，鲨口下水时我与他耳语就是让他找到这东西。经纬仪拿上来后，我看到的是北纬26度7分，西经73度4分。这位置是在大洋的另一面，也就是说那船是在大洋对面沉下去的。由此能确定，大洋的另一面也没有宝构。数千年凶穴无宝镇压，其凶势已经变得更广更怪。所以当时我唯一能做的决定就是快逃，逃出凶穴的范围。”

逼形显

“那些沉船、浮尸什么的真是被凶穴的魔力收拢来的吗？怎么像刚出事的一样？真是怪事。”女人在一旁轻声插了一句。

“那是因为凶穴周围有极阴极寒之气笼罩。”鲁一弃答道。

“我们的船是如何从凶穴的吸力中摆脱的？而且之后越发靠近凶穴时，我们的状态反而好了许多。”步半寸坐起来问道。

“这点我也不知道……”鲁一弃真不知道。

“我知道！”一旁的盲爷轻笑了一声接上话头，“因为我们船上有先天童子的先天气血镇着。要没有这先天童子，早在遭遇‘船影子’时我们就被撞沉了。”

先天童子？怎么可能？大家都认为盲爷在说瞎话。

盲爷从步半寸的口鼻气息中听出他的不屑。

“是真的。”盲爷有些急了。

“夏老伯，那你说谁是先天童子？”女人问。

“你不知道？！奇怪！你怎么会不知道？！”盲爷满脸惊讶。

“我又怎么知道？”女人反问。

“就是你呀！”

“我怎么会是？”

“搞什么呀？夏老。”

“一个女人怎么会是先天童子？！”

“别吵吵，让我说清楚，你们知道什么是先天童子吗？”没人作声，盲爷有些得意，“她当然不是先天童子，但她有先天童子！”

“夏老，你是说她怀有身孕，还是个男童？”步半寸想起前段时间的一件怪事，“难怪在百变鬼礁外，鬼船要贴舷，两个大男人都推不开，而大妹子一出舱，它们就急速退走了。是因为鬼怕孕气天血，那会让它们永不超生的。”

“喷阳符！”鲁一弃马上也明白了，女人用带有先天童子阳气的先天灵血，在铁船头上无意间画出个“喷阳符”图形，这才化解了凶穴极度阴煞的吸引力，要不是这种巧合，他们可能早就葬身海底了。接下来鲁一弃立刻明白了另一件重要的事情，自己就是这先天童子的父亲。难怪在百变鬼礁时，女人怨恨的目光里会有血色，而且还能觉察出自己的存在。

“不止是‘喷阳符’，还有你先前偷偷给她几张‘禹’字符让她贴，要没这先天童子身贴的咒符，我们也早被‘船影子’给撞沉了。”盲爷说着又回头问女人，“你自己真不知道？”

女人确实不知道，她天生是个石女，从不曾经过一般女人该有的月潮轮回，所以有孕之后和之前没什么区别。

鲁一弃的记忆在迅速地倒转，他仿佛又看到鬼船上养鬼婢悲伤哀怨的面容，此时他已经清楚这悲伤由何而来了，一种怜惜歉疚之情一下堵在咽喉之间。回头看看女人，发现女人正用掺杂了喜悦、羞涩的眼神看着他，又一种欣慰惊喜之情回荡胸中，让鲁一弃脑子里一片混乱。

步半寸一把搭住盲爷的肩膀说道：“夏老，扶我到外面透透气去。”

盲爷面颊一抖，露出个怪异的笑，然后站起身来扶着步半寸往舱阶上走。刚踏上舱阶，两个人又同时转身朝向鲁一弃。步半寸压低声音问道：“大少，我们现在过去的地方有可能找到宝贝吗？”

这个问题让鲁一弃一下将心神从混乱中拔出，他隐隐觉得等待自己答案的远不止面前的三个人，另外还有人正屏息静待着他嘴里说出的每一个字。

鲁一弃仰面舒展了一下脖颈，抚摸了一下断腕，然后才用平静清晰的声音说道：“有的，肯定会有的。”

但此时他的目光没人看得懂。

在台湾东北、日本正南是一处空旷冷清的三角形海域。这片海域有过许多名字，最为通俗易懂的就是“魔鬼龙三角”。在这个恐怖的海域中，发生过不知多少的怪事与灾难，也不知埋葬了多少沉船和尸骨。

魔鬼龙三角产生的原因众说纷纭。一种说法是“磁偏角”，它是由于地球上的南北磁极与地理上的南北极不重合而造成的自然现象。这和鲁一弃他们铁头船被引力吸住吻合，同时船影子等现象也可能是磁现象作用的结果。还有一种是“热流说”，是说温暖洋流导致大雾飓风，船只迷失方向触礁或直接被飓风颠覆。这和鲁一弃他们遇到雾墙等现象吻合。还有就是“地震海啸说”，在龙三角西部的深海区，地壳最为薄弱，岩浆的巨大威力随时可能穿透海面，毫无先兆又转瞬即逝，当大洋板块发生地震时，超声波达到海面表层，形成海啸。这与鲁一弃他们看到海底有光、有怪异歌声、海泥扬底以及最后的倒海楼等现象吻合。

但在鲁家人观念里，在八宝定凡疆的概念中，那里就是一处凶穴，一处未曾有天宝镇压的凶穴！

铁头船的航线一变，最大的好处是能甩开后面的战船。除非对家有先知先觉，要不然，按当时的技术条件，在这茫茫大洋上，想找到一只不大的渔船，是不可能的。但是夜空中一声尖利的鹰啸让好些人纷纷从各种梦境中惊醒。

盲爷一跃而起：“长白花喙猎鹰！”

猎鹰怎么会到海上来的？只有一种可能，对家的大船就在身后不远。对家如何又能再次坠上自己？也只有一种可能，铁头船上有人沿途设置线引子！

“来了！还是来了……”盲爷站在那里不住地小声嘟囔。

鲁一弃没有起身，他静静地躺着，聆听鹰的唳啸，也聆听着唳啸以外的声响。盲爷肯定搜寻到了这样的声音，在船舱里昏暗扑朔的灯光下，他的脸上有不易觉察的抽搐和抖动。

“这声响儿离着有多远？”鲁一弃突然问了一句。

"不远，打眼能看到！"鲨口答道。

于是鲨口和老叉对视一眼，蹦起来直奔舱外，女人也爬起身，跟在他们后面出去了。舱里只剩下表情不断变化的盲爷和静静躺着没动的鲁一弃。

到了舱外，他们没有看到对家的船，就是一直都守在瞭台上的鸥子也没看到什么，天色实在太黑了。

鲁一弃终于慢吞吞走出舱门，但他什么都没看，只是站在舱门口对舵位上的步半寸说了句："按照原先的计划，不要变。"然后就又回到船舱里了。

女人跟着鲁一弃回到船舱，小声地问道："你确定没事？"

"不，我只确定目前没事。"鲁一弃紧握了下女人的手，"还有，我决不能让你出事！"

女人没再说话，只是将头轻轻靠在鲁一弃的肩头上。

海上的航行枯燥乏味，再加上航行的人各存心思，便更觉得时间难熬。对家的船始终没有露面，但大家都知道他们离得不远，这几天时不时都会有鹰啸声夹杂在呜呜的风中传来。

铁头船上的气氛发生了微妙的变化，因为都是老江湖，也都估摸出此趟对家能在背后坠上，肯定和自己船上什么人有关系，于是彼此之间有了戒备。

这天夜里，换作老叉在舵位上看舵。步半寸便悄悄地来到鲁一弃身边，伏在鲁一弃耳边悄声说道："白天我偷偷瞅了下老叉做的物件，数量没少。"去往凶穴的途中，步半寸整天在舵台上，老叉在下面做东西他都能看到。虽然没有仔细瞧做的什么，倒是把他做了多少件给记下了。那些东西里的"木鱼浮鸣"、"过流哨口"都是放线引子的好物件。于是今天偷偷检查了一下那些东西，除去在凶穴用掉的，其他倒是一件没少。这说明不是老叉在放线引子。

鲁一弃没有作声，他在欣赏从凶穴中夺出的那只瓷瓶。多次细辨之后，鲁一弃已经确定这不是钧州窑，而是徽州民窑的仿品。

第二天清晨，天刚蒙蒙亮，鲁一弃第一个钻出船舱，呼吸呼吸海上的新鲜空气。守舵的老叉见鲁一弃一个人，便凑过来悄声地说："我瞧鸥子好像不大对劲，夜里上来小解了六七回。”

鲁一弃回头看看瞭台，又看看船后一望无际的海面，依旧没有说话。

中午的时候，鲨口烧了一大盆的白鳞荚鱼。船上现在的补给不多了，所以有一大部分要靠从海里捞食来保证，但是鲁一弃今天没看见谁捕鱼，这鱼是从哪里来的?

“是鲨口从翻轮旁的封盖下钓的。”女人告诉鲁一弃。

翻轮旁的封盖，这是个不大容易让人注意的位置。

经过了这么多天的海上航行，女人和盲爷都已经适应了。不过女人仍时常会趴在船舷上呕吐，这是孕妇正常的反应。每次当呕吐物落入碧蓝的海水中时，鲁一弃都不由地皱皱眉头。

盲爷白天大多的时间都是坐在船头的缆桩上，嘴里一直“哼哼呀呀”地像是吟唱着什么，但没一个人能听懂。

步半寸这些天好像没那样忠于职守了，舵把子要么交给别人，要么用绳子一挽。却沿途亲自撒网打了几次鱼，虽然每次收获并不大，倒是让鲁一弃他们饱了几回口福。让鲁一弃奇怪的是，他打鱼的网是暗红色的，跟其他的不一样。鲨口告诉鲁一弃，这是张新网，下水前在岸上用猪血泡过，这样才经久耐用。

可疑的迹象很多，但都不是做线引子的手段，或许一个都不是。

在铁头船后面，一段距离之外，行驶着两条明式古战船。他们与铁头船的距离保持得恰到好处，互相都看不见对方，但是随着铁头船的每次方向调整，这两条古战船也相应地做出调整，始终紧随在铁头船的背后。

其中一条战船的桅杆上挂着两只硕大的竹拼哨口，发出一阵阵鬼哭狼嚎般的嗡鸣。船头之上，设了一张祭案。祭案上摆满了香炉烛台、三牲符裱等东西，在香烟缭绕烛火扑朔中，一个眼圈紫黑、眼睛血红、披头散发的黑衣人正在跳着一种奇怪的舞蹈，口中还咿呀有词。

黑衣人边舞边端起祭案上的一个香灰盘，然后转到祭案的前面，泼洒起香灰来，香灰在甲板上布成一个怪异的图形。黑衣人停止了舞动，睁大血红的眼睛仔细查看起那图形来。

旁边有人从海里打上一桶水来，黑衣人放下香灰盘，双手伸进水桶中，然后捧起两把海水洒向甲板上的香灰，随即跨开双腿蹲趴下来，把头伸到那片香灰上方，脖颈怪异地扭动着，像是在寻找些什么，又像是在嗅闻着些什么。过了好一会儿，他缓缓挺起身体来，脖颈依旧怪异地扭动着，双手伸向空中，然后收回来，抹过双目脸颊之后，双眼定定地望向天空。而他的手臂则慢慢伸向一个方向，如同雕塑一般。嘴里的咿呀声则越来越弱，渐渐被哨口的嗡鸣完全淹没。

战船转向了，朝着他手臂伸出的方向。而在此之前，前方海面上的铁头船也刚刚往这方位转向的。

鲁一弃越来越感到心浮气躁，感觉好像被什么东西死死缠绕住了。他担心到现在为止所有的一切，都是对家安排好了的。危机至今还没爆发，只是由于他还有可利用的价值。对家是在静待着他的下一步行动，等待他找到想要的东西。

必须摆脱这种状况，鲁一弃觉得他必须有所行动。

站在船头，凝望着西边天际层层灰红相夹的暮霭，一个计划在鲁一弃的心中渐渐成形。只有敲破一个点，才有可能把整个迷局变成豁儿。

笑意在鲁一弃的嘴角显现，只是这笑意中多少带些冷酷。

这天夜里，轮到鸥子看舵。在大家都睡下后，鲁一弃悄悄钻出船舱，登上舵台。

鸥子没有说话，只是有些茫然地看着鲁一弃。他刚开始还以为鲁一弃在梦游，但是当看到鲁一弃那双明亮清澈的目光，听到平静决断的话语，他知道自己错了。

鲁一弃告诉鸥子："在夜里二更时分将船悄悄转向朝南，尽量做到谁都不觉察。还有就是这件事谁都不要告诉，有谁问起也不要理他，只管坚持我告诉你的航线。"

平静的语气，但对于鸥子来说却是个委以重任的命令，必须准确无误执行的命令。

夜里三更多一点，鲁一弃睁开眼睛，其实他一直都没有睡，他在等待。船舱里此时漆黑一片，像是浸在墨汁里。鲁一弃在这样的环境中不但看不见，而且除了船板外的海水声，他也什么都听不见。唯一能感觉到的是船舱中先后两次有气温的变化。他知道，这肯定是船舱门被悄然打开时，海上的夜寒溜了进来。

有人悄然无声地进出过船舱，是谁呢？

第二天一大早，顶替鸥子的步半寸发现鸥子死了。

鸥子背对着船头坐在舵把横杠上，被人从背后刺透心脏而死。鲨口、盲爷都检查过鸥子的伤口。觉得刺透心脏的东西应该是单根的锐利矛刺，在这船上最有可能的就是单股棱矛。

步半寸一听这话，纵身跳下舵台，解开那捆麻布包着的矛、叉检查起来。其他人也都随着围过去。舵台上只留下鲁一弃在仔细看那伤口。

步半寸没有在那些叉、矛的数量和外观上发现一点问题。大家都回头看着站在舵台上的鲁一弃，期待着他做出决断。鲁一弃的目光从每个人的脸上扫过，然后用平静的语气说："先把鸥子的身子料理了吧。"

说完这句话，他便径自走下舵台，走向船舱。就在他要低头迈进船舱的一瞬间，又突然止步，抬起头问道："我们现在的航线变了吗？"

步半寸抬头看看日头，摸摸被海风吹得抖摆的发梢，肯定地回道："没有，和昨晚一样，你放心好了。"

鲁一弃没再说什么，低头钻进了船舱。

甲板上一时变得沉寂，但鲁一弃问的这句话让有的人心中起了波澜。

接下来的两天里，船上的气氛变得更加紧张。每个人都切实感到了危险，相互之间再没有什么交流。

步半寸又来找鲁一弃："鸥子应该是发现了什么这才被灭口。杀死他的是矛叉一类的家伙，而且力透前后胸骨。船上善用矛叉的就我和老叉，只可惜连我也无法证明自己的清白。"

此时鲁一弃正盯着角落里的那只瓷瓶。那只瓷瓶给他的感觉是怪异的，虽然它是仿品，却和真货一样有着沉稳绵长的气息，只是这气息中明显包含了更多的含义。他总觉得在什么地方接触过类似瓷瓶，只是当时没有特别在意。

终于，鲁一弃开口了："鸥子虽然善于瞭远，但凭他的心性恐怕发现不了什么隐秘的东西，我觉得他是做了什么不合别人心意的事情了。至于谁杀了他，船上的每个人都有可能。"

停了一下，他又说了句莫名其妙的话："难说好坏，网子倒是收了些，只是鱼还没露脊。"

第三章　立浪冲滩：以命搏命的连环杀局

“立浪冲滩！”步半寸一声高呼，洪亮的声音随风送出很远很远。

“立浪冲滩”，鲁家造船技法之一，指大船中暗藏一只小船或者可以将船体某一部分改变成小船。在滩远水浅大船靠不了岸时，用作港子和大船间的联络，也是遇险时逃难的绝妙后手。

“立浪冲滩”，也是奇门遁甲第八手，是指将主要力量集中攻击对方防守基础，并且层出不穷，不让对手有喘息的机会。同时还要用小股力量彰显大气势，多方面地给对手压力。

“立浪冲滩”，更是步半寸拚却性命的一次攻击……

海飘魂

人心惶惶中又过了几天，这天夜里，轮着老叉看舵。很明显，老叉做足了准备，他将两支闪着寒光的棱矛和一支缅铁三股鱼叉斜靠在后杠上，在上舵台的木阶上竖了两面网绳，这是防止有人快速窜上舵台。在他的脚边还放了个瓦罐，这样出现情况时，一抬腿就能将它踢出摔碎，发出响声惊动船舱中的其他人。其实自从鸥子被杀后，夜里看舵的人都用自己独特手段做了防备。不仅如此，他们还都对饮食更加小心，盲爷的鼻子和女人的银簪都是鉴别饮食中有没有被下药的绝好工具。

鲁一弃瞧着大家都进了舱，就又走到舵台那里，悄声对老叉说："你在二更时分将船悄悄转向朝北，尽量做到谁都不觉察。还有就是这件事谁都不要告诉，有谁问起也不要理他，只管坚持我告诉你的航线。"

"那宝贝不启了？"老叉问道。

"不启了，对家在背后坠着，启了也捂不牢。"

"这里离宝地的海程不远了。可以抢时间过去，启了就撒丫儿，对家也不一定能把我们套着。"

"不用冒这险了。凶穴移位太远，展得太大。启来的宝贝也不一定能定住了，而且海上来回又费事费时。那宝贝对我们没用了，现在只是对家想要它。"

"这事和步老大他们商量过了吗？"老叉搓捻着绳子头。

"说好了，你照办就是了。"说完转头就下到舱里去了，不再与老叉搭腔。

鲁一弃和老叉对话的同时心里一阵起伏，这老叉的底料毕竟和鸥子不一样，鸥子是只管去做，他却是刨根问底地要理由。

船甲板上一片寂静，海面子也一片寂静。只是偶尔从海风中传来几声低弱的呜呜声。

船舱里，鲁一弃偷偷从女人那里要来驳壳枪，掖在自己怀中，再将萤光石捂在衣袋里，随时都能掏出。上次鸥子那回，他只以为有人会出来发问和阻止，根本没料到会出人命，所以事先没有做任何准备。

一切都备妥后，他打足精神，躺在那里静待状况的发生。可让他失望的是一直到凌晨时分，船舱里始终静悄悄地，除了咂嘴放屁打呼噜，没有一点其他状况。然后他终于抵挡不住晨疲，迷迷糊糊地睡着了。睡梦中他看到女人、盲爷、步半寸、鲨口、老叉，甚至还有死去的鸥子，他们一个个用鄙夷轻蔑的眼神看着他，用嘲弄的口吻在质问他："你这点小伎俩能骗谁呀？"

"啊——老叉！"

"老叉——"

鲁一弃没有眯多大会儿，就被外面嘈杂的喊叫声给惊醒了。他一骨碌坐起来，顺手拔出驳壳枪，睁开眼睛的同时掏出了萤光石。

等他清醒地看清楚周围环境时，他知道萤光石用不上了。船舱的舱门大开着，眩目的光线射进了船舱，天大亮了。船舱里现在只剩下他一个人，其他人什么时候出去的他竟然一点都不知道。

外面的喊叫声渐渐低了，甲板上却多了杂乱的脚步声。一个身影挡住了舱门口的光线，有人探头往里喊道："鲁门长！鲁门长！"

鲁一弃站了起来，头有些晕晕的。虽然背着光看不清那人的面目，但是从声音上可以听出是鲨口，因为鲨口说官话时总带种生硬怪异的尾音。

"你上来瞧一个，老叉不见了！"

鲁一弃身子一震，血直往头顶涌。估计要发生的事还是发生了，可是自己竟然错过了。

舵位上所有的一切都没有变，就连那几支棱矛和鱼叉依靠的角度都和鲁一弃夜里说话时一模一样。舵位上、甲板上、船舷上没有一丝可疑的痕迹。可是，也同样没有老叉的一点痕迹。老叉消失了，连根毛都没留下。

鲁一弃没想到结果会是这样的，他很不甘心地在舵位、甲板上仔仔细细地查看，又在船舷外张望了一番，真的什么都没有。这到底怎么回事？就算老叉失足落海，凭他的手段不说游着追上船，就是呼救喊叫也能惊动船上其他的人，怎么就悄无声息地消失了呢？

本想一网将鱼起水，没曾想这一网更失败，连个鱼鳞都没捞着。鲁一弃很沮丧地坐在船一侧的一只网捆上。

正低头沉思的鲁一弃好像突然想起了什么，猛然抬头问道："船的航向有没有变化？！"

"没有，你放心，连根鳞线[1]都没偏。"步半寸早就查过了，所以非常肯定地回答。

鲁一弃苦笑了一下："你们发现老叉不见，该早些叫醒我的。"

"不是，我们也是刚刚发现。"步半寸回道。

"你们也是刚刚发现的？"鲁一弃带着疑惑抬头望望天上的日头。

"是啊，不知咋的，今儿都起晚了。"女人说。

鲁一弃终于发现了蹊跷，回头朝盲爷看去，他希望这个昔日的贼王能给点开些迷津。可是盲爷却默不作声，只是倚在船沿上，脸颊抽搐眼白乱翻。

"前面是什么？"就在此时鲨口突然叫了一声，所有人都赶到船头船边往前面的水面看去。

水面上什么都没有。鲁一弃和女人没有看出一点异常，盲爷就更不用说了。但是步半寸一眼就看出鲨口指的是什么，那是一道分割清澈和浑浊的水线。

"前面水色明显泛浑，看来我们已经进入黄海域面，离长江口不远了。再有两三天就能踩着实地儿了。"步半寸从海图的方位和自己行驶的方向上早就知道会遇到这样的现象。

果然，船继续行驶了大半天后，海水的颜色由深蓝变成淡蓝再变成灰色，然后越来越黄。

这大半天除了海水的变化，风声也发生了变化。风力没有增加，可风中的呜呜声却变大了。鲁一弃觉得这声音不是风声那么简单，倒是有些像

1　鱼鳃至鱼尾的中心线。

哨口发出的声响。如果是这样的话，说明对家已经开始加速逼近了。

一个死了，一个失踪，步半寸的兄弟没了两个。可看不出他心里有多难受，倒是能觉出他很着急。这大半天里，他问了鲁一弃不下八遍：“下面怎么办？”足下稳如磐石的步半寸心里已经不稳了，而鲁一弃却始终没有明确答复。

鲁一弃决定好好梳理一下所有的线索。他像个雕塑一样坐在船甲板的一侧，连饭都没有吃一口。除了步半寸不时去问：“下面怎么办？”就只有女人悄悄在他旁边放下满满一碗水。

一直坐到晚上，东南风骤然而起，船的双帆绷得紧紧的。铁头船提速了，船有些摇晃，鲁一弃身边的那碗水已经泼出了小半，也不见他端起来喝过一口。

“起东风了，今儿什么日子？”这是鲁一弃沉默许久后说出的第一句话。

“开春有大半个月了。”步半寸一直都在注意着鲁一弃。一听到他问话，马上就回答。

“这海上没日没夜的，连过了年都不知道。”

鲁一弃的话勾起几个人的感慨，这些天都在逃命，还过什么年呢？而且眼下这命保得住保不住还在两可之间。

这天夜里，没人守舵，谁都不敢也不愿守舵。只是将舵把用缆子固定住就随它漂了。

一夜无事，但几个人都没有能睡好。强劲的海风带来一阵阵鬼嚎一样的呜呜声，叫人很难入睡。更何况船舱中还弥漫着怪异危险的气氛，谁都提着十二分的戒心。

大清早，步半寸看了一下罗盘，方向竟然不曾有一点偏移。这很奇怪，就算舵把被固定，在没有调整的状态下，风向和潮汐仍会让航向稍有偏移。

鲁一弃听说了这情况后，狐疑和诧异在心头悄悄涌起：怪事怎么接踵而至？

步半寸又问了一句：“下面怎么办？”

海水变得更加浑浊，说明离着陆地不远了。此时鲁一弃开始犹豫了，是转向还是继续前行？根据玉牌上的线索，前行的确是有找到宝贝的可能，只是对家在背后坠着，而且越追越近。转向呢？没找出身边对家的钉子人扣，那是转不了向的。对家的目的是把自己往藏宝的准点上赶，他们绝不允许这样的事情发生。鸥子的死和老叉的失踪都应该和转向有关。

女人又将水碗端在他的身边，这次鲁一弃将水碗端了起来。船甲板面不平，制造时是要往两边流槽稍稍倾斜，这样甲板上的水才可以顺流槽入海。水碗太满，放在倾斜的甲板上会泼出。鲁一弃将水碗改放在船舷边的缆桩上，那里是平的。

东南风更急了，铁头船在水面上微微跳动着前行。碗中的水随着铁头船的跳动一震一颤地起着微小的涟漪。

“再有天把工夫就能踩到实地了。”步半寸说这话是在提醒鲁一弃，有什么决定现在该做了。

没有一点反应，鲁一弃越发像个雕塑，只是死死地盯着水碗一动不动。像是没了呼吸、没了心跳、没了血流。这其实是一种很高境界的入定方式，但是鲁一弃自己并不知道，他只觉得这样可以让他烦躁的心情平复下来，让他混杂的思绪清晰下来。

步半寸的话鲁一弃听到了。入定和通灵不一样，通灵那是忘却身边一切凡俗，集中精气操纵感觉的无形力量；而入定是让人在这一刻中提高自己的一切感知能力。所以步半寸的话他不但听见了，而且还比以往听得更加清楚。

水冰花对鲁一弃的状态有些担心了，便悄悄去问盲爷。盲爷独自躲在一边，女人问他的话，他好像没听见，只管自己点摇着脑袋嘟囔着，面颊不住地抽搐抖动。

女人看盲爷没搭理自己，转身要走。就在这时，盲爷突然停止嘟囔，用沙哑的声音低沉地说：“丢魂了，叫魂吧！叫魂吧——！”

对这话最先有反应的是鲁一弃，入定的状态让盲爷的话非常清晰地传入他的耳朵。无形的声线像一根刺从耳朵进入，然后盘旋着转折着钻进他的脑海。这根刺刺破了一些朦胧的遮盖，拨开了层层的掩蔽，一个东西彻底地显现在了鲁一弃的脑海里。

叫魂？！魂在哪里？！瓷瓶！现在还在船舱里的那只瓷瓶！

鲁一弃终于想到了，四叔曾经替别人收过一个类似的瓶子。这种瓶子好像叫魂瓶，是将客死他乡的骨灰，加一撮头发一颗牙齿烧制在瓶中。然后加封印烧口，那么死者的魂魄就会附在瓶上不散，这样就能将死者的骨灰和魂魄一同带回故乡。收藏这样一个瓷瓶就相当于收了一个装着死人的棺材，这让鲁一弃很不舒服。抗拒的心理让他刻意忘却这样的记忆，所以才一直没能从脑中搜索到类似的感觉。

想到魂瓶的同时，他脑海中还搜寻到一部译文典籍《天灵绝术杂阅》[1]。其中提到北疆有一种颮婆萨满，世代单传，鲜为人知。据说他们能寻到魂魄经过的痕迹，而且还能借魂还魄、驭尸驭骨。

鲁一弃猛然从甲板上弹起，快步跑进船舱将那只魂瓶拎了出来，在明亮的光线下，他辨认出瓷泥封口上有两个小小的“吕”字封印，果然是一只魂瓶。

鲁一弃想都没想，抡圆了左臂用力将魂瓶狠狠地甩进大海。

步半寸站在舵台上看着鲁一弃，完全不知所以。鲁一弃转身对他说：“是魂瓶留引，赶紧转向，把背后的尾儿抖落。”

步半寸眼睛还是盯在鲁一弃的脸上，可手也没闲着，左扭右撤，变魔术般地把系牢舵把的绳子给撤了，然后将舵把往右一推。

那舵把没有动。

步半寸心头一紧，手中也一紧，浑身的毛孔也都一下收缩。他小心翼翼地加几分力再推一把，还是没动。惊愕之下，他果断用力将舵把往左一拉，竟然也拉不动！

顿时，步半寸全身的毛孔松了，一层冷汗冒了出来。这可是鲁家高手造的船，就算全毁成碎片了，这重要的关节都不该发生如此的故障。

“怎么？舵卡了？我下去瞧瞧。”鲨口从步半寸的动作看出舵上有问题，他拉住一根桅子上的吊缆上到舵台，准备从船尾滑下去看看。

“小心，多搞根缆绳拴住身子，要是卡儿没能滑溜，你再掉下去，

---

1 这本书是元朝时的外文译本，据说原作者是个欧洲商人，翻译后的版本上未曾刻印译者的名字。书中收录的是元朝时中国边远地域和周边小国的一些奇异事情，还有一些稀少的技艺，颮婆萨满就是此书中确有记载的。

船可回不了头。”步半寸把缆绳系在鲨口腰间，固定好。

鲨口收拾妥了，纵身上了舵柱横杠，身子一转就要顺绳子往下滑。

“等等！”就在这时，鲁一弃脑中灵光一闪，一个个相关联的细节涌上了心头，“下来！先下来！”

鲨口从横杠上跳回舵台。鲁一弃伏在他耳边轻声说了句：“拔刀，守住这里。”

鲨口傻了，但是他从鲁一弃郑重表情和眼神中看出，这样做很重要。于是立刻从身上拔出了双刃斗鲨芒和一把厚背宽刃片刮刀，“守哪个口面？”

鲁一弃没作声，只是往船尾右下方指了指。

水落砂

随后鲁一弃拉着步半寸往舵台下走，他始终没再说话，只是将步半寸拉到了自己刚才坐的甲板处，然后伸手指住一件东西……

是那只盛了水的海碗。步半寸一看就明白什么意思了，他蹲在缆桩前，极仔细地瞄着碗里的水面子。过了一小会儿，他回头看看鲁一弃和离着不远的女人，挥挥手。鲁一弃也知道他这是什么意思，这是步半寸对如此微小的差距把握不住，他要进一步地证实。于是鲁一弃便拉着女人走到船甲板的另一侧。

此时，呜咽的风声似乎变小了，坐在舱门口的盲爷也停止了嘟囔，好奇地看着步半寸。

看女人和鲁一弃离远了，步半寸将缆桩上的碗小心地转动了180度，然后更加仔细地趴在那里盯住水面。

终于，他爬了起来，回身朝鲁一弃点点头。

鲁一弃微笑了一下，朝堆放网捆、矛叉等工具的地方努努嘴。步半寸也不作声，他的脸色此时很难看，走到那堆东西里乱翻了一气。翻完后，他的脸色变得更加阴晦了。

但至此步半寸还没死心，他捡起一个未穿绳的浮球，走到甲板中间。这船对于他来说太熟悉了，很容易就准确找到甲板中心线。手里的浮球他也很熟悉，这是用轻橡木刨削磨光而成，非常的浑圆。他将浮球放在中心线上，轻轻松开手，那浮球摇晃了一下便往船右侧滚去。很明显，现在这浮球起到“循坡球”的作用。

道理很简单，现象却很难发现。鲁家的船在制造过程中讲究阴阳论、文武道，所有这一切概括成一个简单的名词就是“平衡”。步半寸学的是鲁家的技艺，虽然不是真正意义上的工匠，却也把鲁家技艺融入他的技能中。而船上的设施排布、器物摆放也都刻意遵循着平衡的概念。

鲁家人造的铁头船，采用的是宽尾窄底，这样的船虽然便于破浪，但平衡更难掌握。

现在鲨口站在船体的宽尾中间偏右，盲爷在舱门处是中间位，女人和鲁一弃在船左侧，只有步半寸一个人是在船的右侧边上。不管是从体重还是位置上度测，都应该是左侧偏低。但事实不是这样，那水碗的水面、浮球的滚动都表明了现在是船的右侧偏低。这说明了右侧有一个多余的重物，而且这重物要么分量挺重，要么就是距离中心线的距离很大。

鲁一弃让步半寸翻船上的东西，是因为鲨口系身上的绳子让他想到了另一根绳子。一根他感觉已经好久没看到的绳子——老叉的探底绳。步半寸检查过老叉做的各种玩意儿，却偏偏疏忽了他最常用的物件。

所以结论是：老叉还在船上。也许是活着的，躲在下面，直接控制住船舵；也许是死了，尸体卡住了船舵。

步半寸与鲁一弃对视了一眼，随即抓起一把三股倒钩叉，拉住一根桅缆就要从一侧船舷下去。

这样的做法很不合适，还没弄清楚对手的具体位置和情况，就冒冒失失下去，只能成为个飘红标子（活靶子）。就在步半寸要滑出船舷时，一只枯瘦的手抓住了桅缆。

盲爷的状态明显恢复了许多，他从自己听到的动静中判断出了大概情形，于是同样无声地阻止了步半寸的错误举动。

盲爷的举动也提醒了鲁一弃，是呀，应该先证实自己的判断，然后才能进一步采取行动。于是他再次踏上了船尾的舵台。

海上风力没有变小，但一直持续的呜咽风声几乎听不见了。这现象让鲁一弃对自己一系列的判断有了很多的信心，也让鲁一弃平静的言语在寂静的船上显得格外响亮清彻。

“我知道你在下面，我也知道下面待着很辛苦。”鲁一弃平静的话语中带着对别人很多的理解，这样的言语，会让听的人从一开始就感觉自己已经完全被掌控了。

“你对宝贝的欲望太强烈，对我们行动的每一个步骤也最好奇。在前往凶穴时，你的状态又是最好的，并且还做了一些能在凶穴派到用场的玩意儿，处处显示出你对凶穴周围的情形有所了解。凶穴无宝移位，这情形只有实地查探过才可能有所了解。对家有凶穴的海图，又有凶穴起水的鬼船，这都说明对家曾经有人探过凶穴，只是没能探到正点，更没有想到根本没有宝构，所以我断定你所知道的肯定是来自于对家。还有你用了数个的‘冷焰吹’，你当年就是江湖上一个排头，搞不来这么好的东西，而江湖上许多突然消失的门派拥有的绝技最后都出现在了对家门中，这更让我怀疑你和对家有渊源。”

船下只有铁头船划破水面的哗哗声。

“从那次在百变鬼礁遇到拦截后，我就对船上的人有了怀疑，这条海路是出发前刚刚定的，对家是如何知道而预先设伏的？还有那只魂瓶，‘倒海楼’前是在甲板上，当时大家慌忙躲入船舱，而你滞在最后，只有你可能将它带入舱内。因为你知道那是个魂魄依附的瓶子，带上它可以让对家那些弄尸寻魂的高手轻易辨出我们踪迹，紧追不舍。”

船尾下破水的哗哗声变小了，水面比刚才平静，也就是说离着陆地更近了些。风中的呜呜声几乎听不见了。

“只是我们仁慈了、厚道了，把你的贪念归结为普通人对宝物的向往。但既然我已经怀疑了，就肯定会有所作为。于是我埋了个暗着，逃过‘倒海楼’后，我在舱下故意说前去的地方能找到宝贝，这话其实是说给别有用心的人听的，包括在舱外偷听的你。”

说到偷听，鲨口的脸微微有些泛红。那天他自己靠在船头的一侧船舷假装睡觉，而耳朵贴在舷板上也是在偷听。当时老叉侧躺在舱台上，如果不是真睡着了，那他在舱台面上贴耳听，里面的说话声肯定更清楚。

“我也是不得已，才出招让你从大家中显形，只可惜牺牲了鸥子。鸥子暗中改变航线，你只好杀死鸥子，将航线调回。那夜当我吩咐你转变航线时，你意识到自己入了窍口，处在了两难的境地。要想找到宝贝，就必须继续现在的航线，因此你绝对不会改变航线；而且就算依我所说改变航线，但一夜之中你没有遭受任何危险，同样会证明你的可疑。这种情况下你焦躁了，那晚我看到你又在重复紧张时的动作，捻搓绳子头。相比之下，失踪是你最好的选择。为了确保你躲下船尾的过程不被夏叔和鲨口听到，也为了不让没有睡的我发现端倪，你行动之前还在舱里布了蒙药。”

船尾下还是没有声音，鲁一弃对自己的判断彻底失望了。他朝前迈一步，探头往下看去。

“我没杀，我也不想被杀！”船下突然传来的低沉而凶狠的声音，鲁一弃怔住了。

盲爷突然起身，挽住鲁一弃腰，把他往回一拉。一根牵着铅砣的绳索贴着鲁一弃的脑门蹿上了船舷，挂着铅砣的绳头还打着旋儿，行家一眼就可以看出，这样的招式本来是要勒住鲁一弃的脖颈。

铅砣霎时又不见了，就连离得最近的鲨口也没看清楚这东西缩回到什么地方去了。

步半寸愤怒了，一个长久被欺骗被愚弄的人爆发出的愤怒。他狂吼一声，举起钢叉沿船舷往后，探出身体试图找到下面的人，更试图一叉飞下，钉死那个狡诈可恶的人。当他顺着船舷急匆匆地登上舵台时，铅砣再次由下飞出，这次没有打旋儿，而是直奔面门。愤怒的步半寸正快步朝前走着，根本没想到自己的脚步声将自己暴露为攻击的目标，更没想到攻击的武器会如此准确快速……

一旁的鲨口动作也极快，这样的速度很难想象是他这样一个壮硕的身体施展出来的。比他身体更快的是他手中的刀，如闪电划空而过。刀头的走势也很是奇特，是将“劈、点、削、挑、割”汇作一道的招式。刀头的落点也很明确，铅砣后五寸半的位置，这相当于蛇头与七寸的关系。

刀头落在了绳索上，铅砣依旧直扑步半寸面门……

鲨口根本没有想到，自己手中南海火岩百集钢磨制的斗鲨刃竟然没能让那不起眼的棕灰色绳索有一丝的损坏。更没想到的是那绳子上所带的力道和韧劲竟然将他的斗鲨刃重重弹起，使得他有多种后招的一刀最先的“劈”招才完成一半，刀头便已经远离绳索，招式完全被化解了。

铅砣已经挨上了步半寸的脸了，步半寸已然没机会躲闪，他只能下意识地闭眼……

“当!”的一声脆亮的响声，铅砣砸在步半寸的钢叉上，强劲的撞击力让钢叉狠狠拍在步半寸的脸上。疼痛差点让步半寸昏厥过去，他感觉自己的面颊骨仿佛碎裂了一般。

步半寸的脸转眼间便红肿起来，那形状正是三根叉刺的模样。

铅砣和第一次一样霎时又不见了踪影，根本没人看出那是从哪里来，又躲到哪里去了。

步半寸的愤怒瞬间消失了，取而代之的是惊惧。鲨口佛陀般的笑口收敛得很怪异，从他嘴角到面颊到眉尾的皱褶看得出，他非常的谨慎，提着脑袋拎着命地谨慎。两个人都没再乱动，也不敢乱动。老叉是个出乎他们意料之外的高手，而且这高手和他们混在一起好些年，不曾有丝毫的迹象显露出来，这更说明他是高手中的高手。

“哼，不错。你话很多，不过基本都说对了。但有一点你也许没想到吧，我拎清了你的底儿。一次是我故意撞击你肩头，还有一次在我后跌时用手肘将你击昏。这些都明确表明你连一点普通的招架、躲让都不会，甚至连个练家子都算不上。既然你是个假料，这船上又有谁能奈何我？步老大你也不要瞎费劲了，这下面‘落叶尾板[1]’的扣子已经被我解了，‘千旋飞锚’也够不到我的点。还是乖乖地往前漂吧，离实地儿也不远了。上岸去把事儿了清，你我都安生。”这一番话说得没一点糙边和烟火味，沉稳得着实吓人。

---

1 船尾支伸出来的一片板叶，其作用主要是用于快速航行时优化空气动力，这和汽车的尾翼扰流作用有些相似。但“铁头船”的尾翼还是一道扣，因为船体最容易被人从水中攀爬而上的位置就在船尾，这里机构复杂，可借力踩踏的物件多。为了防止有人从船尾攻爬上铁头船，这里的尾板在机括操作下，能快速落下，击打整个尾部范围中的目标。

步半寸心中有寒气飘过，他真的没想到鲁家高手在船上设置的绝妙坎扣早就被老叉给堪破了。

现在交手的主动权在老叉手中。那只带着铅砣的探底绳，砣是融白金的梨山铅做成的，绳是哥什尔沙漠中曾经出现过的食石毛人族不腐的毛发编成，招是正宗的南派伏魔流星。上面的几个行家都心知肚明，平地儿明干自己都不是他的对手，更不用说显身形探到船下去与他对招了。

更大的问题是现在舵页被卡住了，船的行驶方向也掌握在老叉手中。

“落帆……”步半寸才说了两个字，便立刻被鲁一弃打断。

“不行，落帆那不就是在等对家干撵吗，让他们捡搁滩鱼。”鲁一弃能感觉到坠在背后的对家船只已经被他们甩得很远很远了，肯定是丢了魂瓶，断了魂引子，让他们失去了追踪的目标。但对家那么多的旁道高手，再加上藏在船尾下善于留引子的老叉，重新追上来的时间不会太长。现在方向已经不能改变，这要一落帆，再被撵上，对家肯定就要“活起兜[1]”了。

“前面哪来这么多鸟儿？”甲板上一直没挪地儿的水冰花问道。

鲁一弃和步半寸连忙回头看去，远处真的有许多白色、灰色的大小海鸟。

“有鹭鸟，有水娑鸟，长喙黑面鸟，还有灰海莺。这是怎么回事？”步半寸认得好几个品种的海鸟，但他不知道这些鸟怎么会聚在一起。

虽然鲨口没有回头，始终盯住船尾。但经验告诉他，出现这些品种的海鸟只有一种可能，离陆地很近了。

“看得见岸线吗？有港口和船场吗？”鲨口依旧没有回头。

“哪有！根本连岸线的影子都看不到。凭啥该有岸线、港子什么的？”有些海情连步半寸都不清楚。

“没道理呀！你刚才说的那些鸟儿都是出不了远海面儿的。”

---

1 渔家的俗语，意思是一锅端、全活捉。

还其道

“那就是有死浮（大型动物的浮尸），这些鸟儿是被死浮漂带到这里的。”鲨口判断道。

“也不是，鸟儿飞得很散，不是盯着死浮的景儿。”步半寸对这种情形还是熟悉的。

“那就不对了！这些鸟儿在这里寻不到食是活不了的。特别是那种鹭鸟和长喙黑面鸟，它们都是吃小贝小蛤这些滩食的。”

“滩食！你说滩食！”这趟海上之行，鲁一弃一直都在寻找着“滩”“琅”“福”这几个字，现在终于有人说到这个“滩”了，“如果这些鸟儿像你说的是吃滩食的，那么这附近肯定有海滩。”

沉默。

沉默中渐渐多出了一种声音，那是风中一直都夹杂的呜呜声。对家船只已经找准引儿追上来了。

盲爷很明显地身体一抖，脸上歪扭出一个痛苦难受的表情。与此同时，船尾下铅砣再次飞出。目标是鲨口的后脑和前胸，这次竟然是一绳双砣，从两个完全不同的方向合击。

如电光飞闪，如金钟脆鸣。鲨口和盲爷同时出手。虽然一个没太多准备，另一个状态欠佳，但铅砣还是被迫甩了个有力的弧线双双落入水中。

鲨口和盲爷又一次体会到高手技击的功力。他们手掌发麻，虎口发烫，手指骨节生生地疼。两个人都很清楚，如果双砣不绕过尾舷，而是直面一击，他们谁都没有能力阻挡。

但这一击却让步半寸有了意外的收获，铅砣落水的声音让他听出了蹊跷：“这里的水好像浅了。不对呀，还看不见海岸子，哪会这么浅？”

鲁一弃眼睛一下子亮起，心中的云雾顿时开了。他极力压制住兴奋和说话的声音说道："水浅了！这里有海滩，这里就是海滩！步老大，你估摸这里的水深能走多大船。"

"三舱底高。"步半寸答道。

鲁一弃不明白这三舱底高意味什么，就继续问道："对家那大船能行吗？"

"能行。"

"再浅呢？"

"再浅一舱就难行了。"

鲁一弃稍稍点头，和步半寸耳语了两句，然后亲自拔出驳壳枪，站到船尾。步半寸则拉着鲨口踮猫步悄悄溜下舵台，钻到舱里去了。

鲁一弃巍然站在舵台上，聚气凝神，试图用超常的感觉找到老叉的准点。但这次他的感觉没有达到目的，估计老叉是藏在和大海极为贴近的位置，这样他的气场才会被大海的气场掩盖，无法察觉。但此时老叉藏在哪里已经不重要了，鲁一弃真正要感觉的是那个随时会发起致命攻击的铅砣。

风中的呜呜声在迅速升高，明显有种由远及近呼啸而来的架势。两声尖利的鹰啸刺破长空，让人心中猛然一紧，很不舒服。看来对家已经全力追赶，越逼越近了。

"嘿嘿，您也不用费气力下套，只要船是这样直行，是坎是扣我都不搭沿儿。"果然是个奸猾的老江湖。行走江湖最忌个贪，得了寸还想进尺难免就会踏坎入扣。老叉办事很实际，他觉得自己能做到现在这个程度已然不易，还是保住入手的先机，等后面正庄到了再做决断吧。

老叉不再出手，而这也正是鲁一弃所希望的。事情在按他的预想进行着，于是鲁一弃的状态变得更加自然放松。

与此同时，铁头船不着痕迹地加速了。这是用极缓极缓的节奏一点点提的速，船下翻轮叶片带起的暗流在浅水的破浪中很难察觉。

"你不是摸清我的底了吗？不想正面再试试斤两？往往最初的判断会是错误的。"鲁一弃继续平缓地说着。

"呵呵！不用了，我这人最相信第一感觉，而且要真伤了你没人启宝构，我也是没法担待的。”

“你说这趟走后，我要用个假宝骗你，你能辨得出吗？”

“那就不是我的事了，我只管盯你到点儿。其他事有其他人去办。”

“要是我说的那地方根本没宝，你如何担待？”鲁一弃紧接着又问，“要是我宝贝入手随即毁了它，你又如何担待？”

这次下面的反应很激烈：“最好不要发生这样的事情，这样的话我虽然很惨，但我也不会给你机会，也不会给让我很惨的那些人机会。”

“这话什么意思，我听不大懂。”

“我不是朱门中人，只是家小都在他们手中。我的职责就是走这一遭，完事后各不相扰。你要把我这件事破了，我就会落个身家全无的结局。到时就只能是拿你做筹码，或者你我来个同归局，大家都落得个欲消念无。”

“朱门中人放心你与我同行，你以为他们考虑不到你所想的吗？我倒觉得你这遭走完，不管成功与否，都不会有个好结局。而我只要不让宝贝落入朱家手中，他们总要有万全之策保我周全的，你说对吧？”

“你是逼我现在就出手挟住你吗？”下面的声音低沉而凶狠，如同一条嗜血的恶狼发出的喉哼。

“我的意图是什么你不知道吗？你不是摸到我底料了吗？”不爱发问的鲁一弃此时反问一个接一个，如同层层叠叠不住不休的波浪。因为他知道不能给对手平心静气的机会。船尾的两道暗流已经开始汹涌起来，“救命翻轮”已经达到了一定速度，铁头船在风力和人力的双重作用下变得越来越快。

风中的呜呜声变得弱了，空中的鹰啸也远了。盲爷身体的颤抖也平缓下来，盲杖已经直直地拄在原处不动了。

“不过我想你不会也不敢。”鲁一弃在继续说道，“现在制住我？你有把握吗？刚才我不就劝你试试看的吗？”

老叉没有搭话。

“怎么，你没……”鲁一弃知道应该继续扰乱对方的思绪，分散他的注意力，但是这句话刚出口，他就说不下去了。感觉中有一股无形的压力从船尾下面升涌上来。难道自己弄巧成拙，激起了对手的杀心？不应该呀，就老叉隐伏这么些年的那份定力和心性，不会因为自己几句话就把持不住。要么是他发现自己这里要的是空城计？还是识破了自己的计划？

面对这样的压力，鲁一弃能做的就是将复杂的思绪收敛，然后忘却一切，将持枪的手臂缓缓抬起。

“你刚才在上面说水浅了，这里就是海滩对不对？”沉默许久后的老叉突然幽幽地问了一句。

这回轮到鲁一弃沉默了。

铅砣挟带着狂劲的风声横扫而来，这次竟然是一绳三砣。力道霸道凶悍，就如一片极速的狂飙。但这一招没有确切的目标，有些像撒网捞鱼，撞谁是谁。

鲁一弃和盲爷都在三只铅坨横扫的范围之中，他们可以躲避，也可以推挡。但是凭鲁一弃的身手和盲爷的状态，他们不可能避开铅砣的速度；推挡的话，在那种力道下更无疑是螳臂当车。

枪响了，连续地响了。铅坨停顿了，调头了，回旋了。

唐代印度游僧阿拜格著《赴东胜途见》中有录：“经哥什尔，遇漠窟枯尸无数，尽覆毛发，尺长左右。骨捻如灰，其毛发却刀割不断。地居者言其为食石毛人族聚尸之窟，已为偶见。”

如此刀割不断的毛发编制而成的绳索当然不会被枪打断。绳索虽然不断，但鲁一弃射击的位置却是恰到好处。连续击中同一点的子弹让绳索凭空出现了个新着力点，于是带铅砣的前端改变了攻击方向。只其中一个铅砣砸碎了小块尾舷板，便直落而下消失到船尾下面。

探底绳窜上尾舷的时间极短，全部的过程也就和打个闪儿相仿。可就是这样一个打闪般的过程，让鲁一弃觉出有些不对劲来。

“啊！好眼力好枪法！”老叉喝声彩，他似乎忽略了盲爷的存在，“他们都去踩翻轮了吧，刚才被你言语一搅，都让我疏忽了多出的两路暗流。不过这里虽然水浅，但要想再浅一舱底，凭你这船速，起码也要走上大半天。有这大半天的时间，后面追撵的大船肯定能追上，你说呢？”

鲁一弃心境猛然一乱，对手确实是比步半寸、鲨口那些人高出许多的老江湖，这么短的时间里就完全识破了自己的计划。

船尾下发出一声轻微的“咯嘣”声，夹杂在喧哗海浪声中。这声响鲁一弃虽然没有听见，却绝逃不过盲爷的耳朵。他低垂的尖削头颅微微一抬，有些艰难地吐出两个字：“改坎！”

两个字提醒了鲁一弃，他已经顾不得太多了，朝着船尾舷沿迈出了仅有的一步。这一步走得并不太稳，因为船在他迈出这一步的过程中有了些许的变化。

现在他慌乱了，着实慌乱了。

他把驳壳枪伸出舷沿，往下面舵页的位置盲目地射击着。但这所有一切都改变不了接下来发生的事情，船转了方向，并且在一个不大的范围里转起了圈儿。

射完一匣子弹的鲁一弃换了一个弹匣后继续射击。冲出舱门的步半寸则朝着下面不住嘴地恶毒咒骂。但下面的老叉就像死了一般，没有一点声息反应。

远处风中的呜呜声越来越响亮，空中猎鹰的唳啸越来越尖利。鲨口快步跑上了甲板，四面张望着。

“来了吗？”舱台下的女人紧张地问。

“东十五线网直头（正东偏南十五度），日头齐杆（太阳出头升到桅杆高的时间）就到，鞋数三片鸭拐子（两艘三桅带划桨的船）。”

鲨口说的话只有步半寸能听懂，他的脸色变了。

此时船尾下的老叉又开口了：“原本是打算松着你们扣儿让你们启宝，然后再收扣拢兜。你们倒也都不是省油的亮盏子，硬是折腾着要走强套索的路数。”

鲁一弃停止了射击，步半寸也不骂了，他们都很无奈。

“等着吧，我瞧这顺风顺水的，也不用日头齐杆的辰光，那两大舟子就能到。说实话，也许合着天数就该如此。原先四只大舟子尾着我们，赶在前面的两只可能毁在倒海楼里了，后面这两只估计是被倒海楼的余浪推偏了航线，反倒凑巧觅到我们的船影儿。”老叉接着说，“我是真没有留引子。就算留了，被倒海楼一冲也不知道到海子的哪个旮旯里去了。那只瓷瓶刚出水时我瞧着稀奇古怪的以为是个宝，后来感觉自己身上被对家种下的活灵符有异动，这才知道那瓶子上附着怪异。”

此时，步半寸正从衣带上扯下些棉布丝线，捻成团抛到船下的水面。

浪冲滩

老叉由好学变成了好为人师，嘴里兀自喋喋不休着：“虽然不知道那瓶子到底怎么回事，既然相互间有感应，那么和朱门中的手段就应该有些牵连。于是我决定把这东西留在船上。对了，先前在下面听鲁门长说那瓶子是什么魂瓶，附着魂魄呢。那么朱家船上那个装神弄鬼的萨满，要在这没命没魂的海面子上找到这玩意儿的踪迹应该不是什么难事。”

“不要听他瞎扯，他这是在拖延时间，快想办法把船调过来。”盲爷喊道。鲁一弃突然间意识到了，对手还是在用自己的老路子，自己怎么又上当了。江湖的凶险看来不只是刀光剑影，就连只语片言都必须小心提防呀。

“呵呵！静心些，我这不是能帮你们消耗些难熬的时间吗。”老叉的言语中能听出少有的得意。

但他得意未免早了些，因为这船上有人已经知道下面该怎么办了。

几只大瓦罐被拿到船头，一些粉末撒在了甲板上。副帆落了，副桅倒了下来。主帆降，缆松三分，主桅的后立缆索性解脱，只两根侧立缆虚挂着，帆叶调向缆和桅杆的两根前立缆也都被牵到船头位置……步半寸一声不吭地忙碌着，他的脸色很难看，也不要别人帮忙，只是将动作尽量放得轻缓。

对家追赶的船只正蹦跶在浪尖子上，全速往这里行驶着。魂引儿毁掉后，他们在没有指引的情况下偏离了些方向。最后商榷之下，决定还是以失去魂引子之前的航线一路直赶，终于又坠上了铁头船。他们知道，这次不能再托大远跟了，必须收扣压着尾儿走，于是双船开剪，呈分叉式逼压过来。

“大少，到舵台和舱台间的缝子里去。”步半寸说这话的时候已经将女人推到那狭窄过道里了，“鲨口，把夏爷也扶进去。”步半寸沉着声吩咐，目光炯炯如火！

鲨口从舱台上一步跳到舵台上，伸手去扶盲爷。盲爷被落地声一惊，猛然抬头，突然狂暴地一甩手臂，把鲨口推得往后跌走两步，接着他手中盲杖一挺，直刺鲨口小腹。鲨口被推开时就有些猝不及防，盲杖过来就更加无法招架，他能做的就是继续往后跌，直接将自己跌到舱台和舵台间的狭道里去。

盲爷一下没有刺到，于是迈步继续第二刺、第三刺。结果是他自己直接扑进了那狭道中。跌下的盲爷不再哆嗦了，因为他昏厥过去了。

“老小子不对劲，受什么刺激了？肯定是被老叉那鳖犊子气的，气疯了就乱咬人。”鲨口边骂着，边心有余悸地站了起来。

此时鲁一弃也钻进了过道，他急切地问：“没事吧？”

“没事。”回答他的是女人。而鲨口正忙着把盲爷拖起来，然后把身体翻正靠舱壁坐直。

就在这时，舱台上传来了声沉重的砸击声。过道里的人愣住了，莫非老叉要毁船？

听到第二声砸击声后，鲨口和鲁一弃想跑出去看是怎么回事。舵台上的步半寸似乎已经预料到，断喝了一声：“都在里面待着，别出来，尽量聚堆儿。”

随着第五下重重的砸击，船尾的舵柱发出一声“嘎呀呀”的怪响，接着是重物落水的声音。

舵柱落水了，步半寸敲掉了舵柱头与下面舵柱、舵页连接的横销，铁头船舵位上只剩下一个空荡的舵柱头和那根已经不带力的舵把了。

船横漂起来，没了舵页切水控制方向，船只的移动就变得随意起来。

随即，步半寸将敲砸舵柱横销的直刃锤头断缆斧往腰带里一插，抓住一根桅缆，身体在空中一荡，直接到了船头位置。

两根主帆调向缆踩在步半寸的脚下，两根主桅前立缆挽在他的手臂上。船上的人都能清晰地听到缆绳、滑轮作用下发出的刮骨挠心般的声响，这种声响只有久未动作过的结构部分才会发出。

铁头船应声恢复了航向。步半寸单人调整帆和桅的方法正是鲁家六工中“立柱”的技法。

“哼哼！好个控桅调帆驭船技！”老叉不知道什么时候爬上了船尾舵台，正用一双冷漠中带着狡诈的目光看着步半寸。从他钦佩的语气中可以听出他也是个驾船的行家。

步半寸没有因为老叉的出现而有一丝变化，他只管仔细认真地驾着船，眼中的光泽如同金石般平静、坚定。

“可惜呀！控桅调帆只能升单页桅帆，这就导致船的动力不足。就算我不动手，你估摸着能脱开后面大舟子的追速吗？”老叉有点猫玩弄猎物的兴奋。

的确，铁头船双桅都跑不过后面三桅带桨子大战船，现在就更不用谈了。

可步半寸依旧没有理会老叉，只是专注地让铁头船提速、提速、再提速。

听到铁头船的破水声，老叉微微点了下头，他心里也十分清楚，面前这个人单以操船而论，绝对是江湖上绝无仅有的高手。还有些声响是从舵台下发出的，一种很熟悉，是刀刃滑出鞘子的声音；一个不熟悉，是枪机掰开的声音。这些声响是危险的信号，于是老叉将手中牵着铅砣的绳索缓缓展开。

“都别动！”步半寸的这声大吼已经破了嗓，让人有种撕裂肌肤的悚然感觉。

谁都没有动，鲁一弃和鲨口也意识到，贸然的攻击会破坏了步半寸的计划。老叉眼见着朱家的两艘大船已经赶了上来，就连船上人的衣着形态都可以看清了。他觉得再没必要和铁头船上的这些困兽搏命，要是早点知道朱家船赶得这样快，他甚至都不用上来，继续在下面等着就是了。

铁头船还在继续提速，但继续提速的余地已经不大，单帆的动力差不多到尽头了。步半寸正对着船尾，他可以看到对家的船越来越近了，他也已经比对出双方速度的差距，再有袋把烟工夫，铁头船肯定会被双舟给拢住。

即便这样，铁头船依旧执拗地往前行驶着，步半寸眼中金石般的光泽依旧坚定，而且开始变得灼烈起来。

老叉感觉出了什么，蓦然抬头望去。西斜阳光和水面反射的粼光让他看不清船头前方太远的地方。于是他手搭凉棚，掩去刺眼的光芒，恍惚之间，他看到了地平线。

老叉纵步到了一侧尾舷，探头往下看去。除了船下水花翻转，其他水面都还平缓，只是这平缓中蕴藏着一个无法阻挡的趋势。他猛然侧脸朝向步半寸惊问一句："退潮？"

步半寸笑了。他刚才将衣服上一根棉线搓团扔进海水里，就是用来判断潮势的。

老叉缓步走回舵台的中间，将心情平静下来："可惜呀，被我提前觉出了。我现在动手，你们还是没机会。还是你自己停了吧，死死伤伤的不好。"

步半寸还是在笑，嘴巴咧开了，露出了雪白的牙齿。

"那就别怪我……"老叉脚尖已经挑在铅砣的绳头上了，不等话说完，三只铅砣便会激射而出直击步半寸。

步半寸抢在了老叉前面，他身姿一变，一侧的帆缆猛然松开，与此同时桅杆的两根前立缆也瞬间松开，主桅桅杆往后舵台上直落下来。

舵台上的老叉避得很狼狈，他必须滚翻到一侧尾舷的下面，才能躲开这样巨大武器的一击。

主桅砸在了舵台的前栏上。但前栏没有断，只是那五根栏柱都缩进甲板有一大半。

一砸之后，步半寸迅速拉边缆，让桅杆摆撞向老叉，滚爬在一侧的老叉只能再次滚躲。利用这个时间差，步半寸猛然双拉桅缆，将桅杆重新拉直。竖好桅杆后，他将立缆在缆桩上一扣。紧接那帆叶调向缆左右一扯，也往缆桩上一扣，桅杆、帆叶都固定住了。这一系列的动作真如同电闪风掠，迅捷而有致。

其实就算步半寸动作再快，凭老叉的经验和手段，瞬间便可瞄清状况出招攻击，阻止步半寸。但是老叉没有，因为他在躲避的过程中，突然发觉下方甲板发出连串怪异的声响，这些声响汇聚在一起，让他惊心不已，感觉船体随时会爆裂。

等一切声响都停止后，老叉再次失去了攻击的先机。步半寸一手吊住根桅缆，另一只手持着短柄断缆斧荡了过来，横劈向刚刚站稳的老叉。

虽然被脚下的甲板的响动吓住，但老叉目中余光却没有放过步半寸。在攻击进行到大半的时候，老叉身形突动。他抓住另一根桅缆，往船头荡过去。一个久经江湖的技击高手，从发现别人的行动到自己有所反应拉开这样大的时间差，这只有一种解释：他已经瞄准时机出反手招儿了。

步半寸重重地摔落在舵台上。他的目标是站在舵台上的老叉，而老叉的目标是荡在空中的他，这就叫后发制人。已经身在空中的步半寸无法躲闪，于是当两人交叉而过时，只能无奈地被老叉狠狠一脚踹落在舵台上。

步半寸从舵台上爬起时有些艰难，但他却在笑。黝黑的脸上带着三叉形血印，让他的笑容显得狰狞。

老叉很快发现步半寸为何能如此得意地笑了。铁头船开始转向了，而代替铁头船继续往地平线方向过去的是一艘尖底三角舢。舢上没帆没桨，却有一套脚踩的翻轮。鲁一弃他们几个正横七竖八地跌落在这三角舢上面。而此时的铁头船已经变成了双槽底、空尾舱。少了尾舱，铁头船提速更快了，这就使得转向后的铁头船快速地与三角舢拉开了距离。

“我以为你很熟悉我的船，后来才知道你只是了解水上部分。因为你藏身在尾舱外的夹槽里，却偏偏没想过这里为什么会多出一个夹槽。”步半寸用讥讽的语气说着。

“不，我想过，从这船之所以要用尖底为舱我就想过，甚至也想到变舱为船的招数，可是从结构上行不通，那个位置出不了船。”老叉有些沮丧也有些懊恼。

“可在我将舵柱砸脱后，你还是没有意识到，就是主桅将栏柱砸陷时，你也没看出那是在脱扣松挂。”

“脱扣松挂时我已经没有机会细细考虑，砸脱舵柱时倒真的是我疏忽了。原以为你砸掉舵柱是为了可以控桅调帆，根本没想到舵柱这么一脱，尾下空出的位置可以出船，转瞬就成了变舱为船的结构。真是好招式，这叫什么？”老叉到此时都没有失去好学的习惯。

“立浪冲滩！”步半寸一声高呼，洪亮的声音随风送出很远很远。

“立浪冲滩”，鲁家造船技法之一，指大船中暗藏一只小船或者可以将船体某一部分改变成小船。在滩远水浅大船靠不了岸时，用作港子和大船间的联络，也是遇险时逃难的绝妙后手。

“立浪冲滩”，也是奇门遁甲第八手，是指将主要力量集中攻击对方防守基础，并且层出不穷，不让对手有喘息的机会。同时还要用小股力量彰显大气势，多方面地给对手压力。

“立浪冲滩”，更是步半寸拼却性命的一次攻击。他要用这样的一次攻击毁掉老叉。报仇，为鸥子；灭口，为了不让他把鲁一弃的底细告诉对家；阻滞，他要以这次攻击尽量阻止和延缓对家对鲁一弃的追击。

短柄断缆斧飞了出去。老叉看得很清楚，这样的飞斧在力道和准头上都不会对自己造成什么威胁，而且这招之后，步半寸手中连武器都没有了。于是他很从容地避让，同时手中铅砣飞出。铅砣攻击的速度不快也不准，攻击的途径又正好被桅杆阻碍。三只铅砣缠绕在桅杆上，但奇怪的是缠绕之后，其中一只却脱离牵绊，突然间暴飞而出，直击步半寸前胸。

步半寸的胸骨凹陷下去一个碗状，巨大的打击让他背部的皮肉都震得崩裂开来。他窝胸弓背喷出了第一口鲜血，倒地前又仰面喷出了第二口鲜血。等身体完全倒下后，喷到空中的鲜血洒落下来，染红了步半寸依旧满是笑容的黝黑脸庞。

老叉从手感上知道自己这一击很成功，但他无法看清步半寸是怎样一个状态。他的眼前先是金星乱窜，紧接着鲜血也很快蒙住了眼睛。他不知道步半寸的第二件武器从何而来，但飞出的斧子背后确确实实跟着另一件兵刃。在第二件武器到达时，老叉听到了自己头骨的碎裂声。

步半寸的“立浪冲滩”中，短柄断缆斧是第一个浪头，但就在老叉专心控制他的铅砣时，步半寸飞出了第二件武器，开始了第二浪。那是他早就算计好的，用得最多也最得心应手的武器——舵把。这根浸透了步家两辈人的精气、血汗，吸收了多少日月光华、海灵天息的花梨木棍把子，给出了重重一击。

就在铅砣击中步半寸前胸的同时，他开始了第三浪。一缕袅袅的轻烟轻飘飘地从空中划过，那是步半寸随身带的烟管，它燃着了甲板面上的火药粉末，引爆了船头装着火药的瓦罐。几只黑瓦罐，和船上装酒装水的没什么两样，可里面却是满满的火药。这些火药本来是步半寸用来炸捕海鲸的，而现在却让老叉在一声巨响中变成了到处散落的碎肉和污血。

铁头船的船头甲板出现了一个大洞，两边的舷板全成了参差的火把。只有那铁船头还被几支坚固的主料支棱着，在火中熏烤。

这声巨大的爆炸声，惊动了附近所有的人。而就在大家惊异观望之际，铁头船已经绕了个弯，从侧面直撞向左边的那艘明式大战船。

步半寸"立浪冲滩"的第四个浪头，从水流、风速，对家的船速、航线，铁头船的船速、航线，方方面面都筹算得那么恰到好处，甚至连对家转向避让、加速逃脱等情况全都在考虑之中。

铁头船从明式战船的两支大桨中间斜插进去，船的铁头正好撞入桨洞。随着这撞击，铁头激射而出，像个巨大的炮弹射进大船船体构架之中。与炮弹不同的是铁头后面牵拉着两道铁链，这是鲁家人给铁头船设置的又一个扣子："铁顶引航"。铁头射入之后，铁链自动一收，两船便再难分开。于是铁头船上的火焰顺着大船满涂桐油的船面一下子就窜了上去，一时间火光四耀、烟雾冲天，惊恐声、叫喊声、惨叫声、燃烧的爆裂声汇成一片。

在这鼎沸的声响里，只有步半寸安静地躺在铁头船的舵位上，满脸的血污掩不住他已然僵硬的笑容。的确，这样一式若乎神算的杀坎，的确值得他笑着归去，哪管是去往天国还是地狱。

鲁一弃他们只回头看了一眼，便拼命踩着翻轮往地平线的方向而去，他们都很清楚，必须珍惜步半寸用生命换来的这次机会。

第四章　老锡匠的嗜血红绫鬼头刀

见大家对他还是满脸的疑虑，笑佛儿退两步到了屋子正中神柜架子前，将上面的红绫轻轻掀开……

红绫盖着的是一把闪着淡蓝锋毫的鬼头刀，宽刃利尖儿，八边菱形护手，鲨鱼皮条缠柄。刀背是个笑脸鬼头，柄尾是拇指粗的钢环，上面系着一块很大的红绫，刚才这刀正是用柄环上的大红绫盖着的。这笑脸鬼头刀一现，屋子里的那些铜锡器一下子全没了光泽。

至灵地

对家另一艘大船并没有忙着救援同伴，而是继续追赶鲁一弃他们的舢子。可是那大船只继续往前追了三四里远便搁浅了，潮水退下的速度比想象中要快。

不过大船很快也落下两只小舢子，朝着鲁一弃他们的方向奋起直追。

大片的陆地出现在鲁一弃他们的眼前，倒不是舢子行得快，而是潮水退下后，露出了平坦辽阔的滩涂。

南黄海边的千里滩涂，一望无垠。涨潮为海，落潮成陆。此处海产丰富，尤其盛产各种贝类，其中又以文蛤为最，被誉为“天下第一鲜”。但这样的一片滩涂并非没有凶险。首先这样的地方和沙漠一样，由于面积太大，没有参照物，很容易迷失方向。还有就是看着是平坦千里，其实却是有着起伏，有些地方甚至是沟壑纵横。只是因为颜色单一，从视觉上难以察觉。这样在涨潮时就会出现潮水迂回绕到前面的状况，明明看着潮水还在自己的身后很远，而你其实已经上不了岸了。退潮时也一样，面前已经是粘滑面的泥沙地，必须弃船步行了，可是走了一段路后又发现，潮水其实还没有退尽，前面仍有大片水面子挡住去路。

鲁一弃他们正是如此停滞不前了。追上的人没有真正的高手，但他们都是真正的杀手，就像百岁婴那样，所以鲁一弃挟带的气场对他们没有震慑的作用。这些杀手目的也很明确，杀掉三个，擒住一个。他们分作左右两处追来的，全是黑色紧身衣靠，黑巾蒙面。从他们相互配合的位置看，是按南朱雀北玄武十四星宿位排布的。

在他们快速靠近时，鲁一弃首先开枪了，他不能让这样两堆杀气将自己裹住。每一枪都准确命中，不管那些人的移动有多么迅疾，也不管那些人在枪声响起后反应多么快捷。子弹都毫无偏移地落在他们的心脏位和眉心位。

杀人的人一个个倒下，可又一个个爬起。子弹对这些人没有用，这让鲁一弃唯一能依仗的能力失去了意义。

挡住去路的潮水虽然在快速地退下，但对于眼前的情况，这种速度明显太慢了。

鲨口在鲁一弃开枪的时候脱去了鞋，拔出了刀，然后主动迎了上去。临走时高声喊了句："你们先走！"也不知道这句话是对鲁一弃他们说的还是对那群杀手说的。

鲨口赤着脚一冲一滑就撞入了人群，动作异常灵活快捷。也许因为他赤了脚，也许因为他对这样的环境本来就很适应。

前方的水位又下降了许多，现在刚好没过膝盖。鲁一弃他们已经没有选择，不管前面的滩涂是实是陷，也不管前面的水面下有多少凶险，他们只能往前冲。

杀手的武器很统一也很少见，全是带月牙护手的十寸短钩。钩身较宽，两边全部开刃；钩头也大，弯曲半径超过五寸；月牙护手也都开刃磨刺，柄尾带三寸尖棱。正所谓远钩、中砍、近刺、后扎，就是充分利用钩头、钩身、月牙和柄尾作为攻击部位。这种兵刃容易自伤，很难练，可一旦掌握之后却极其刁钻毒狠，有人把这种兵刃叫做"兵中之鬼"。

迎上去的鲨口有好多刀，尖的、秃的、厚的、薄的、直的、弯的、利的、钝的都全了。只是刀再多，他只能一只手拿一把，刀再利，也都只是刮鳞、剖鱼、劈贝用的，这能和那些利钩抗衡吗？

当鲨口将一个杀手手腕到肩头的肉像剔鱼片一样贴着骨头剔掉后，当鲨口将一个杀手的膝盖骨像剜贝肉一样剜掉后，那些杀手意识到对手手中剖鱼剜贝的刀绝不可小视。于是他们连同受伤的留下八个人围住鲨口，剩下的六个继续往鲁一弃他们逃走的方向追来。

刚出水的滩涂面有一层浮泥，踩上去溜滑溜滑的。鲁一弃和女人相互搀扶着，还不时跌倒，连滚带爬像两只泥猴。盲爷踏上实地，贼王的风范便显现出来，虽然眼不能见，脚下也摇摆趔趄不断，身形却像风中的摆柳，怎么都不跌倒。

所以盲爷理所当然地成为阻击第二拨杀手的一道坎。但第二拨的六个杀手相互间的距离拉得很散，盲爷只拦下了四个，余下两个继续往鲁一弃这边扑来。

杀手脚上的薄底硬衬快靴尤其不合适走这样的地面。另外鲁一弃手中的枪虽然不能让他们丧命，终究还是会让他们有所顾忌。因此，他们追了鲁一弃和女人好长一段距离，都没能下手落扣。

"那里！那里有车！"女人眼尖，发现前面已经完全出水的滩涂上缓缓地过来几辆牛车。

鲁一弃已经没时间再考虑太多，求生的心理让他本能地就往牛车那里奔去。

有牛车当然就有人，而且还有不少人，他们都是乘着退潮下海踩文蛤摘紫菜的。其实这些人早就被鲁一弃的枪声惊动了，正拿着各种杠棒铲耙警惕地望着这边。

牛车这边的滩涂出水得早，浮土已经干了不再湿滑。鲁一弃和女人奔逃的速度虽然快了，但那两个杀手速度也不慢。

离牛车不远，女人一个踉跄摔倒在水坑里，同时也将鲁一弃带跌下来，女人实在跑不动了。

鲁一弃倒在女人的身边，看着背后两个杀手举着短钩逼近自己的每一步。明晃晃的短钩反射着西落的余晖，光斑不时映在鲁一弃的脸上、脖颈上。

嘴巴里有水坑中溅入的海水，很咸很苦，鲁一弃强压着喘息，等待最后时刻的到来。

锋利的弯钩没能及时落下。因为就在这关键时刻，几十根棍棒、铲耙朝着两个杀手挥舞而去。

是的，牛车这边的人动手了，而且目的很明确：击溃杀手，救下鲁一弃他们。

过去这地界经常遭倭寇、海盗掠夺侵扰，所以下海的渔民、滩民都多少练些防身的技击术，而且下海时都结成帮队，以防御倭寇和海盗。两个杀手的装束打扮偏偏怎么看都不像好人，而且被他们提着杀人利器追赶的人中还有个女的。

这些挥舞着棍棒、铲耙的人虽然都不像练家子，但一个个倒也孔武有力、有招有式。在这样一群人的攻击下，两个杀手疲于招架、手忙脚乱。

就是这样一个短短的间隙，让紧闭嘴巴的鲁一弃深深呼出胸中的一口浊气，惊恐慌乱的心情一下子平静下来。于是在棍棒挥舞的空隙间，他冷静、迅速地寻找到这些枪击不死的杀手的缺儿。

枪声再次响起，三颗子弹连续射出。

三颗子弹的落点是共同的，一个杀手的左眼。就在被射中的杀手身体才倒下一半的时候，另一个杀手突然狂攻两式，踹倒一个围住他的滩民，朝着左后方蹿出。

目的很明确，急速逃走；方法很正确，佯攻后破围；逃走的方向很准确，正好可以利用人群替他挡住子弹。

逃出速度很快，但十几步后仍旧被子弹追上。这次只有一颗子弹，从挥舞棍棒的人群间隙中穿过，准确地钻进杀手的左后脑。那部位和第一个杀手溅出脑花的位置一模一样。钻进后脑的子弹从杀手的左眼钻出，但只是露出了个弹头尖儿便停住了，将杀手的左眼瞳孔换成个金属的。

杀手并非刀枪不入，杀手只是在黑色衣靠和蒙面巾中多套了一层密棕藤护具。这种多层细密编织，再加层间软夹制作而成的护具足以挡住手枪这类武器的攻击。这些是鲁一弃撕开死去杀手的外衣后得到的答案。

盲爷在鲨口的搀扶下赶到鲁一弃这里。围住鲨口的八个杀手在一人被鲨口削掉整个下颌，两人被切断颈椎骨后，一下子都散了，丢下不能动的往大海的方向逃走。

围住盲爷的四个一个都没逃掉。虽然盲爷刚开始只是将其中两个的脚面骨刺穿了，但在后面赶来的鲨口协助下，不但两个刺穿脚面骨的被鲨口用宽根挖贝刀切断颈骨，另外两个也都被盲爷的盲杖挑碎了命根。

在下海滩民的引领下，鲁一弃他们四个上了海岸。几十天的漂泊终于结束，现在又闻到土腥味儿，又看到房屋树木，鲁一弃感觉犹如重生。

此时鲁一弃真的有种离宝贝不远的感觉了。眼前的地界沃野平川、土地肥硕、河溪交错，均是湿土无石的绝好耕种之地，而且让人想不通的是临近茫茫大海，却丝毫未受盐碱之害。

向那些滩民打听了一下，原来此处已经到了南通州的辖内。南通州东临海，南临江，西、北方向均是平川沃野，界内河道纵横、物产丰饶，绝对是个少有的鱼米之乡。“弄斧”图上提到班门弟子鲁子郎携宝带一子一孙一侄，从扬子江下水，顺流入海，从此不知所踪。或许真是出了什么差错没寻到凶穴，最终无奈流落此地，将宝贝遗落于此。

既然鲁一弃有了离宝构不远的感觉，当然就不会就此舍弃。于是他将“弄斧”的玉符挂到了衣外，希望能凭此信物找到鲁家的朋友和护宝的鲁家后人。

在滩民的引领下，鲁一弃他们来到海边的一个小镇子。看得出，这个小镇建镇的时间不会太久，因为房屋都较新，还有许多临时的泥棚屋。原来前些年开掘海港，这里是工匠们的聚居地。后来海港掘成，部分工匠留下改吃海产饭，再加上其他迁居而来的流民和当地上岸讨食的渔民、滩民，就渐渐形成了这样的一个小镇。

鲁一弃谎说自己是北方海客，遇到海盗被劫得身家全无，只侥幸逃了性命。小镇民风淳朴，听了他们的遭遇都非常同情，热情地安排他们洗住饮食。

出乎他们意料的是，他们才只是洗完澡换上衣服，就已经有人在饭桌边等着他们了，这是一个认得“弄斧”玉符的人。

许小指，原先是一群滩民的头，领着他们专门下海滩踩文蛤、蚶子。据说他踩文蛤、蚶子和别人不一样。别人都是用脚将一块滩涂踩松软，让文蛤、蚶子冒上来，或者用犁口拖杆拉，把文蛤、蚶子从泥沙中翻出来；而他打眼就能从根本没有痕迹的泥沙中看出文蛤所在，然后用手指插入泥沙，直接把文蛤捏出来。因为一直这样采取贝类，无意间把双手手指练得如钢如铁，能破贝碎石，后来有人把他这手功夫起名叫做“破贝捏指”。

眼下这许小指已不再踩贝，转行做了收贩海货的坐地贩子。他认识“弄斧”玉符，却不知道这玉符的真正含义。因为他只见过一个样式，给他看样式的朋友让他留意带着弄斧的人。这个朋友是他贩海货时认识的，在几十里外的通州城里。

鲁一弃没有和这个黑瘦的许小指多说什么，只是要求见见他的那个朋友。

几个人是乘小班船从通州城东门入城的。其实在离着通州城很远的地方，鲁一弃已经能感觉到此处霞气氤氲、紫辉腾祥。

来的路上，鲁一弃从许小指口中得知这通州城四面环水，河道交错，年年风调雨顺，从无灾害，古时就被称作“崇川福地”。在通州城南面临江之处有五座小山，其中最为俊秀的一座叫狼山，据说原先叫做紫琅山，后来不知道为何把个很雅致名字改作这样一个俗气的名字。

“崇川福地”、“紫琅山”，再加上千里滩涂，玉牌上所识的三个字“福”、“琅”、“滩”都齐了。所以还未等入到城里，鲁一弃的心中已然确定了自己的判断，此处的宝构就在通州城附近。

通州城早年间的城墙现在已经破损许多，但当年的护城河却依然秀丽清澈。这护城河又名濠河，史载“城成即有河”，千百年来，它担负着防御、排涝、运输和饮用的重任。宽窄有序的水面，清澈的水流，迂回荡漾，波光粼粼，处处是鸥飞鱼翔的自然美景。

鲁一弃他们是从东门运盐河经龙王桥、三元桥转入濠河的，由于是专门载客的班船，他们又绕到北极阁西面的小码头才上了岸。

上岸后，许小指领着他们再沿濠河往南步行，过通济桥、望仙桥、众安桥，来到南门口子外的万盛油坊。

这一路走下来，通州城的大概轮廓让鲁一弃的脑脑海里找到个风水概念——天鬲聚福[1]，这个概念来自于隋代萧吉的《相地要录》。在这里南部有山为鬲盖，周围水道环绕为鬲身，中间又有多道水路横贯为鬲隔。对于一方民生来说，这是个有衣有粮无灾无难的上上吉风水之选。

而且这里的布局还让鲁一弃想到在北平琉璃厂见识过的一件绝好古件儿——玲珑坠五福套连环。这里多条河道套连为环，众多桥梁为玲珑坠，南面五山则为五福。

万盛油坊门面上的生意很好很热闹，但油坊磨房里却很安静，因为一坊油出完，榨油的伙计都回去歇了。偌大个磨房里只剩下两个人坐在巨大石磨边喝茶吃缸爿。

鲁一弃从进油坊开始就闻到一股浓郁的麻油香味儿。他吃过无数次

1　鬲（lì）：古时一种可以盛米盛水还可蒸煮饭食的器皿。

麻油也去过好多间油坊，从没有闻到过如此香郁的麻油味儿。看来这里的油坊肯定有自己独到的工艺技法，难怪门面上生意那么好。

但让鲁一弃失望的是，从油坊的门面布置到榨油的设施工具，他没有发现一点鲁家六工技法的痕迹。也就是说这里的主人不懂《班经》，和班门没有丝毫渊源，更不可能是鲁家祖上藏宝护宝留下的后人。可是他们又是如何知道弄斧的？又是如何会有弄斧的样式的呢？

许小指介绍油坊主人时没刻意说姓名，只说叫左铁杠，因为其他磨房磨油都是用毛驴拉磨，而这左铁杠刚做油坊生意时家里穷，置不起毛驴，只能自己来摇石磨。先是用小石磨，然后逐渐换成大石磨。由于一个人摇石磨时，一般都是用左手摇磨杆，腾出右手加磨料。天长日久，倒让他练成了一条劲道无比、硬如铁杠的左臂，所以大家索性都管他叫左铁杠。

左铁杠一张圆脸满是油光，从体型和面相看，现在的他不再是个买不起毛驴要自己摇磨的主儿。

和左铁杠在一块儿喝茶的是个精神矍铄的小老头，胡须剃得很干净，一头滑顺的齐耳发紧贴在头上，没有一丝的凌乱，只是稍稍有些白。老头浑身上下显得非常干净利落，而且有一点和鲨口很相像，就是脸上始终带着微笑，这微笑真实且含蓄，只是其中似乎掩藏着些什么。

触壁知

鲁一弃和那老头对了个眼，心中暗自一寒。老头眼里射出的凌厉光芒中有太多的威肃与无情，更有一股稳稳腾跃的杀气散发出来。

的确是杀气！鲁一弃非常肯定，但同时他也感觉出老头的杀气不是针对任何人的，倒像是与生俱来的一种气质。

小老头见主人家来了这么多客，便很识趣地赶紧告辞走了。

左铁杠对鲁一弃他们的到来很是惊讶，尤其是看到弄斧玉符的时候。他也不知道这个秘密是祖上哪一代传下来的，却知道没有哪代人接触过与这个秘密有一点关联的事情。渐渐地，秘密不再是秘密，而是变作一个亲戚朋友都知道的谈料。

左铁杠边说边赶紧地从柜橱中掏摸，掏了好久，终于拿出个破旧的盒子。说实话，左铁杠这油坊中真没什么好东西，就连这只左铁杠当宝贝样的木盒子，鲁一弃也不曾觉出上面有一丝特别的气息。唯一值得一提的是这盒子的木料，那是只有本地才出的一种榨榛木。这木料质地坚硬牢固，但树木易蛀，极少成材，其价值不逊紫檀。

盒子被打开了，里面还有布包，接着打开两层蓝印粗布后，一个馒头大小的厚重玩意儿显露出来。虽然那不是什么有价值的好古件儿，更不是传说中的什么宝贝，但鲁一弃还是轻叹了一声。

“弄斧？！”女人直接叫出了声。

的确，粗布包着的东西和弄斧很相像，形状一模一样，颜色也所差无几，但它不是玉符，只是一块色彩斑驳的普通石头，而且比真正的弄斧要大上好多倍。

左铁杠看着这几个人一副惊讶的神情，于是来了神侃的兴致，清了下嗓音后娓娓道来：“说实话，我们家也是几代之前才迁到通州城的。但是之所以到这里来，却是为祖上了一个遗愿。在此处还未积淤为地仍是茫茫大海时，我家老祖宗受过别人恩惠，所以承诺了人家一件事。为了完成祖上世代相传下的这个承诺，几代之前，我的老祖爷爷带着这个石块来到通州，并入赘于此。因为别人的托付，就是在这些年里等一个人到来，这人有和这石斧一般模样的玉符。”

“此处未曾成陆时你老祖来此所为何事？你老祖爷爷入赘于此，那这左姓是原姓还是后姓？还有此件事中要不夹带些目的利益，这数千年前的承诺值得来兑现吗？”盲爷是在试探左铁杠。

如此直白的问话让左铁杠油光的脸上显出些愠色：“祖宗留下话，等持玉符的人到来后，带他去找看个东西，到那时该知道的就都知道了。”

“到什么地方看什么东西？”这次是许小指快语插入。看得出，他对这件事情早就存着兴趣，要不然也不会将那弄斧模样记得这样清楚。

左铁杠住口不说了。

鲁一弃看出左铁杠的顾虑。的确，自己是弄斧玉符的正主儿，该问、该听的都应该是自己，其他人的询问显得过于急切了些。

“没事，你说，要准地儿。”鲁一弃面色没有变化，语气也淡淡地。

“狼山！”

狼山，其实就是临江而立的五座山中的紫琅山。为何将紫琅山改作这样一个俗气且令人畏惧的狼山，难道这山上真的有狼吗？左铁杠在往狼山去的路上告诉鲁一弃，虽然改名字的说法很多，但其实是他祖上害怕所托之物被人有意无意间给毁了，这才放流言想吓住远近住民，少往那山上去。结果这一招并不管用，山上照旧香火旺盛人来人往，反倒是将那么个仙雅灵瑞的名字给改掉了。

几个人坐着左铁杠雇的独轮车去往狼山。一架车左右分坐，虽然颠簸得很，却可免了徒步远足之苦。一路走下来，处处可见土香草腥，水灵树曳，天地灵气与万物生机交融自然，加上现在已经开春，时不时可以看到田地间露出星点的嫩黄、淡红，嵌在碧绿中如同天赐的烁烁宝物。

可是越临近狼山，鲁一弃就越是感到奇怪。来到狼山脚下时，鲁一弃已经开始怀疑此行是否可靠了。原因很简单，鲁一弃没到通州城时，他就已然感觉出霞气氤氲、紫辉腾祥。可在通州城中绕了一圈，又由南城门口到了狼山，这么多地方走下来，他发现感觉中的祥瑞气相处处都有，哪里都差不多。特别是这狼山，虽然瑞祥灵秀，但和通州地界其他地方的气相没大的区别，只多些佛家气相。如果宝构是在狼山的话，那么这里的气相肯定不会如此平常。东北地双乳山的金宝藏在山底如此之深，都可以感觉出其气相的万千变化和蒸腾耀动。

可是？！

鲁一弃的脑筋猛地一跳，左铁杠只是说带自己到这里看件东西，没提到宝构，更没说是“地”宝。自己是不是一开始就想岔了？

狼山的正山门在山底殿法乳堂。这部分的建筑分门殿、偏殿、大殿、后居，呈三重阶叠建而成，很有气势。过了大殿从西侧门出去，才能继续拾阶往上通至山顶。

鲁一弃在正门口站住。这样三重阶叠建的建筑群很能藏幽掩邃，其中可设下许多坎扣和人马。凝神聚气收集来的唯一感觉来自那建筑本身，的确是座有年代的好建筑，气息蒸蒸，瑞光流溢，特别是大殿正脊中间的琉璃瓦盖，还有山门前架檐双石柱脚下，腾跃出的气相灵动有力，色彩瑰丽。这两处地方肯定藏有极好的古宝玩意儿做镇物，但不管它们的气相怎么好，都不是鲁一弃想要的宝贝。

"应该有另一条路。"鲁一弃说得很自信。

这话让左铁杠的表情开始活泛起来，油光光的脸面也开始泛红。他点了点头，转身带着几个人往山脚东侧走去。

"哎，铁杠老兄，你也不要乱转了，直接告诉大少东西在哪里就行了。"鲨口笑嘻嘻的，但从语气中却听出些着急，因为他发现这周围似乎有某种异样。

"祖上留言说宝贝就在这山中找，所谓'有缘知千古奇事，无缘观草树泥石。'"

"无缘观草树泥石，观泥石……"鲁一弃听后若有所思。

狼山的东面也有一条上山的小石径，只是这石径上去二十多阶后有一座墙挡住，墙体连着两边峭石无法绕过。墙上倒是有扇小门，不过被锈迹斑斑的长枕锁锁住。

许小指早就瞧见那门上了锁，他抢先几步赶到前面。伸出三指捏住锁头，发力一拧，锈蚀的锁头如脆饼般碎裂了。

左铁杠和鲨口见门打开，都快步往上赶。但两人几步之后便停住脚步，因为鲁一弃根本没动地儿。

鲁一弃不愿意上山，因为这条上山的道儿依旧没给他什么感觉。

"还有其他路的，应该还有其他路的。"鲁一弃此时说的话让人觉得像是梦呓。

"没了，就两条道儿，要么就是从山的西边，那里陡度不高，也能爬上去。可路却是没有的，只能自己踩条野路。"左铁杠说。

"北侧，山阴面。"鲁一弃的话还是像梦呓。

"那里是峭壁，根本上不去。"这次许小指抢着说。其实他不说，其他的人也都知道，他们就是从北面过来的，最早看清的就是朝北的山体。

有时候坚定、决断和执拗是同一个意思，比如说现在的鲁一弃：

"带我绕到北侧看看。"

左铁杠的眼角抖动了一下，不知道他是在克制自己的笑意还是在掩藏眼中闪露的芒光。

狼山顺山脚由东往北转，虽然是山阴之处，却另显一派俊秀风光，而且在转过山脚后，连续出现了两个高大的石洞。鲁一弃在石洞前稍稍驻足，静立一会儿后自言自语道："这些个石洞虽然高大，却都不深，壁面很光溜，不知道是怎么形成的？"

"是冲出来的。"鲨口在背后接了一句。他的表述很含糊，也许是认为这几个字已经足够提醒鲁一弃了。

"是海水冲出来的，这山原先是岛，被海子围着，后来积淤成陆。"许小指说得很清楚，毕竟他比鲨口更了解此处的地理概貌。

"哦？哦！"鲁一弃连续哦了两声，平时很难听到他像这样夸张的语气。

行走中，盲爷听出了一个细节，左铁杠和许小指的步法气息始终配合着鲁一弃的一举一动。他们两个初次见到鲁一弃，并不知道他的能力，何来如此默契？于是盲杖在行走中轻碰了一下鲨口的脚踝外侧。这是西北盗贼中流传的暗号，意思是"滞在队伍外后侧，盯牢前面人的动作。"

可是这暗号鲨口不懂，他始终紧跟在鲁一弃的身后。这样的话他旁边有左铁杠，后面有许小指，不管谁突然发难对他都极为不利。不过反过来说，这也是可以用自己身体护住鲁一弃的最佳位置。

这群人像是闲逛着的游人，不急不缓，四处观望，只是前往的方向是游人平常不会去的地方。没一会儿工夫，他们就走到山体的正北。这狼山真的很奇怪，东、南、西三面都有山坡延出，唯独这背面像是被切去了一块，只留下个笔直峭壁。

鲁一弃走到峭壁的正下方才看到，这里只有上面一半是近乎垂直的峭壁，全是裸露的紫色石头；下面的一半只能算是个陡壁而已，淤积了山体上方滑落下的泥沙，所以长满了苔藤、杂草、灌木，绿绿枯枯覆盖了厚厚一层。

"是这道儿！"鲁一弃语气腔调突然变得怪异，而更怪异的是他的眼神迷离起来，神情恍惚起来。还没等其他人有所反应，他已经笨手笨脚地顺着陡壁往上爬去。很陡的角度，再加上淤泥、枯草的湿滑，鲁一弃没爬上几步就蹴溜下来。但他就像个上足机括的偶人，重新站起来，继续往上攀爬；再蹴溜下来，再继续爬。

爬了四次，跌了四次，第五次时许小指抢在他前面，双手手指在那些淤泥杂草中一插一挖，便显出一个钵头大的凹坑。有了连串的凹坑做踏脚点，鲁一弃终于能爬到陡壁与峭壁的交界处，在这里停下并站稳，而此时，许小指已经爬上了垂直峭壁。他完全是凭手指尖的力量，抠住刀削般峭壁上微小的缝隙和凸起吊住身体，这指上的功力可见一斑。

而鲨口始终护在鲁一弃身边，他右手是带尖钩的角形片刀，左手是一把三槽尖棱刮刀，双刀交替着力往上爬。

鲁一弃所在的山壁处满是厚厚苔藤，只几丛杂草、灌木突兀支出。鲁一弃在这片苔藤杂草中艰难地摸索了好一会儿，始终没有收获。因为厚厚的淤泥和苔藤老根阻碍了他的感知。

在峭壁的顶部，有几双眼睛正盯着鲁一弃，这些眼睛极力想掩饰自己的存在，就连眨动都很慢。还有陡壁西边的灌木丛，山脚东面河沟枯苇，都有这样的眼睛。而最让鲁一弃感到压迫的是，东边小道拐弯处的大树后面，带着灼盛杀气的那一双。

鲁一弃打了个寒战，但仅仅是打了个寒战而已。寒战之后，他清楚地对鲨口说："帮我挖开泥土，我要看看里面的岩石。"

鲨口左手的刮刀尖棱往右移过一个身位，狠狠地凿刺入一条极细的石缝。右手刀头尖钩一松，硕大身体荡出的同时，三角片刀在鲁一弃身前的石壁上刮抹了一把。

只这一把，鲁一弃面前的苔藤、杂草、淤泥已经消失，一片洁净的暗紫色石壁展露出来。石壁上布满横七竖八的线条，鲁一弃一眼就看出这是鲁家古老的木刻技法之一：瘦桩纹。这种技法被列在鲁家"六工"之外，早已弃用，只在《班经》中还有小段文字和样图记载。不过由此演化出的多种其他技法，却尽显鲁家技艺的精妙。

眼前的瘦桩纹是用铁器浅浅刻出来的，从古朴的"削端粗身"下刀痕迹以及不加修饰的纹口，可以看出年代的久远。

但这些线条纹路没有任何实质意义，这是鲁一弃凭感觉得出的结论。

因此他理所当然地想到这是个掩儿，是要藏蔽些什么。果然，鲁一弃很快在这些纹路的间隙中发现一些更为细小的纹路，不知是图案还是文字。因为纵横交错的瘦桩纹完全将他们隔断、覆盖，瞧不出一点端倪。

华阴玉

鲁一弃想到，如果没有这些淤泥和苔藤，这石壁面早就会风化剥落，所有的线条纹路都会失去。但这应该不是巧合，否则这玄机之处干吗要选在最适合苔藤杂草生长山阴面，泥沙掉落淤积的陡峭转折处？他一边想着，一边将手指顺着石壁上的线条轻抚过去，拘谨而轻柔。

周围始终很静，只有和煦的东南风顺着山体吹绕过来，让石壁上的苔藤叶和草皮起了一层缓缓的浪。

“怎么会有海腥味儿？”攀在上面的许小指打破沉静，说话的同时朝下看了鲨口一眼。

鲨口点了点头，看来他也闻到这样的味道了。

“你不是说这里以前是海子吗？有点海腥气也是正常的。”女人说这话倒不是要强词夺理，而是心中着实不想再出什么意外事情。

“不是！”许小指断然说完这句便继续往上攀爬，很快就没入到崖顶的草丛中去了。

许小指一走，鲨口担心起来。现在只剩他和鲁一弃还挂在石壁上，顶上要有什么意外，这许小指能在崖顶守住倒也是好事。要是守不住，或者许小指本身就有问题，那么自己和鲁一弃可就全敞在别人的攻面覆盖之下。

鲨口的担心是有道理的，周围的情况正发生着微妙变化。峭壁之外的杂树丛里断续地传出轻微的悉索声响，像是有什么从里面谨慎钻过。

鲨口双手握刀迅速在石壁上交错横行，很快就来到峭壁之外，钻入杂树丛中。

鲁一弃没有理会离去的两个人，只管细心轻柔地抚摸着。突然，他的手指停住了，因为在那里有一小块的石质和其他地方不一样。他拂去上面黏附的泥土，仔细辨别，发现那一块的质地特别的光滑细腻且富有光泽。仔细辨认了下，应该是罕见的“华阴紫玉”，从这紫玉的形状来看，像是什么器物的碎片。但是这碎片怎么会嵌在石壁中的？并且嵌得抿丝合缝，仿佛是天生长在这里的。

手指在这片华阴玉上轻轻旋转着，一种电流般的感觉由指尖迅速传入，径直冲入他的脑海之中，然后再转到四肢百骸。这种感觉让他很舒服很惬意，于是他更加放松，并且逐渐将手指的旋转变作了手掌的旋转，抚摸的范围由华阴紫玉扩展到整块刻满线条纹路的石面。

陡壁之下，西面小树林方向传来轻微的怪异声响。这不可能逃过盲爷的耳朵，他盲杖一挺就要纵身过去。但左铁杠的铁臂按住了盲爷，他自己踩着谨慎的步子往那边靠过去，看来明眼且熟悉环境的左铁杠也早就已经发现到异常。

周围此起彼伏的怪异现象让盲爷这老江湖担忧了：“大少，好了没有？情形不稳，抽辙回蹄吧。”

此时鲁一弃已然听不到这叫声，另一种境界让鲁一弃连自己都已忘却。在他的脑海里，只有那些线条纹路在剧烈地运动，簇拥着那片华阴紫玉的碎片，先尽数分散开，然后再组合、拼接，变幻成画面和文字。也就一刻，鲁一弃整个的身心融入到变幻之中。

幻境中，一艘非常古老的大木船在航行，这样的船虽然构造非常巧妙合理、结实牢固，却绝对不是可以用来航海的船只。可偏偏这样的一艘船从扬子江口硬生生地往大海深处闯。

鲁一弃渐渐看清了船上几个高髻葛服的人，他们的表情是决然的又是茫然的。鲁一弃还能够透过船板看到船舱里，一张矮案上摆放着只华阴紫玉的玉盒。玉盒被两只花穗型青铜香灶燃出的轻烟笼绕着。这盒子鲁一弃认识，是在北平院中院“三圣石”幻境中，笔道人手中的八只玉盒之一。

玉盒盖上刻有古拙的字，虽然鲁一弃辨别不出是什么字体，却一眼看懂了它的内容："紫福琅泥"。

"紫福琅泥"，天帝赐予大禹治水的七虹填料之一，这七虹填料分作为赤石、橙沙、黄土、绿尘、青灰、蓝砾、紫泥。大禹在治水中用去了赤石、橙沙、绿尘、青灰、蓝砾五料，唯黄土与紫泥未用。那紫泥便是"紫福琅泥"。

鲁一弃突然感到一丝悲戚和不忍，因为一个莫名闯入脑中的信息告诉他，这艘船已经是第七次闯出扬子江口，前面六次它都被风浪逼回，所以这次他们改变了航向，不直对正东，而是先往东北，然后再迂回过来。

但这次他们非但没有到达目的地，而且再次与难以抗拒的巨大风浪遭遇。船只帆破桅断，失去了动力和方向，只能孤零零地在海上随波逐流。

当风浪中突然出现五座小岛时，船只只好眼睁睁地撞上正中那座小岛的一侧。

船碎了，玉盒碎了，奇怪的是岛也碎了。随着玉盒迸溅的碎片，其中散飞出一片紫光，星星闪闪随风飘开。

小岛被撞的部分无声地塌下，像是刀切的一般。切下的那一部分山体瞬间变成稀泥一般融入海水中。留下的切面也像稀泥，一片迸溅得特别远的紫玉碎片轻松地嵌入其表面。很快，切面恢复成原有质地，把紫玉碎片变作了峭壁的一部分……

"咚！"一声重物落地的闷响，将刚好从虚幻境地中醒来的鲁一弃吓了一大跳。他脚下一软，便再次从陡坡上滑落。

女人被盲爷护在石壁下的凹陷处。见鲁一弃滑下，便扑了出来，想要拉住鲁一弃。但鲁一弃的下滑之势怎是她能拉住的，自己反被鲁一弃一带，一起滑跌出去，跌在刚才发出闷响的重物旁边。

两个人虽然没有伤到哪里，不过受的惊吓却不小。因为他们滑跌终了的地方，正好和落下的重物面对面。那重物是一具新鲜尸体，眼睛睁得大大地，正死鱼一样与鲁一弃对着眼儿。

尸体咽喉处有一对血洞正汩汩地流着血，大小稍有些差别的血洞很像是拇指和食指捏出来的，不出意外应该是许小指的杰作。

石壁旁边的杂树丛中一捧血雨喷出，随风洒得鲁一弃和女人满头满脸。血雨之后是一只断臂飞出草丛，挂在石壁底下的一棵小树上。

鲁一弃站了起来，平静地抹了一把脸，手上的泥污和着脸上的血渍让他变得十分的狰狞可怖。

“住手！”声音虽然缺少起伏和激荡，却顽强地顺着石壁往四处飘扬开来。

“哼哼！这趟拼死拼活不值当呀。”随着鲁一弃的这一声冷笑，他周围的气息猛然一个腾跃，有股不可阻挡之势，“都且住了，听我说说宝贝的实情。”

一瞬间，整座山变得一片死寂，就连时不时掠过的东南风都像是停了。此时要是有片树叶落下都能听得清清楚楚。

“看看你们眼前的这片土地吧，这就是你们要夺的宝贝！”鲁一弃的语气沉稳轩昂，“我鲁家老祖驾船出海，寻凶穴建宝构藏‘地’宝。但一则没有出海经历，再则当时缺少人力物力，所造船只抵御不了外海风浪，无法远航，所以六度出航都未成功，第七次更是被风浪将船吹到个小岛群，撞岛船毁。所携仙宝‘紫福琅泥’也都撒入茫茫海中。”鲁一弃说到这里停住，原地转个圈，将周围扫视一番。

依旧没有一丝动静，仿佛时光已经静止，仿佛所有的生命已然逝去。

“仙家之宝‘紫福琅泥’未能定藏，天地间极凶之穴无镇物，这才会不断移位扩展，形成一个极大的魔鬼海域，毁灭了不知多少生灵。而庆幸的是，海中的小岛群在‘紫福琅泥’的作用下，渐渐聚集泥沙，生成陆地，并与大陆面儿相合，成为一方宝硕富饶土地。这方土地就在你们的脚下！就是说，这整个通州地界就是你们竭心尽力想要夺取的‘地’宝！可此宝已为一方地灵，你们夺得去吗？！”随着这高声喝问，挟带的气势再次陡然冲高腾跃，让死寂中多出少许不易觉察的骚动。

鲁一弃稍停一会儿，语调重新放得轻缓：“正东‘地’宝已定，却是个‘人为未曾遂天命，天命终归由天运’的结局，不过也算是有个了断吧。之前且不论，就你家坠我背后这几月的心力肯定成了随风烟霭，这都应合了‘贪’、‘欲’自成空之说。我说此趟就算了吧，你退我去，良机还是待天授，你我两家来日有缘再行手段对仗。”

没有人回答，也没有人退去，是在怀疑鲁一弃的话，还是另有什么打算？狼山北阴，整个空间像是凝固了一般。

首先打破这凝固局面的是许小指，他像只壁虎似地重新出现在山壁的顶端，并且迅速地往下爬落。下来后退到鲁一弃身边悄声说："顶上林叶子掩着的还有好几个，远处江面上停了一只古式的大木舟，正下来人往这边赶。"

鲁一弃瞧瞧边上的尸体，身上的黑衣褪色厉害，而且还有许多白色的盐渍斑痕，是久在海上的型儿。看来是海上坠尾儿的明式战船到了。对家这些牙口也忒是厉害，竟然能从长江口绕入并且追踪到此，悄无声息地就又黏上了身。

鲨口也沿一旁的杂树丛迅捷地滑下来，原来峭壁顶上有一条绳索从树丛中悄悄放下，鲨口听到的就是绳索穿过枝叶的声响。

左铁杠没有往回走，他站在小树林外一条小路的拐角儿朝大家招手，示意大家过去。

盲爷虽然看不到周围情形，耳朵却听得出周围的寂静。寂静意味着对家还不曾有继续行动的打算，这是个极好的逃离时机："快走！鲨口溜尾梢（断后），过林子时当心飞尖子暗青子。"

转过左铁杠守住的拐角儿，他们发现拐角儿紧靠山体的大树背后躺着两具被一刀断头的尸体。从现场和尸体的姿势看，这两人连招架的机会都不曾有。

"你宰的？"鲨口问左铁杠。他感到奇怪，因为左铁杠根本没带刀。

"不是。"

"那是谁下的刀？"

"不知道。"

"好快的刀，好快的招式。"

"别啰唆了，快走！"许小指在催了，他已经将山脚下河沟边的一条船横过来。从船上走过就可以逃入对岸的水杉林，穿过水杉林就是回通州城里的大道，这应该是最快远离危险的捷径。

大道上，他们搭坐上一驾往城里送菜的骡车。一直过了倭子坟，都没遇到阻拦和追击。从这种情形上分析，对家此趟肯定也很仓促，所以坎面子没能撒匀。

可是盲爷不这样认为。他觉得对家本就不会这样稀松，在连续失手后本应增加坎扣强度，所以可能是将坎子布到更深更大的一个层次上了，也可能是布在意想不到的点上张网待鱼。

鲁一弃觉得盲爷分析得很有道理。于是问左铁杠，这附近有没有可以躲的地方，等天黑后再回通州城里。

过了倭子坟，路边就是三角河口。左铁杠有个亲戚住在附近，他们便在三角河口下车，登上左铁杠借来的一只小木棚船，躲进了纵横交错、苇掩树盖的河道中去了。

破困逃

天色完全黑下来的时候，他们的小船正好行到南门口东边的河面上，于是就近由此处上了岸，将船寄给一个捞蚬子的渔家。

走到离城门口还有段距离时，就发现城门的里外特别热闹。左铁杠一掐日子，今天正好是通州人家每年请家神的日子。这是当地的一种风俗，过完年后，每家都要请一位家神，用来镇宅保平安。家神有好多种，比如钟馗、老爷（关帝）、灰婆、米仙等等，各家根据自家需要去请。这是过年后通州城最热闹的一个夜晚。

左铁杠没有回油坊，而是领着这几个人直接往城里走，人越多的地方，越安全。寻找、搏杀、躲藏，今儿一整天心都吊着，应该好好吃一顿压压惊。另外左铁杠还想向鲁一弃讨教一下，自家祖辈到底和鲁家有什么渊源，守着的那个秘密到底有什么意义。事情是了了，但总不能给自己和子孙留个永远的谜团吧。

城门口有一群人敲锣打鼓舞龙灯，这也是请家神的仪式之一。据说城里的是条红龙，叫入位龙，城外是条青龙，叫启行龙。这叫青红二龙领路，家神启行入位。

左铁杠走过舞龙队伍时，眉头突然紧蹙起来，他暗暗对几个人说句：“快走！”便低头迅速钻入人群往前一阵紧赶。

到了杏花郁酒楼，左铁杠先进去上下看了看，见都是认识的熟客，这才招呼大家都往楼上去。

其实没人有心思好好吃饭，都只是草草填饱肚子拉倒。等大家都吃完了，鲁一弃这才想起左铁杠进城时的异常，便自语道：“舞龙的有些不对……”这话是提醒左铁杠说说刚才是怎么回事。

“通州城有两条大龙，一条红龙和一条青龙，两个龙队的把式我都认识。但是刚才城门口舞红龙的那些把式我却一个都没见过。”左铁杠说道。

盲爷白眼一翻，脖子一梗：“那我们还坐这儿吃什么饭，那些要是对家的伏子，我们这么一大堆人没可能不被瞄到。”

“要是对家伏子，这会儿应该把这里扎捆子了。”许小指边说边站起来走到窗口，侧身躲在阴影里往外面瞄。

杏花郁酒楼是这南大街上少见的二层楼，在它周围全是小青瓦的平房，所以从这里的窗口可以把下面街道和周围房巷看得很清楚。

许小指只看了一眼就马上退了回来，然后迅速猫步轻声地跑到楼底口，往楼下大堂看去。他的样子让其他人都紧张起来。鲨口也迅速来到窗口，往外瞄看。

许小指很快就满脸迷惑地走回桌边，嘴里嘟囔着：“奇怪，真是奇怪！”

“怎么回事？”左铁杠问。

“南面巷口猫了个舞龙把式，肯定是尾着我们过来的。可是下面大堂、门口都没有异常，不像是要困点子、扎捆子。”许小指说。

“那个好像就是个盯位的，对面巷子里也有一个，不知道其他地方有没有猫黑的了，再要有那就很可能是要困点子。”鲨口比许小指要查看得仔细。

“不会，要把我们这些人困点子，就凭一条大龙的把式数办不到，这对家比我们要清楚。”盲爷经验丰富，道理也推敲得透彻。

“那这是布的什么坎，蹩[1]不蹩，扣不扣的？”女人说的还是坎子家的套话。

“逮个龟孙的问问。”左铁杠说完就起身往下走，边走还边高声嚷嚷着：“老板，结账，不要给我玩虚的，送一个大菜再把零头给去了。”

许小指本来想跟着下去的，被盲爷盲杖一横拦住。盲爷自己却跟上左铁杠，嘴里还不住声地说：“老左，等我下，带我上趟茅房，刚才那汤喝多了。”

下了楼梯，左铁杠和盲爷往大堂后面一转，掀棉布帘子进后面院子翻墙而去。

也就两盏茶的工夫，盲爷和左铁杠回来了。左铁杠一上来就抢着说：“还真是要把你们困在这里。那小子开始还嘴硬，我都快勒断他脖子了，他都不肯说，亏得是这夏爷，一句话就让他吐瓤子了，气得我把他淹在后面大缸里了。”

左铁杠说话不靠点子，盲爷清了下嗓子插进话头：“那盯位的尾儿开始死不撬舌关，我后来吓他，说要启他身上的蛊毒种子，这才被吓得全招了。这些人扣的确是海上坠尾的，都是船上角儿，所以身手方面远不如北平和东北的人。他们这次本来铆劲是要候着我们启宝时夺宝，但是等发现没启出宝来，都不知道该咋办了。因为他们的正主子不在，说是南面有老盒子（老窝点）被人生生闯破几道坎，立马过江往南去了。其他几个领头的都不敢拿主意，所以商量着要先将我们困在这城里，等南边信儿回了再行手段。”

站在窗户边的鲨口突然说声：“不好，对家好像是要下围子。”

“刚才我们两个摘的可能是个哨链子，对家发现少了一个。两边都露形了，他们肯定怕我们知道底儿后抢逃路，所以要提前收扣定死位。”盲爷意识到刚才的行动冒失了。左铁杠则闹了个大红脸，盲爷眼睛看不见，这过错该怪自己缺心眼儿。

“冲出去！”许小指恶狠狠地。很难以想象，薄小黑瘦的他，竟能激荡出如此彪悍凶狠的气势。

---

1 坎子家阻碍行进速度和路线的设置。

“最好避开。”鲁一弃平静地说，“在这城里冲突起来会惊动官家，到时很难收场，而且左老板在这里又是有家有业的。”

鲁一弃的话触动了左铁杠，他瞬间冷静下来，缓缓坐回到条凳，声音低低地问了一句：“你们眼下有什么打算？”这句话让人感觉他将自己置身事外了。

鲁一弃说：“左老板。说实话，你家和我班门真的没太大关系，你祖上只是我鲁家为藏宝而雇用的船家。藏宝未成，船毁宝散。我鲁家先辈几人誓死不肯离开当时的小岛，也就是现在的狼山。只要求你家先辈有可能的话将鲁家持弄斧玉符的人带至宝散之处，并且给了你家弄斧的石头样式为信物。至于你家祖先如何返回大陆，其后又发生了什么，我从那石壁上无法知晓。不过由你可知，你家是世代忠信之士，一个承诺代代相传，我在此替班门谢谢了。你已经为我们做得够多了，真的不该再受连累。我们就此别过，你先行回家，我们自己想法子离开通州城。”

左铁杠沉默了一会儿，突然站起身来，快步走下楼去。

左铁杠一走，鲁一弃反倒舒了口气。他扫了一眼其他人：“许大哥，你也与此事毫无瓜葛，还有鲨口大哥，本来也无需为鲁家事情涉险，海上那趟已经让你搏了几场性命，很是过意不去。你们此时要能全身离去就赶紧走了吧。”

许小指脸皮子一皱，笑得很意味深长：“我早就料到老左那个石头没那么简单，里面肯定有料作好挖。我是肯定不走的，你们不是还要找其他宝贝吗？我跟着分杯羹尝尝。”

鲨口依旧咧着嘴，一副笑弥陀模样：“该走时我自然会走。”

鲁一弃看看鲨口没说话，转头再看看许小指：“许大哥，我们寻的宝可能和你想象中不一样，不但要拼着性命，恐怕还没什么羹儿好分。”

许小指面色一正，慨然说道：“人活一世，就是以命搏食。我决不谋正宝，你们要寻到数千年前的藏宝地儿，我只落些边角料，这就能省了我海泡日晒地受罪。”

正说着话，楼梯上一阵急促的脚步声。大家齐齐跳起，枪口、家伙一起对准了楼梯口。

上来的是左铁杠，他一抬头，被眼前这些家伙事儿吓了一跳，但他马上就意识到这些不是针对他的：“快跟我来！”说完转身就往下走。

大家一起将目光望向鲁一弃，鲁一弃坚定地点了点头，他从左铁杠的眼光中感受到的是真挚和坦诚。

许小指第一个跟了下去，其他人相继下去。从大堂门口挂着的棉帘子缝里可以看见，店门的街对面已经堆聚了十几个人，有些穿着舞龙的装束，也有是平常衣着。

“往这边。”左铁杠往酒楼后面的一间大房子里走，其他人紧随其后。大堂里几张桌子上吃饭的人都诧异地看着这群人，店老板、伙计却像根本没看见。

那间大房子是仓库，仓库往后还延伸出一个小套间，这是酒楼值夜伙计睡觉的屋子。左铁杠从仓库里走过时，顺手拿起一个盖酒坛子口的棉蒲团。

来到小套间里，左铁杠直奔东墙的北角处。他将棉蒲团垫在墙面上，然后左臂一挥，重重地一拳砸在蒲团上，墙面发出很沉闷的一声响。随后，他不断将蒲团移动位置，又砸了几下墙面。

等后面的人全进了小套间时，两层迭砌的墙面上已经有三尺见方的青砖全松散了。左铁杠回头对紧跟其后的许小指说：“把砖块挖开。”

许小指手指往松散了砖块缝中一叉，没两下就将大叠的砖块挖取出来，墙面上现出一个匾筐大小的洞。洞外是条只能单人通过的狭长小巷。

“快跟我来，出了这条无门巷，他们再要想困住我们就难了。”左铁杠边说便率先钻出了洞口。

左铁杠没有瞎说。出了这个巷口鲁一弃看到更多的巷口，旗杆巷、东小巷、汾家巷、端印巷、藕花池巷……鲁一弃才走过两个巷口就晕向了，分不清东西南北。他这才发现在这通州城里，河道的纵横交错还有道可循，可这里的巷弄却绝对是个无规无矩的大坎面。这都是随意建屋造宅形成的，虽是人为却是无意。没有任何一个局相阵法与之相似，所以也没有任何破解的路数。只有常住的人知道巷口和房屋的不同特征，能顺利出入。外来人一到这里准晕，更不要说是在黑夜里。

左铁杠带着几个人在东小巷尾头敲开了一座平常砖房，开门的是白天在油坊里见过的那个笑脸老头。

老头家摆满了铜、锡做成的香炉、烛台、汤婆子[1]，这些东西做工都很是精细，打磨得也好，散发着淡淡的光泽。

进门后，鲁一弃直接被屋子正中神柜架子上的一件东西震住了。那东西被一块很大的红绫盖着，但鲁一弃能感觉出煞气，层层叠叠腾跃不息。

难怪别人都去请家神，这老头却猫在家里。家中有带着这样浓重煞气的一件东西，还怕什么妖邪鬼魅？

左铁杠介绍那老头，大家这才知道他叫利鑫，这名字一看就知道五行中缺金。老头还有个外号叫笑佛儿，这和他的面相倒是相合，但是当介绍到老头的职业时，大家都很是意外，他的本职竟然是官家的刽子手。

通州这地界的刽子手和其他地方不一样，他们都是挂衔职的，就是平常都在家，无需到官家走值，有红活（杀头）时才出差。官家平时也不付奉饷，红活了结后的第二天，挑根扁担，一头挂上头天做活的刀，一头挂个匾筐，在通州城中转一圈。凡是使刀用刀的店家，都会在匾筐中放下几十个铜板到几块大洋不等。要在其他地界，这样的差事也算是个足吃足喝的好差事，但通州这地方风调雨顺民风淳朴，很少有凶盗之事，所以这行当的收入很微薄。幸亏利老头还有一手铜锡匠的手艺，平时不出差事就做这个营生，这才能够温饱无虑。

“利爷，这几位是……”左铁杠准备向笑佛儿介绍鲁一弃他们，被老头抬手止住。

“不用多说了，我知道些，就说说你们下一步的打算吧。”老头很直接。

“我们想偷偷出通州城，甩了对家尾儿。”鲁一弃见老头言语间很爽气，也就没拐弯抹角。

“行，今夜我带你们从北面过河出城，那边巡河的差兵我熟悉，就是后半夜过去都不会有什么为难话。过了北墙外濠就是我往常做红活的查家大坟，从大坟拐到西面的百花湾，再从通扬坝子继续往北，这样走估摸能将尾坠儿给甩了。”老头用手抹了把丝毫不乱的头发。

“那太好了。”鲁一弃觉得这样的路线很合自己心意。

1　家庭取暖用具，充满热水后放置被窝以提高温度。是一种铜质或磁质的扁扁的圆壶，上方开有一个带螺帽的口子，热水就从这个口子灌进去。

"通州城北面没有城门没有桥，城墙外又是濠河最宽的一段水面，而且官家早就有规矩，夜里头不准摆渡，追踪你们的人肯定想不到你们今夜能从这里出去。"左铁杠也觉得这样的安排极好。

"天白无鬼，平白无惠。利爷，说说你的条件吧。"盲爷突然在旁边阴恻恻地冒出一句。

"好！江湖行得老，丑话说得早。既然这位老哥把话挑了，我也就明摊吧。我知道你们从这里一离开，接下来还得走宝字，所以条件很简单，就是让我跟着走一趟。捞不捞得到碎宝，就看我自己的造化了。"

"你怎么知道我们走宝字？"

"自己冒现儿，是不是对家暗点子？"

"先定住，别让他偷摸着放了哨子！"

利老头的一番话引起鲨口、许小指几个人一阵骚乱。

"先别急，听老爷子再说道说道。"鲁一弃也觉得这老头知道得太多了。

笑佛儿满脸的笑未曾有一丝收敛，他用和鲁一弃同样平静的语气继续说道："老左的那块石头让我觉得不一般，感觉是寻什么宝窝子的钮儿。今天白天一见你们几个，特别是这位鲁小哥，我知道要来大事了。于是远远盯在你们后头走了趟狼山，听出你们行的事和宝贝有关。我刚才一人还在寻思，找个什么由头伴上你们一起闯宝窝子，没曾想你们就自己找来了。"

家家有本难念的经，原来这利老爷子虽然衣食无虑，但身后却有个寡妇女儿。女儿拖扯着两个八九岁的孩子，那边家里还有个多病的婆婆。为了那婆婆，女儿又不肯改嫁，日子过得很难。老头虽然平常也帮衬着，但瞧着那对外孙儿外孙女心里老疼得慌，总想趁自己还要得动时候，给他们留下些保得住家道的好东西，所以他绝不会放过这么一个机会。

见大家对他还是满脸的疑虑，笑佛儿退两步到了屋子正中神柜架子前，将上面的红绫轻轻掀开……

红绫盖着的是一把闪着淡蓝锋毫的鬼头刀，宽刃利尖儿，八边菱形护手，鲨鱼皮条缠柄。刀背是个笑脸鬼头，柄尾是拇指粗的钢环，上面系着一块很大的红绫，刚才这刀正是用柄环上的大红绫盖着的。这笑脸鬼头刀一现，屋子里的那些铜锡器一下子全没了光泽。

“狼山脚下两个断颅尸体是你下的手！”鲨口只看了一眼那鬼头刀的刀型和锋口，就立马下了这样的定论。

利老头点了下头，目光却始终注视在鲁一弃的脸上。

鲁一弃却是一直盯着刀柄尾环上的大块红绫。他没有想到，刚才感觉中的浓重煞气竟然大部分是来自这块盖刀的红绫，只有极少些是从刀上散发出来的。不过他没有问这是怎么回事，他知道别人该让他知道时自然会让他知道，不想让他知道的话问也白问。

见鲁一弃一直沉默，左铁杠倒是有些沉不住气了：“鲁门长，怎么样？”

“有些话需说清，我们启宝是为了行天事造人福惠子孙，正宝你们谁都不能觊觎，否则你我之间也是个溅血搏命的结局。如果有其他什么边料那是你们福分，可以随取，没有的话，你们权当行一场大义。”鲁一弃说这话时，几个高手都隐隐从他身上觉出无形的气势和压力。这话当然不单是说给笑佛儿利老头听的，也是说给许小指和其他人听的。

说实在话，鲁一弃也是没得选择。不是他没有接受前两次的教训，而是眼下形势迫在眉睫，也确实需要人手。他的心里已经打算好了，先过了眼前的坎儿，回头再慢慢摸这几个人的底料。

虽然是请家神的大日子，但几近午夜时分，通州城中仍是一片死寂，只偶尔听见角落里的猫叫和远处的犬吠。几条黑影在房角巷陌间悄声穿行，快速通过宝带桥和中大街这两个较开阔的地段，随即没入到天宁寺周边蛛网状的巷陌中。只要过了天宁寺，再转向北面，就可以到达北城墙外的渡口。

就在此时，几个人停了下来。左铁杠和利老头用一种根本无法听懂的语言小声说些什么。鲁一弃在琉璃厂接触过天南地北多少古董客，却从没听到过这样的方言。

许小指大概怕鲁一弃误会，就凑到他身边小声解释着：“这通州话只有城里城外很小范围的人说，和周边的语音都不相同。我起先也听不懂，后来来城里贩海货才慢慢学会。”

“可我听这里人的官话都很正呀。”鲁一弃说。

“这通州城学堂多，有钱没钱都不亏了孩子上学，所以官话都说得好。”许小指虽然和鲁一弃说话，耳朵却注意听左铁杠和利老头说什么，他的脸上显出了焦急的神情。

终于，许小指按捺不住了，过去用通州话加入了那两人的讨论。

独步行

正在鲁一弃他们感到诧异的时候，那边左铁杠扔下两人跑过来，朝鲁一弃抱拳一恭，然后对周围其他人打个圈恭，轻声说道：“本来在杏花邨时我就该走，不过那时走会显得不仗义。现下你们走线儿都已定好，引线儿的人也找到。我就送到这里，阳道阴路我们后会有期了。”

抱拳的礼仪鲁一弃弄不惯，他就非常诚挚地对左铁杠鞠了一躬：“多谢！多多保重！”

等鲁一弃直起身时，左铁杠已经转身走了，离去的背影很快消失在黑暗的巷弄里。

直到确定左铁杠走远了，利老头才回到鲁一弃旁边，禁不住轻轻叹了口气。

“利老，朋友分离是有些伤感。”鲁一弃想安慰下老头。

“是呀，只是这分离可能是生死之别呀！”利老头又叹口气。“这老左，我俩怎么劝都不肯跟我们走，是放不下家里人。他从前没把那斧子样的石头当回事，搞得许多人都知道了。对家那么密匝的手段，准会把他给搜出来。他要一走，对家就定会找到他的家人。他回去，最多是自己抵死不告知我们行踪，送对家一条性命，对家也不至于难为他家里人。”

原来利老头所谓的生死别离，扛“死”字儿的是左铁杠。鲁一弃沉默了，他没有想到这一层。虽然只和左铁杠相处一天，但他此时心中的疚痛、不忍和任火狂、柴头、鬼眼三、鸥子他们死去时没有区别。

《通州案汇集》中记有：“……南门油坊有悍民，请家神与舞龙队冲突。其夜在油坊为人暗算，左臂断，舌烂牙裂，颅骨尽碎。邻人有见凶者，十数人之多，其中亦有死伤，相挟而去，未留迹。局、府均探查无果，搁为悬件。”却不知这段文字是否说的就是左铁杠。

北城墙上确实没有城门，却在本该有城门的位置建了座高大的北极阁，据说是城北的风水不好，所以不设城门以挡住邪气，而建北极阁为镇物。

鲁一弃想了想，他觉得这样做应该是为了应合通州“天鬲聚福”的风水格局。鬲盖在五山，那么这北面便是鬲底。鬲底当然不能漏，此处要开门，便成个漏底天鬲聚不住福了。天鬲也不能倒，倒了聚的福也就都泼了，所以要在这鬲底的正位上建北极阁压住。

本来从无门的城墙上下去要费点手脚，但这城墙年久失修，已经破出几个豁口，这些豁口一直没修补，逐渐成为周围居民进出北城墙的便道。利老头很熟悉地就摸到这样一个豁口，并带着大家趁黑迅速登上渡船。

船刚离岸，鲁一弃就觉得右臂断腕旧伤血流汹涌，经脉乱跳。有一句江湖老话说的是：“残缺处预显异常事。”于是他猛然回头往渡口上面的北极阁看去，那方向什么都没有，只是这一刻在心中突然升起些留恋和不舍。鲁一弃缓缓回过头来，他深吸一口气，把定住意念，踏清波而去。

鲁一弃的身影消失后，北极阁上的垛口间出现了一双美丽又幽怨的眼睛，在这黑夜里显得格外的清澈明亮。拥有这眼眸的是位面容非常美丽的少女，只是她的脸色显得过于苍白了些，白得就像她身上杭白绸做的夹袄。

那是养鬼婢，她比几十天前更憔悴了些。还有，就是她的身上少了那缠绕盘旋的鬼气。没了鬼气，鲁一弃依旧能有所感觉。为什么会这样？那留恋与不舍又是由何而来的呢？

往北去的路程很顺利，没遇到一点阻碍和凶险，背后的坠尾儿也断了线。走出几十里后，鲁一弃觉得够了，继续往北都是无用的路程，应该往有宝的地方去。虽然他知道自己父亲在无锡境内，本来应该过江去寻他。但是从对家尾哨儿口中知道，对家门主和大批有实力的高手都过江往南保什么老盒子。自己现在过去，有自投罗网的危险。

对了！咸阳城外渭水边十八里营！先前在龙门涧与王副官约好会合的地界，此处往西，可以到土宝移位的点儿上去看看，看有没可能找到宝贝，改改移宝之厄。就算在那里没什么结果，也还可以继续往西，与先行去寻“天”宝宝构的墨门中人会合，启出“天”宝定凶穴，了结莫天规的遗愿。

决定西行后，鲁一弃犹豫要不要让女人暂时留下。水冰花已经显怀，再要经受这样的江湖杀戮和长途颠簸肯定不行，但孤零零一个女人，在无亲无故的陌生异乡，还怀着孩子，这又怎能让人放下心来？女人反倒很坚强，她让鲁一弃打消顾虑放心地走，她有信心在这里生存下去。在东北老林那样的恶劣环境中她都能找到独特的生存之道，更不要说这福瑞富足、民风淳朴的风水宝地了。另外她虽然没携带钱财，但却藏有两块双乳山底搭台置“金”宝的黑色晶块。这是“宛委乌晶玉”，存世极少，足够让她下半辈子富足了。

鲁一弃把自己已经熟记了的《班经》给了水冰花，这是留给即将出身的孩子的，因为这孩子可能会是鲁家正传的唯一血脉。日后相见作为相认的信物，不能相见便是留给后辈的立身手段。

“如若大事了结之时我性命还在，一定回到这里找你们！”说这话时，鲁一弃情潮汹涌，喉间哽咽，再难把持心性的沉稳无澜。

“会的，你一定会没事的！一定要回来找我！”水冰花声音差不多被哭腔完全掩盖，晶莹的珠泪连串落下。

两个人在绿野碧树之间久久相拥，久久不分。在大兴安岭时的相拥是要同生共死，而此时的相拥却可能是生离死别。

据说，此后通州以及周边地界不止地灵物丰，而且还多出能工巧匠，被后人称为建筑之乡。

鲨口也要走了。

“该走的时候自然会走，现在是时候了。”鲨口咧着嘴角说。

“还会见面的。”鲁一弃说这话是安慰鲨口更是安慰自己。鲨口和自家没一点瓜葛，只是托身在步半寸船上做伙计避难，却为鲁家事情奔波搏命，无一点贪欲和索求。能交上这样的朋友着实不易，与这样的兄弟分离着实伤感。

鲁一弃突然有一丝的不安，步半寸船上的鸥子、老叉都有是真是假的缘由，可从没人说过鲨口到底是为什么上步家船的。

想到这，鲁一弃心里翻腾开了：这鲨口到底是个什么角色？

于是他试探着说了一句：“你来不是避祸，去也不是奔命！”

刚才一句“还会见面”已经让鲨口凝固了脸上的表情，现在鲁一弃这句带些玄机的话语让鲨口把嘴咧得更大了。惊异的神情把天生的笑脸扭曲得过度，反显得很是苦楚的样子。

“你确定？”

“我确定！”

“从一见到你，我就知道我们族里的事儿终归要落在你的身上，所以我拼死拼活保住你，就是指望你日后能将我们那事给了了。”鲨口话一说快，腔调就变得怪异起来。

腔调太怪异了，所以鲁一弃推测鲨口的家乡话自己肯定是听不懂的，就像这里的通州话，说的人很少。由此他给鲨口又下了个推断：“你们那一族的人不多呀。”

鲨口完全信服了，于是他将鲁一弃拉到一边，将事情原委说了个清楚……

听了鲨口的讲述，轮到鲁一弃惊讶了。如果不是因为眼下往南去会有重重险阻和危险，他会觉得跟鲨口走更容易有所收获。

“其实不是我不想继续跟着你，但这些日子和对家磕碰了几下，让我觉得对家的实力和手段都是无法度测的。而我们族中能为那件事出力的真没几个了，所以我想保存点实力，等你来时，性命身家全付。”鲨口说话的时候有些不好意思，怎么说自己都是自私怕死，怕自己死早了自家的大事儿没人办。

“你信我，我也信你。这事我迟早会有交代。”鲁一弃非常理解鲨口，所以说完这话他转身便走，这是害怕自己言多之后会让鲨口一时冲动改变主意，重新跟着自己往西去。

一直到鲁一弃他们的背影转过一片小树林消失不见了，鲨口才微微抖动了下嘴唇，掉头往东南方向而去。

无人的乡间道路上很快便落下一片觅食的麻雀，轻松悠闲地蹦跳着。

第五章　独闯空无一人的阴宅村

如果真是个小镇，那么这镇子也实在太小了些。那里的房子虽然远看排布得层层叠叠，数量其实并不多。而最重要的一点，那些是小房子！房檐的高度看着只比正常人高出一头左右，门框更矮，估计进出房门时都要弯着腰。房子的面积也小，差不多是正常房子三分之一的样子。

小镇里见不到一个人影，也听不到人声，就连鸡叫犬吠都没有，静谧得如同是一个不为人知的世界。

意难悟

霏霏的霖雨，细密得如同烟雾一般，将连绵的山峦渲染得分外朦胧。道路两边的山坡上长满了翠竹，但烟雾般的雨丝反倒让它们显得沉闷呆板。山溪的流动却是轻快畅意的，“叮咚”着从石路边跳跃而过，带着些深山中才有的清新和神秘。

鲁天柳独自站在石路的尽头，无力而茫然地看着前方。她的身上已经湿透，可细密的雨丝还是不依不饶地扑戏着她，很快便在头发上汇凝成大颗的水珠，然后顺着她已经捻结成一缕的刘海滑下，滑过苍白的脸颊，砸落在铺路的石面上，溅碎成四处飞散的更小水珠。

石路蜿蜒着绕过一片深绿的水面，然后没入到淡淡的墨瓦白墙群落中去了。那群古老的建筑被霖雨浸润着，也被树木竹林掩映着，远远看着像座被世间遗忘了的小镇。为什么说是小镇？因为房屋虽然错落有致，但朝向很乱，一般只有沿街有店铺的城镇建筑群才会有这种格局。

如果真是个小镇，那么这镇子也实在太小了些。那里的房子虽然远看排布得层层叠叠，数量其实并不多。而最重要的一点，那些是小房子！房檐的高度看着只比正常人高出一头左右，门框更矮，估计进出房门时都要弯着腰。房子的面积也小，差不多是正常房子三分之一的样子。

小镇里见不到一个人影，也听不到人声，就连鸡叫犬吠都没有，静谧得如同是一个不为人知的世界。

这种情形让鲁天柳思虑了很多很多。陆先生以前给她讲风水学时说过，连绵山峦包绕，一片水面拦口，为藏风聚气的上好风水。这是一部常用风水典籍上记载的风水理论。是叫什么典籍来着？鲁天柳在努力地想，对了！《葬吉谱》！那是一部专门研究阴宅风水的典籍。

阴宅风水？是呀，前面的古老小镇远远看去，的确不像是给正常人住的，难道真的是建给……

惊愕的同时，鲁天柳感到阵阵战栗的寒意不由自主地从毛孔往外钻，怅然的心中只剩下了孤独和无助。

怎么办？宝构也许就在前方不远，是独闯，还是等待老爹、五侯他们赶上来？可是他们能否顺利脱困是个问题，需要多少时间才能赶上也是个问题。

进山后便连续遇到坎面，鲁家一群人是见扣解扣，见坎破坎。可是淡竹林海中的“百节纠错阵”实在厉害，一下将他们全部困住。只有鲁天柳一人凭极好的轻身功夫和超常三觉，用手中一对飞絮帕挂竹悬空荡出。

脱出的鲁天柳必须赶紧先往前行，否则守护“百节纠错阵”的杆子和外围人扣定会对她发起二次攻击。

一般来说，坎子面中的杆子、人扣都各负其责、严守己位，所以在大局面大布置的坎阵中，前后坎子间的空隙是最安全的位置。

鲁天柳现在就在这样一个位置，但危险随时都会来临。往前闯当然危险，在这里等也同样危险。对家发现有人漏出坎面儿后，肯定会派人追击。危险终究会来，只是不知道什么时候来，也不知道是从哪里来。

天色渐渐暗淡下来，估摸不久会迎来鲁天柳进入千翎山区后的第八个黑夜，也是她在千翎山区第一个独自面对的黑夜。黑夜来临前她必须做出决定，不管是继续闯入以攻为守，还是就地为营设法自保，她都必须尽快做出抉择。

伸出手，缓缓张开并不柔嫩的手掌，她能觉出雨线扑入手掌时的喧腾，也能觉出雨线激溅起来时手心的扎刺和瘙痒。很快地，她看到自己手掌上的密密一层水珠，晶莹剔透，抹平了所有手纹和伤痕的沟堑。

她猛地一把握拳，同时重重一点头。捻作一缕的刘海被甩离了额头，也甩出刘海上一颗硕大的水珠。水珠落在石路面上，碎裂得更加厉害。

被雨水侵蚀得苍白的脸颊上露出一丝笑容，鲁天柳知道自己应该怎么做了……

从苏州园子脱出，鲁盛义他们本来是想回阳山隐一段儿的，但在太湖十八湾遭遇阻袭，三舟夜斗，暗钉鲁恩显形。他们这才知道阳山的窝儿早就掉底了，于是立刻转向朝南。

往南去有太湖三岛，岛上的老大是鲁家的老朋友“带刺鼋鳖”俞有刺。他们可以在这里暂时藏身，休养疗伤。而鲁天柳用陆先生留下的“龟卜”卜了一卦，卦象显示她天格理数、三元运筹也均是往南。

时间过得飞快，打过春后，鲁盛义的伤痊愈了，不过也留下个微跛的后遗症。五郎伤得比鲁盛义要重，好得却比他要快，到底是年轻内气旺。俞有刺一直都有手下在岛外探听消息，他们发现江湖上对苏州园子的事情没有张扬，传言都只说是地灾。但同时他们也发现大批的江湖力量在慢慢往北方移动，只听说有人抛出很厚的暗金，诱惑各股江湖势力拦截围捕一个年轻人。

得到这信息后，鲁盛义心里的第一反应就是这肯定和自己儿子鲁一弃有关。

鲁天柳这些日子显得沉默了也成熟了，苏州城里那一场搏杀让她身心在获取和失去的纠葛之间得到了锻炼。这些日子，她总拿着陆先生给她的《玄觉》细读，如此认真是为了能从其中找到窍门，弄清水下移茔中掏出的物件上到底暗藏着什么玄机。

移茔玉盒里其实就是一小卷的黄绫，只是此黄绫为金丝麻花绞线，隐花凸纹织法，水浸不透，火烧不坏。黄绫上乍看什么都没有，奥妙其实就在这凸纹上，能发现这奥妙归功于鲁天柳清明三觉中超常的触觉。

隐花凸纹织法，其实就是在织造过程中将各个部位的金丝线收得松紧不一。收得紧，那部位的金线就稍稍有些挤压突出，使得整个缎子面不再平整。将这不平整按一定规律或者花型排布，织下来后，同一色的绫缎会因为平整不一，导致反光不同，从而出现若隐若现的图案。

这块黄绫上的凸起很隐秘，凭肉眼根本无法看出。世界上其实有好多东西是视觉发现不了的，因为最初做这些东西时，就没有打算让你看出来。可是鲁天柳具有比视觉更敏锐的清明触觉，经过多次聚心力凝脑神后，她触摸出了那黄绫上金丝线松紧不一的排列竟然是两行字：“火灵继，虚海际；假真武，实雁翎。”

这密语代表的是什么意思？鲁盛义、鲁天柳他们从许多方面剖析，却百思不得其解。

但这事总是要解决的，眼下只能求助于龙虎山的掌教天师。于是在确定江湖环境还算平静后，鲁天柳独自偷偷上了趟龙虎山。

掌教天师没问密语的来历，也没问原因。只是先自己好好琢磨了一番，又找来教中其他的高手一起仔细揣摩分析，但最终也没能得出正解。于是掌教天师让鲁天柳先回太湖三岛，他们另外想办法找出其中答案，等有了确切的解释会让人传信给她。

就在鲁天柳回去后没几天，太湖三岛的安稳日子被打破了。

太湖三岛的当家老大是“带刺鼋鳖”俞有刺，这不是本名，而是因为他擅长使用一对短小刁钻的分水峨嵋刺而得的。这个四十好几的男人，长得背宽腿硕，腰横脑肥，看上去倒像是个富商财主。

事实上他既不是富商财主，也不是真正的渔夫，而是这太湖中占岛为王的湖匪头子。这全是因为那场破命之灾，要不然他想做财主就是财主，想做渔夫就是渔夫。

俞有刺原先是江南大富之家的少爷，天生的好水性，能潜在水中徒手捉鱼。他们家是做水路生意发达的，到他爷爷那辈时，家里已经圈下几百顷水面的资产，连同沿岸的码头渔村，都是承租了他们家的。但是在他爷爷死后，家道开始败落，大片的资产渐渐落入到别人手中。而且就在那几年里，俞家人先后莫名其妙地病倒了，就连生龙活虎的俞有刺也未能幸免。

当鲁盛义和陆先生来到俞府时，俞有刺家里的人差不多死绝了，他自己也已奄奄一息，就一口气还吊着。多少名医没瞧出的病由，鲁盛义和陆先生看出来了，这病根在宅子上，在风水上。

鲁盛义凭鲁家六工中的定基一技，从俞宅正堂门左廊柱前五掌处，挖出一个黑布包，里面包着半个骷髅和一根削尖了的胫骨，骷髅和胫骨都用血浸过。这是西地儿出的一种极为恶毒的“断颅刀胫”蛊咒，将这埋在俞家宅心窍眼，这是要灭全门断五畜。这蛊咒一起出，陆先生再用“解晦回魂符”一激，俞有刺这条命算是保下来了。

接下来，陆先生又发现俞家风水很好的祖坟上长了几棵奇怪的树，郁郁葱葱很是气派。便问俞有刺这是什么树，是谁种的，俞有刺自己竟然也一无所知。陆先生让俞有刺请人挖树，这才发现此树非常的怪异，树根盘结得比树冠还大许多，并且根须很长很长，四处延伸。

继续沿根须挖开，这才知道，那些树的根须已然穿透了俞家祖坟中的棺椁，绞碎了棺椁中的尸骨。这在风水上叫“毁祖截脉”，这种厄破只要一成便无解法。遭遇如此风水厄破，家中子孙要受十代的贱三命，不然的话非但世世代代家道不兴，而且每代的儿孙都短寿早折。

所谓贱三命，就是为盗、为丐、为奴。俞有刺一身傲骨，是绝不会为丐为奴，所以一把火烧了宅子，带着几个愿意跟随的朋友、雇工，上太湖三岛当了湖匪。当然，这些年他一直在暗中探查，想找出到底是谁对他们家下的破，害得他家破人亡。

虽然是做湖匪，但他们是抢物不扰民，更不杀人放火，生活来源基本是自给自足。对那些过往的船只只是取个零头意思一下，就像是邻里间打秋风一般，空担个湖匪的名头，所以周边的官府和渔家也都不与他们为难。

这太湖三岛上一直平静得如同个世外桃源，但是在鲁天柳回来的第五天，岛上的伙计莫名其妙地死了两个，而且还看不出死因。这两个还未入殓，又有一个伙计死了，是被拍死的，那脑袋左面被生生拍碎，使得整个头面塌陷下去一半。这样的死相让俞有刺想起埋在自己家正堂门前的半个骷髅。

接下来不但继续有人死去，而且死相变得越来越恐怖和不可思议。有从胸下位把腑脏脊骨整个掰断的，有脖子被扭过整圈后再摆正的，甚至有具尸体是将自己拳头塞入口中，并且戳破后脑而出。

第四天的时候，俞有刺、鲁盛义带着所有剩下的人离开了三岛。他们是二十七条船一起离开的。到达湖面宽敞之处，便一下作鸟雀散，这时就算有坠尾的也不知该往哪边追。

鲁天柳和俞有刺驾了两艘小船，鲁天柳的船上有鲁盛义、五郎，还有俞有刺的一个徒弟，这小子也是个操船的好手。俞有刺的船上除了他，还有一个徒弟和一个拜把子兄弟，这些都是俞有刺最信任的、可以性命相托的人。

两条船与其他船分开后，在湖上绕了一圈，便又偷偷回到太湖三岛潜伏起来，因为鲁天柳还要在太湖三岛上等天师教的回信儿。

此后岛上再没有出现杀戮。大概在半个月之后，天师教也来人了，来的是“辨微居”管护周天师，同来的还有一个徒弟和两个童儿。

鲁天柳认识周天师，以前跟着陆先生到“辨微居”请教疑难事情时见过。

周老天师刚到岛上时很是紧张，因为才入太湖水界便被尾儿坠上，怎么都甩不掉。当听说岛上前段时间发生的事情后，老天师立马要求大家趁天黑逃离。

“你们低估对手了，这几天他们始终没寻到你们踪迹，肯定会把思路绕回到三岛上来。而且说不定这最初就是对家设的局，用杀戮、惊吓的招儿，把无关的人驱走，让你们鲁家的正主儿显出形来。这叫‘撒末留石’。”

有人哑口，有人脸红，但这些人都以最快的速度收拾好随身物品，天刚擦黑就从芦苇荡口下水，往东南方向太湖深处驶去。

周天师在船上悄悄告诉鲁天柳有关黄绫上那两行字的事情。

“掌教天师共派出了八路人外出寻找线索。每一路只查三个字，这样的话就算有人能解出三个字的意思，也无从知晓其他内容，绝了其中奥秘外泄的可能。”说到寻线索破解黄绫密语，周天师的脸上有少许的得意之色，因为目前八路人中收获最大的就是他。

周天师寻访的第一站是湖北境内的武当山，因为在那里有他一个俗家时的远房亲戚，这个驼背老道专管经册文记的整理和收藏，满腹典史经纶。在他这里周天师还意外获知了黄绫上另外三个字的意思。

“假真武”这三个字往面前一放，驼背老道眼都没眨一下便说道：“我带你们上金顶瞧瞧去，在那里你也许会悟出这字里暗藏着的意思。”

周天师跟着驼背老道上了武当山主峰天柱峰的顶端，这里有一座让人匪夷所思的建筑——真武金殿。

说是金殿，其实整座殿都是铜制的。金殿是采用“分铸后合”的形式建成。所有构件儿都是先在京城铸好，然后运上武当搭接构建。这些构件儿都预留榫眼槽口，采用榫、铆、拼、焊的手法，连接精密，浑然一体，毫无铸凿之痕。整个铜殿的设计和构建可夺天工之巧。

金殿面阔、进深各三间，高五又五“气行步[1]”，宽四又四“气行步”，深三又三“气行步”。为鎏金铜铸仿木构，重檐叠脊，翼角飞翘。圆柱十二根，宝装莲花柱础，斗拱檐椽，结构灵巧精美。

殿内神像、几案、供器也都是铜铸的，中供奉着真武帝君，着袍衬铠，披发跣足，风姿魁伟，只是真武神像的面相模样有别其他殿供奉的真武，相传这尊真武神像是按照朱棣的样子造的，所以民间有“真武神，永乐像”的说法。

一踏上金顶，周天师就有些明白了。这金殿的事情他多少听说过一些。永乐像的真武帝，是不是就是所谓的“假真武”？周天师不敢肯定，是因为他心里感觉这件事情肯定不是想象中那么简单。

“看到这真武像了吗？也许你们也听说过，这是按明永乐皇帝的相貌塑的。可是为什么要在这武当金顶建这铜殿，塑这铜像，其中内情你们或许就不知道了。

“永乐帝朱棣从建文帝朱允炆手中夺得皇位后，坐得却不是太心安。我曾在一部关于金殿建造的文料中见到一些非常含糊的记载，大概意思是有些关乎朱家帝位的重要东西被朱允炆逃亡时带走。所以后来永乐帝召集诸多文家高手，对宫内所藏全部的文献史料进行整理，并搜罗大量典籍著作，编制《永乐大典》，其真正的目的是想从其中找到他没有得到的东西。”

“也算是功夫不负有心人，在一篇太祖和刘基密谈的写录中，有人找出‘火灵之续继，唯假于真武……’这样的话。只是这密谈的写录只到这句话为止，往下再没有内容，像是记官到这里就被什么人制止了，所以这话到底是要说的什么，已无从可知。”

周天师听到这里，心中咯噔一下，脸上不由露出一丝难掩的惊喜。他是见过黄绫上十二字全文的，第一句便是“火灵继”三字，刚刚老道提到“火灵之续继”也许就与这三字相合。看来武当这一行是走对了，除了达到自己原有目的外，或许还会有意想不到的收获。

老道没注意周天师的表情变化，仍自顾自地说着：“这句没由头的

---

1 道家用过的极为偏门的测量单位，一气行步大约为1米，这里说的也就是在5.5米左右。

话，那永乐帝却如获至宝。据那文料上说，永乐帝好像是原本就知道前面‘火灵之续继’是什么意思的，而后面‘唯假于真武’，他却也不明白其中含义。后来没办法，便聚集文家和道家高人一起来解。

“解出的结果有两个，一种结果认为‘假于真武’是假手于真武，借用真武神之圣力来行天道；另一种结果认为设下个假的真武神是第一步，然后继续后面的种种步骤，便可以达到某种关键的目的。至于其他什么步骤，却是记官未曾录下的。”

周天师再次心中狂跳，未记录下的其他步骤会不会就是黄绫上十二字真言的其余内容？

“对于两种说法，永乐帝没有钦定。但在不久之后，他便着手委派人建这金殿。后人来看，这永乐帝是采用的稳妥做法，将两种解出结果汇作一道。建真武金殿，是为假手真武，殿中塑永乐帝模样的真武像，却是设下假的真武。”

周天师随口插了一句：“那为何要建在武当天柱？”

老道嘿嘿一笑：“据说早在永乐夺建文帝位之前，他就请高人查辨天下重要穴眼，得出紫禁城与武当山所处位置正好为天地阴阳两眼，所以永乐帝才会迁都北京，并且将紫禁主殿命为太和，同时将武当也赐名太和山。皇帝自己置身紫禁占住一个眼，为保江山安泰，永世和顺，当然会让自己模样的假真武替他占住另一个眼。”

周天师把驼背老道拉到金殿的一角，背开其他人，然后掏出大黄烟叶捻碎，装了一烟筒，给老道递上，再点上。

老道连吸几口，然后眯缝着眼，舒坦地长出口气，浑身上下都透着满足。

周天师趁这时候悄声对老道说：“老哥，这趟来的真实意图我也不瞒你，有个信家对我们天师教不错，常年都有供奉。只是最近祖上风水被破，家道一落千丈。这事我们天师教不能袖手旁观，便出手相助。虽然已在他祖坟上找到刻有‘假真武’的偈石，但对家还同时布下‘意不移’的蛊咒。现下就算是移开偈石也没用，除非是解出这三字的真实意思才能寻缺下招儿。所以还要麻烦你从那两种结果中给点个明判。”

老道没搭腔，只是意味深长地笑着，然后又轻吸了两口烟，这才放下烟筒清清嗓子说道："同是道家，处事却不尽相同。你天师教与武当相比，倒是更烟火气了些。话既然说到这儿了，那我也不好驳你，更不好揭实，只是你自己心里有数就是了。"

周天师听了这话心中一阵烦躁，脸上也火臊起来。看来这老道心中知道自己刚才那些话是搪塞他的，可自己所知的实情又确实不能相告呀。

"你问的事我不能回你准底，但我可以告诉你一些现象，然后自己去判断。因果相衔，还是信自己的判断比较好。"老道的话很在情理之中，周天师心怀感激地点点头。

"听说过'雷火炼殿'吗？这是真武铜殿的一个奇景。每逢电闪雷鸣的时候，火球便在金殿四周滚动，但霹雳却击不进金殿。而金殿经受雷击后，不仅毫无损伤，反将其上的烟尘锈垢烧去，再经雨水洗刷，光色若新。这一奇观被称为'雷火炼殿'。而每次'雷火炼殿'之前，真武铜像会出汗，一旁的海马铜像会口中吐雾，不知道是害怕雷火的到来，还是以此将雷火引来。这是金殿又一个无法解释的奇景。

"真武大帝，本为北方水神，五逸《九章怀句》云：'天龟水神。'《重修纬书集成》卷六《河图》云：'北方七神之宿，实始于斗，镇北方，主风雨。'可永乐帝却偏偏将北方位的神灵立于南方，南北太和阴阳倒置。"

"你的意思是以水之神聚引火灵？"周天师的话冲出口，随即马上觉出自己今天心元有些把持不住，少了修道者应有的稳重。

老道像是没听见周天师的话，只管自己往下说："你看到殿中那盏油灯了吗？虽然只是个星星之火，豆大光明，却是五百年未灭。这是金殿中的又一奇，其中是否另有深意？"

"这种种不寻常的现象，又有谁能把它们关联在一起，悟出其中几分天机？！"老道像是无奈又像是在感慨。

话说到这里，两人沉默了许久。是因为一个在思考，是因为另一个在等待。

思考的，是想从这些现象中分析出自己想要的答案；等待的，是知道对方还会继续寻找其他答案。

"老哥，你先前提到的刘基与太祖密谈，记下的'火灵之续继，唯假于真武……'，这'火灵之续继'又为何意？"

驼背老道有些得意地笑了笑，一切果然都在他的意料之中。

"永乐年间，宫中抄录毕兆邑退归田园之后，写下部《编撰存疑细析》，其中大多内容都是针对《永乐大典》编制过程中的疑问和缺遗而写的，此书就有关于'火灵之续继'的分析解释：远古天地分物初始，五行之道分为火灵、水冥、土圣、金精、木髓。所以这'火灵之续继'应为水冥。"

"哦！"这一声只是表示对老道博学的感慨，却绝非大彻大悟。

"毕兆邑是寻典著照古文面上来解释的，我倒觉得这话从字面上还可以理解为'要让火灵之力延续，'然后该如何去做。只是太祖的对话只录下个开头，缺了后面的内容，不能前后连贯着解释，那么真正的意思唯有自己去揣摩了。"老道说完这些，站起身来就往天柱峰下走去。他虽然是个驼背，步法却是异常的轻盈自在。

周天师跟在他背后走了两步便又停住了，因为老道背对着他缓缓摆了下手："你的事急，此趟我也不留你了。要有时间就在金殿这里多揣摩揣摩，没时间就往山下赶吧。只是记住，身虽不由己，意却由心生，因果自百念，生死一着棋。做，则无怨；不做，也莫悔。"

周天师怔在原地许久许久，他是在揣摩，而且是在揣摩老道临走时留下的几句话。至于"火灵续，假真武"之说，他不准备想得太多，因为最终会有其他人做出决断，他只需要把收集到的信息带回去便罢。

周天师从武当山下来没有回龙虎山，只是遣了一个徒弟回龙虎山，把寻访的情况告知掌教，而他自己则直奔太湖三岛。他们在下山的时候掌教天师就已经讲清，寻不到答案也便罢了，要寻到答案的话，都将搜罗到的信息直接带到太湖三岛会合，以防夜长梦多。

可没想到岛上目前局势如此危急，再多留一刻都有被对家全困的可能。所以不能再等其他几路寻访的人了，先逃离了险地再说。

当周天师把自己寻访经过的前前后后以及获取到信息的细节碎末都告诉给鲁天柳后，一下将鲁天柳心神收拢住的竟然是驼背老道最后走时留下的那句话。冥冥之中，她觉得在什么地方有人对她说过这话，像是在梦里，又像在前世。她似乎曾因为这话而热泪盈眶……

鲁天柳顺着那条蜿蜒的石道往前走去，她已经决定独自面对这个死寂如同坟墓般的小镇。

手掌的掌纹、骨节纵横交错，细密的雨丝均匀洒上去后，在光线的作用下亮度不一，有暗有明。于是鲁天柳便从这明暗的交替和掌纹的分布中看到了答案——顺出相式。她用的卜算法综合“掌卦”和“遂境算”，除了像鲁天柳这样天性通玄的人，能够学会并运用的很少很少。

“‘顺出相式’！既然能够顺出，那么进去就不会有问题。”鲁天柳心中暗想。至于这卦象是否准确，进去过程有多艰难，她却没作考虑。

绕过了池塘，再往前就是小镇的入口了。

鲁天柳再次停住脚步，用清明的三觉仔细搜索。说实话，她期盼能从这些建筑中找到人的迹象。即便那人是对手、是人扣，她心里也会比现在放松许多。

在路边，有一丛刚刚绽开了的野花。那些小花洁白里透着些淡蓝，滑嫩如珠，晶莹如玉，花瓣洁净得像是透明的，在雨中显得格外的娇怯柔弱。这捧花中，有一根花枝折断了，垂挂在那里轻轻摇曳。

鲁天柳天生对花花草草有特殊的感情，看到那断枝，心里油然生出一丝怜惜。她走过去，蹲下身来，把那断枝摘下。那枝上带着几朵晶莹小花，花上沾着密密的雨珠，显露出天成的美丽。

鲁天柳将花枝插在自己的发辫上时，心中蓦然升起一种说不出的忐忑。一丛花枝中只折断单独这一支，不是风吹，不是雨打，是有人抢在她前面了！

谨慎地进了小镇，才几步，鲁天柳就立刻看出不对了。那些房屋屋檐下流挂着很粗的水帘。现在只是霏霏细雨呀，一般只有中雨以上，檐下流挂的雨水才会达到这么大的流量。这里的房屋没有贴山而建的，整个建筑群也不曾采用檐额叠接的手法，所以也不可能是山泉。

正四处查看的鲁天柳眼前突然一阵恍惚，接着就是眩晕和恶心。她以为是前额流下的雨水迷住了双眼，于是狠狠抹了一把。但是事与愿违，视线清晰以后，她变得更加的恍惚，眼里全是那些水帘，而且变密了，流速也变快了，逐渐形成了一张张的网。这些网还反射出跳跃的光。在这种光射作用下，鲁天柳觉得周围的一切都变形扭曲，两边的山朝她倒下来，脚下的道路也似乎要颠覆了。

“踩坎子了！”鲁天柳清楚地意识到这一点，“目障子的坎面！断了目障就能解。”

一对眼皮的闭合竟然要费这么大的气力，这点鲁天柳没想到。好不容易闭上双眼，眼中雨帘的情形却并没有消失，这点她更没想到。鲁天柳依旧晕眩，依旧感觉到所有东西都在变形扭曲，而且这一切比刚才没闭眼时更厉害。

脚步开始踉跄，身体的平衡已经很难保持，她随时都会摔倒在地。

于是急切中她又想把眼睛睁开，但是此刻眼皮却变得极为沉重，像是黏住了一样，怎么都睁不开。

目障子已经抢在她闭眼之前直接作用在思维上。一瞬间，鲁天柳感到如此的无助，就好像从万丈高楼上失足踏空，失去了一切的凭仗和支持。再也支撑不住的鲁天柳往前一趴，双手齐齐地撑在地上。

坎面依旧很平静，不曾有什么变化，也没有其他扣子动作。身体形态的变化让她感到更加晕眩了，剧烈翻腾的肺腑使得她嘴巴一张，一下子就呕出大滩黄水。和闭眼后想睁眼一样，她也想要重新站起来，但这件平时很容易的事现在已经变成没有可能的事了。一双手掌就像黏在了道面上，手臂和腿上的力量似乎刚刚够她趴成这样一个姿势，再也多不出半分力气来稍稍改变下身体的现有状态。

在古老的山中小镇里，在苍苍山石铺成的路面上，一个柔弱年轻的躯体在挣扎。这情形是诡异的，也是难以想象的。这挣扎的躯体周围其实空无一物，而她感觉中就像被压了座山，这怪异无形的压力已经远远超出正常思想所能理解的范畴。

泪犹存

这一刻，鲁天柳想到了放弃，想到了死。她从没有这样感到无助过，所以也从未像现在这样想念自己的亲人。想到老爹，想到五郎，想到了其他那些和自己共赴艰险的长辈、兄弟们。闯坎冲入的一路上，这些人有死有伤，陷入“百节纠错阵”后更是生死难卜。再看看眼下这情形，自己恐怕也只有到阴路黄泉才能和他们相聚了。

想到这里，鲁天柳泪如泉涌，而就在晶莹如珠的眼泪不断涌出眼帘的某个瞬间，鲁天柳突然发现自己的眼睛能睁开了。

睁眼之后，周围的景象恢复了原状，脑壳不再眩晕了，身体也不再摇晃，感觉中的无形压力消失了。于是鲁天柳悠长地吸一口湿润的空气，随着气息的吐出，翻腾烦躁的胸腹间像是被清洗了一遍。

她双手一推，重新站了起来，眼眶中犹自满储着泪珠，闪动着扑朔的泪光。

“流帘眩目迷”，再加上“意不移”的蛊咒。利用水流如链的连续光线反射，刺激视神经，从而混乱整个脑神经。而且在“意不移”蛊咒的作用下，只需入眼，作用力就再难转移。任凭你是什么样的英雄好汉，最终都会被诱得耗尽元神伏地不起。如果地面上再置下其他什么连锁的扣子，那么是生是死只好全凭对家摆布了。

庆幸的是鲁天柳不是英雄好汉，英雄好汉都是流血流汗不流泪的，她只是个弱女子，木匠家抹灰掸尘的姑娘家。和平常女孩一样，在痛苦的时刻都会脆弱地流泪。

泪水恰好解了入眼的“意不移”，泪光恰好混淆了“流帘眩目迷”，所以鲁天柳能重新站起来，能借着眼中犹存未消的泪光迅速离开这里。

鲁天柳跌撞着继续往前走了二十几步，当刚刚转过了一个大弯道后，却突然停住了脚步。因为她清明的听觉和触觉都确定自己刚踩下了一个不该踩的东西。那极为轻微的“咯嘣”声对于坎子家来说再熟悉不过了——启弦。而脚底的感觉对于鲁天柳来说太容易判断了——踏压式括板。

鲁天柳眼泪未干，冷汗就又接着下来了。她知道自己犯了个不得已的错误，为了急切地离开刚才的坎面，非但疏忽了脚下的步点子，甚至连查试一下坎沿的谨慎都忘了。

这就是坎子家所谓的坎叠坎、坎压坎，前坎脱出后的余力，会迫使你直落到后坎中。

周围很静，除了身后檐下水帘的滴落，几乎没有一丝的声响。

坎面没能启动吗?

鲁天柳知道自己不会这样幸运，坎子家没有“侥幸”两个字。她站在那里一丝未动，却是缓缓换了口气，并用这口气息凝聚住脑灵神。于是清明的三觉骤然变得敏锐，于是可以听到更多，嗅到更多，碰触到更多。

檐下水帘的声响变了，流挂得慢了，流滴的间隙变大了。这就是说，屋顶瓦沟间的水在减少，这些水都到哪里去了?

脚下的道面在蠕动，轻轻的，这应该是机括弦索牵拉到位的反应。同时，鲁天柳觉出站立的地方微微下沉了些。

“现在最该做的就是跳起身来往镇子外冲！”她算过自己进来的步数，总共没几十步。凭着自己的轻身功夫和速度，也许可以在扣子没有罩实之前逃出镇外。

念头虽然转过，但人却没有动。因为她忽然发现，和前面的道路相比，镇子里刚进来的一段街道最狭窄，两边房子没有廊檐，房子的门也像是实口子，看上去是门，其实后面是墙体。也就是说，这一段街道房屋是设置坎扣用的，既然自己进来时没有任何动作，那么就肯定是用来锁杀出去的人的。当然，拔高子上房顶肯定也不行，坎子家无路就是死路，上了房顶会有必死扣来锁咬，到那时要退都没机会。

不能退逃，只能往前或者原地不动。

那么这段道面以自己的落脚点为中心微微沉下去一些又是什么用

处？其实长的路径，特别是带了拐弯的，那路面稍微往哪个方向斜沉一点，平常人很难看出。但是这路面上站的是鲁天柳，她和别人不一样。

身后屋檐下的水帘渐渐止了，只偶尔有水珠滴下。清亮“滴答”声将周围反衬得更加寂静。寂静，就表示坎面的扣子已经完全到位，一触即发；或者扣子弦卡住，坎面子僵了。

过了许久，鲁天柳再忍不住这种寂静的折磨，她想采取一些行动。可踩住括板的脚掌只是稍微松了松，“咚！”“咚！”两声巨响分别从两处传来，一处是镇口，一处在鲁天柳前方不远的岔道中。接着是由缓渐急的“隆隆”声，整个路面也剧烈地跳动起来。当两只巨大的石碾以极快的速度出现在鲁天柳前后时，她只来得及惊呼一声“啊！——”

已然无处可逃，鲁天柳一动不动，眼睁睁瞧着两只巨大石碾朝着她对撞过来。

坎面叫做“滚碾槽”，最早是鲁家设计运用的。但这种坎面不是杀坎，而是逼坎。原本石碾应该是单只的，并且滚动缓慢，迫使槽道中的闯入者无处可躲，只能往后退逃。过去攻城巷战中用的“火碌碡[1]”也是运用的这种方法，只是将碌碡石碾换成檑木滚子，并且浸油点燃，然后朝前滚动逼迫敌人退却。

但鲁天柳踏入的是“双碾槽”坎面，这是杀坎。它将一段街道配合两边房屋当做槽道。入坎之人踩弦后，便利用水压和杠杆操动，从两头同时放入和槽道同宽的巨大石碾，滚动合击，将踏坎人撞击挤压成肉泥。

撞击的巨响，差点没把鲁天柳的耳朵给震聋了，飞溅的石屑和激起的水箭让所有的外露肌肤都在刺痛，鲁天柳还活着。

当石碾刚一出现，鲁天柳就已经看出这道坎子的缺儿了，所以她才一动都不动。她现在站的位置正好是道形坎面的中心，也是两个石碾的会合点，当两个圆柱形石碾相互撞击时，只有圆弧外边接触，而石碾的下方依旧存在两个弧形组成的空隙。鲁天柳此时正横躺在街道正中，她娇小的身材正好可以躲入那个空隙，所以今天被碾成粉末的绝不会是她。

1　一种守城的器具，城头上使用的是由木条、竹条编制而成，比较轻巧，上面裹了布条浇上油，点着了从城头滚下；地面上使用的是大木柱，浇上油点火，两侧有铁杆伸出可在后面用环头铁杆往前推，可逼退地面进攻或直接攻入对方阵形。

撞击的巨响终于散去，飘起的石屑粉末也终于落定，路面重新恢复为平整，两只大石碾缓缓退去。可此时鲁天柳已经不见了，路面上只留下两片小小的、柔嫩的、洁白中透着些许淡蓝的花瓣。

鲁天柳走了。就在巨石撞在一起的瞬间，一侧的墙壁上露出个不大的圆洞，洞口正好对着鲁天柳存身的空隙。

洞口很小，只有身体娇小或者练过缩骨的人，才钻得过去。洞口形状不常见，应该不会是请君入瓮的下个困坎。

鲁天柳所学“辟尘”一技中有种“钻格”之术，这和练家子们会的缩骨功很相似。是利用一呼一吸间身体的变化和肌肉骨骼运力后身体的变化，找到一个合适的肌体状态，从狭窄的空间中钻过。此术主要是用于找寻清除梁架、脊格等小空间里的暗破和晦垢的。

鲁天柳既是“辟尘”的高手，身体又娇小。所以只是轻松地扭动了几下柔软的身姿，便从那小洞中间钻了进去。

这是个满是血腥、腐臭味道的房间，但它证明街道两边的房屋不全是虚件儿。房间没有门窗，除了刚进来的洞口，其他地方看不到一丝光亮，准确点说这只是一个标准的暗室。

鲁天柳正想取亮盏子仔细查看一下里面的情况，突然一阵奇怪的声响从脚底传来，吓得她纵身靠到墙角，身体紧紧贴住墙壁。

响声是因为外面有东西在移动，而且是朝着她刚钻进来的洞口过来的。鲁天柳悄悄抬起了手臂，一对“飞絮帕”随时可以甩击出去。

洞口那里没有东西进来，却有件东西把那洞口一下堵住，堵得抿丝合缝。屋里瞬间全黑，连已近暮时的暗淡天光都不让透进来。

随着黑暗的骤然来临，鲁天柳的心也一下沉到了底，她想都没想就甩出“飞絮帕”。想法是很正确的，躲避黑暗中的攻击，最好的办法就是将身体在半空中悬着，上不着顶，下不着地。

鲁天柳将“飞絮帕”的长度控制在一半，因为房屋的高度不高。但是结果还是出乎了她的意料，帕子中藏的球头在一个比预料中低得多的高度就被什么东西挡回来了。

帕子到屋顶了吗？怎么会这样矮？钢球发出的撞击声是撞到什么很硬质的物体。

鲁天柳没敢第二次抛出帕子，自己没搞清的事情千万不要反复去试。于是她果断地采用了另一种悬空探顶的办法。刚才，她俏弱的肩背往墙角一靠，就已经感觉出墙面的质地是石头。石面很粗糙，有许多棱角没有好好打磨处理过。这样的墙面可以轻松地使用“辟尘”一工中徒手登墙上壁的技法“撑角”，双臂在呈直角墙壁上同时一撑，然后双脚同时踩住两边的墙壁，上下肢交替用力，顺墙角爬上屋顶。

鲁天柳只往上提纵了两下身体，就已经发现头顶上有东西。于是她停住身形，将头部轻轻地往上靠去。超常的触觉可以帮助她控制碰触的力度。她能保证此时的轻柔碰触不会启动任何机括，也能保证这样的碰触可以让她了解上面是什么东西。

碰触后的感觉很单一，可以确切地做出判断——上面是石头。于是把身体再往上送了点，扩大了头部的碰触范围。都是石头质地，上面好像是个整面的石顶，而不是石梁之类的东西。

鲁天柳很谨慎，她将身体又缩回墙角，四肢贴壁使力，这种状态在江湖上叫做“鼠缩壁”。保持住这样的状态后，鲁天柳再次运用清明的三觉在一片漆黑的屋子里细细搜索，确信没什么危险之后重新悄无声息地滑下地面，然后从腰囊里掏出一颗绿莹莹珠子出来。这珠子真的很明亮，刚一掏出，一捧绿光便将暗室照得很是清楚。

这珠子不是夜明珠，也不是萤光石。上面有明显的眼纹，样子像猫眼。其实这是一颗蛇眼，是鲁天柳和五郎在紫金石井杀披鳞白蛇后挖出来的。这颗白蛇眼不仅能发光，而且带在身上不会遭蛇蝎毒虫袭击。当时鲁天柳只来得及挖出一颗，另一颗则随着死去的蛇身迅速化作黄水。

拿着蛇眼，鲁天柳很快就把情况摸清。原来这暗室是把整块的大石中间掏空为屋，外面的墨瓦白墙只是这空石的掩饰，而刚才脚下的响动也非有东西从洞口追进来，只是坎面运转后重新将洞口堵住。

血腥与腐臭充斥着整个石室，却找不到任何污秽之物。石室很小，除了进来的洞口再也没有其他出路，鲁天柳有些疑惑：“难道这真是紧接在‘双碾槽’后面的闷扣？要是这样的话，就只能从进来的口子再想法撤出去了。”

但原来的洞口肯定没有办法再打开，从刚才口子的开启和关闭的方式看，开启时未曾有动栅[1]出现，关闭时动栅是由外往里，这是标准的循环运转单向弦扣，从里面是无法打开的。

鲁天柳没有死心，她蹲在洞口细细研究了下，却发现动栅与洞口是倒口塞[2]，六边入眼合。这是一种古老的鲁家技法。

这结果让鲁天柳更加确定，洞口无法从里面打开，就算是当年制作坎面的老祖们来了，也一样没招儿。但鲁家的老祖都匠心仁厚，不会设绝断的坎面儿，总会在什么地方留下生机。

但是外面的"双碾槽"明显是违背鲁家规矩的，还有将空石藏砌在其中的黑瓦白墙，从木石材料的老化程度看，应该在三百年以下。这意味着坎面早就被改过了！

谁会这样做？有两种人，鲁家在此处留下护宝的后人，或者是破解了祖上护宝坎面的对家。想到这里，鲁天柳心中一阵发毛。"菟丝藤"、"百婴壁"、"附骨蛆"、"聚瘴魂魄"等等都是对家常用的蛊毒手段，她见过的或者听过的怪异物种一下子都闯入她的脑海。

没等鲁天柳把毛慌发懵的心情调整过来，又一阵奇怪声响传来。她迅速将蛇眼收入暗囊，空石中再次变得漆黑。她站在原地，展开清明三觉仔细辨听那些奇怪声音。像流水，从四面八方传来，鲁天柳蓦然之间想起老爹说过的水下"百婴壁"布坎时死婴爬壁的声响……

恐怖的水流声没有消逝，一滴清凉又落在鲁天柳的脸上。这不是眼泪，也不是冷汗，而是地地道道的水珠。

鲁天柳用一根手指轻轻把那水滴挑起弹出，就像是把一颗星星送归给黑夜的天空。

水珠还未落地，一股强劲的水柱不知从什么地方喷涌而出，毫无征兆。桶口粗的水柱把根本没提防的鲁天柳一下冲出五六步，直到贴在对面的墙壁上才停住。

刚把身体停住，鲁天柳便反身顺着那水柱的方向冲去。有桶口粗的

1　闷坎、牢坎和部分困坎开关口子的闸门。

2　塞子或封板被一个循环的机括控制，这个循环机括只朝一个方向运动。塞子或封板到位后，无法反向推开，只能继续往里运动，等循环线路转过了弯，才能将口子让开。

水柱就有桶口大的洞口，顺着水柱摸到喷水的洞口不难，难的是怎样从这巨大水压的洞口中出去。鲁天柳只是将手指在洞口一搭，便知道这件事根本没有可能。

从水柱中抽身退出后，鲁天柳的体力耗费殆尽，她现在连站稳的力气都没了，只能放松身体，任凭慢慢升高的水位将她托起。

水位上升得很快，很快淹没了喷水的洞口，浮在水面上的鲁天柳伸手便可触及到屋顶。

调整呼吸、积蓄力量，清明的听觉搜索水流的声音，敏锐的触觉感受水流的动力。鲁天柳清楚，这是她最后的一次机会了。随着空石中水位的升高，洞口的压力也逐渐平衡。虽然不知道出水的洞里是怎样的情形，有没有生路，但勇于求生的人是不会放弃任何机会和可能的。

清明的三觉告诉她，洞口的水流的确减缓了，冲劲减弱了，而此时的水位也快到顶了。鲁天柳找准位置后，深吸一口气潜了下去。

就在鲁天柳终于挣扎到洞口边的时候，她感觉身后出现了一线亮光，并且这亮光还在渐渐扩展。紧接着，身前洞口水流的冲劲陡然增加，同时身后还多出一股吸劲。她只能下意识地抓住洞口，挣扎着不被冲走。

只一会儿，鲁天柳就抓不住了，翻滚着被水流卷走，一下就摔昏了过去。

鲁天柳睁开眼，暮色中的天光让她感到有些炫目。身下的路面很黏滑，黏附着一层软厚的东西，再加上有水流过，如同冰面。她决定站起来，于是尽量把身体放松，上身抬挺，脊背和双胯却紧紧绷成三角，小腿以下布力却不僵，双脚随势而调，一下子就在黏滑的路面上稳稳地站住了。

站起来后，鲁天柳没有马上走动，而是先定了定神。虽然后脑有些隐隐作痛犯晕，但凭她的控制力和“辟尘”一技的轻身功夫，这样的黏滑路面并不是阻碍。之所以没有马上行动是因为她必须搞清楚自己身在何处。

这里是条小胡同，很短的小胡同，从她站立的地方可以看到胡同口外的街道。这里还是一条死胡同，在背后不远的胡同底是一座整块的山石。鲁天柳有点迷糊了，她恍若觉得自己是从那胡同底出来的，穿过那整块的山石。

的确是从石头中出来的，那巨石块是个“翻斛斗”一类的坎面，当里面的水位到达一定高度后，水的压力就能启动动弦，推开石壁。可是在这里设个“翻斛斗”有什么实际意义？就为把人泡一下吗？

脚下这层黄白中带些红丝的东西是什么？如此的黏滑，也不是太坚硬，微微有些透明，而且还有股熟悉的气味。好奇心诱使鲁天柳重新控制身体状态，蹲了下来。她用手指戳戳那层东西，又把手指在鼻子下闻了一下。清明的嗅觉在记忆中迅速找寻与此相同的味道。

是人味儿，也就是常说的人腥味，其中还夹带着些血腥气味和粪便的臭味。

猛然间，鲁天柳想到了一样东西，一样让她差点再次摔倒的东西。站在这样的东西上会被惊悚和秽恶层层包围，会让人急切地蹑足而逃。

这是人油！

道迷踪

这石路面上怎么会沉积这么厚的人油？鲁天柳不敢多想，她只希望能尽快离开这个让人毛骨悚然的地方。即便这样，鲁天柳依旧没有丧失警惕和小心。胡同口外的街道很短，往左、往右都只有二十几步就到了岔路口。左面的岔路口分出四条道，却不是十字形路口。路径也都是歪斜无规则的，往岔道深处看，街面房屋都影影绰绰，虚实难辨。右边的路口分出五条道，情形也和那边四岔道一样。

“四分五裂迷踪道”，鲁天柳认出来了。这也是鲁家创出的技法，修建小型的城池时经常用到。这样就算敌人攻开城门，仍可以利用街道和巷弄进行躲避和回击。

鲁天柳在这条短短的街道上来回走了有四五趟，始终无法确定该往哪里走。迷踪道的确是鲁家的手法，但鲁天柳汲取了前面的教训，这里的坎相已经不再真实，弦括之外又增弦括，而且改过的扣子都针对内行坎子家，起到出其不意、请君入瓮的效果。

两边的街面房都有门有窗，而且不是实面，可以进出。但鲁天柳知道，进入那些房屋，伤、死、困都有可能。

鲁天柳再次在胡同口停住脚步，她静心思考了一会儿。从鳞披屋脊的建筑格局上，可以推算出这里房屋数量不会多。于是她用“定基”中“指度”一技，以“远朝近案[1]”为过渡基准，目测出自己所在位置的高低，然后从街道的分布排列上找出一些鲁家技法的惯常规律来。

这里的“四分五裂迷踪道”有虚道儿和循道儿。虚道儿设置倒镜和图样，利用反射和光线误差来迷惑踏坎人；循道儿借用位置高低产生的错觉，再加上一些廊檐、房角、树木、招牌的巧妙摆布，让人在一定范围中不断转圈。两种道儿作用在一起，会让陷入坎中的人觉得各种物体的角度、高度和顺序在不断变化，无法找到基准物。甚至连自己做的记号都会混淆重叠。

“带着虚道儿和循道儿，难怪瞧着那街里影绰恍惚。”鲁天柳确定自己判断后，随即果断地往五岔路口走去。

带虚道儿的“四分五裂迷踪道”一般正路都在五分上，因为虚道都要摆对称格，在数量上为双。如果有单数的话，那么其中肯定多出条生路。这道理对于所有坎子家都是一样的。

五分道前，鲁天柳先是辨别其中的“合线儿[2]”。她瞧出左起第一道和第四道弧线对合，呈S型延长，可产生方向性错觉和高低误差。另一对合线儿她找了好久，终于看出左起第三道和自己所处的街道是交纹对合，这是利用街面房的凸凹再加上路面的起伏，达到重叠纠合的错觉。

剩下的只有第二道，它是唯一的生路。

---

1 风水术语，指周围山形，远、大为朝山，近、小为案山。

2 坎子家术语。设置多条道型的坎面时，不是所有的坎之间都能配合着起到作用的，因为它们布置时的手法、技巧、器材都存在差异。其中各方面能够相互配合，共同组成一个更大更厉害坎面的两条或者更多道形坎才能叫“合线儿”。

鲁天柳“飞絮帕”甩出，帕子中的钢球在岔道口的路面上弹点几下。路面没问题，于是她快速通过路口，脚下步点所踩都是刚才帕子试过的地方。

进到第二道里，鲁天柳舒了口气。这种生道儿平常对家的人自己也走，肯定很安全。

从巨石房屋中被水冲出，鲁天柳全身湿漉漉的，刚才专心辨别坎面还没觉得，这会儿山中晚风一吹，冷劲儿就上来了。但她没在乎寒冷，她在乎的是黏附在身上的黏滑人油，这东西让她始终觉得恶心，心里腻得慌。

前面有流水声，不知是山泉还是雨水，从街道边的一条石砌水沟中流过。从水的流速来看，这里面无法下毒扣子，而且水很清澈。鲁天柳借那水冲洗了一下，整理了衣服和头发。头上那枝小花竟然还在，只是少了几片花瓣，这让她精神为之一振：“坎面的巨大压力和冲击竟然没能让这样一串小花凋谢破碎，自己总不会连这花都不如吧。”

道路往前几步就要拐弯了。这么短距离中的一个弯儿，鲁天柳在路口的时候竟然没看见。她并不意外，因为生路总是会有所掩饰的。可是奇怪的是，这条生路的掩饰是如何实现的呢？

鲁天柳的脚步骤然停住，她发现自己可能错了！

“除非它有合线儿，从对合路径的另一边反射景象来掩盖这里的情形。”鲁天柳的心怦怦直跳，“如果是合线儿，那这就不是一条生路，而是一条道形坎！”

鲁天柳慢慢地回过头去，进到这条道里她还没来得及回头看过，而此时入眼的情形让她确定自己错了。

站立的地方可以看到很远，也可以看得很清楚，就连另一端四分路口的分道都能看进去很深。

来的方向依旧屋是屋，街是街，树木凝翠，招幌摇曳。但这屋不是鲁天柳刚才过来时记得的屋，这街也不是刚才走过的街，树木招幌不是刚才没注意，而是根本就没看见过。

“还是中招了！这里的迷踪道竟然是反转坎理的。可是……”鲁天柳有一点始终想不明白，五岔道，脚下这条是余下的单数道，它是和哪个位置对合一线相互掩形的？但她知道，这里的设置仍是请君入瓮的路数，锁困的依旧是坎子家的内行们。其手法、技巧、心机比鲁家人高出何止一筹。

鲁天柳不能往前走，前面铁定是死路。但她也不敢往后走，因为现在她看到的都是虚路，没寻到窍口就盲目回退只能是越绕越深。

就在鲁天柳进退维艰不知所以的时候，来路方向传来轻轻的一声脆亮响声。那声响虽然很低，却逃不过鲁天柳清明的听觉。声音像是崩簧出鞘，又像云牌惊醒，还像……袁大头！对，大个银元的弹边脆响。

紧接着，鲁天柳听到连串的脆亮声响。这次可以肯定，那是银元在石头路面上滚动蹦跳的声响。

鲁天柳动了，脱兔一般地动了，朝着银元滚过来的方向。那方向有墙角，有树杈。但鲁天柳就像看不见似的，也不避让绕过，只管直线撞去。

真的是一枚袁大头，蹦跳着穿墙而出。鲁天柳看到那枚袁大头时，正好是要撞上一个屋角。

银元从鲁天柳脚边滚过，没有停留的意思；鲁天柳从银元旁边冲过去，更没有止步的打算。清明的听觉已经把银元滚动的途径刻在脑子里了，她要抢在这条线路从脑子中消失之前把途径走完。

在又钻过一道墙，撞过一棵树后，鲁天柳到了银元滚动的起点。停下脚步，两边一踅摸，发现自己已经直冲到另一端四分岔道的路口。回头看时，刚刚走过的还是胡同外那条短短的街道。墙也没有，树也没有，房屋更没有变。虚景儿，刚才那些全是虚景儿，只是不知道从什么地方映射过来的。

虚景只有自己进了坎道后才能看见，而出来时，要一直走到另一边的四分路口才消失。如果没有前面的条件，短街上来回走多少趟都看不到那些虚景。

“对了！这短街是条‘连理道’，人不入坎，短街为实，人一入坎，它便也成了迷踪道中的一道扣子。正是这虚实难定的‘连理道’，把‘四分’与‘五裂’两边岔道中的两条坎子道连成为三节合线儿，一节连一节，一节套一节，导致远近难辨，虚实不分。”

认清坎面布置后，鲁天柳倒吸一口凉气。之前与对家碰过几次，基本都是你布我破、我设你解，没有觉得对家技法上有特别的。但是眼前这个改过的“四分五裂迷踪道”，要不是那枚莫名滚出的银元，自己恐怕再难逃出。

“奇怪，怎么会有那么个银元的？有银元就有人，而且这人是在帮自己。”鲁天柳很乐观，什么事总是往好的方面想。于是她的心情轻松了许多，一时间竟忘记了刚才的惊心动魄，嘴角处轻轻牵起一丝笑意，浅淡清爽得如同她插在头上的粉蓝色小花。

但鲁天柳没能发现，四分岔道口旁的一个屋脊上，平白多出了一只脊兽（做在屋脊上镇邪的塑像），而且就在此刻，那脊兽缓缓张合了下眼皮。那是一双硕大外凸的眼睛，只是被眼皮覆盖着，只能勉强开启一条缝。这缝里看不到眼黑子，只有一团黄白。这一团黄白正死死地盯视着鲁天柳……

有了前面的教训，鲁天柳更加小心了。她掏出个小巧的锡制遁甲盘，遁甲盘指针一转，显示四分道中只有一条是正东方向。

“往东就对了！如果此处藏的的确是火灵之继的水冥之宝，那么依据万流东汇之理，宝构应该在东面。”鲁天柳心中暗说。

往东的街道很快到了尽头，再往前就是无路的山岭。这肯定不是要走的正途。街道尽头有条小巷，那里应该可以通到镇子上一层的街道，也许从上面的街道能够继续往东。

鲁天柳使“伏龙探根”，没瞧出小巷路面有什么蹊跷；又施展“链臂”技法，触试小巷两边墙壁，也未有异常。

查探结果什么坎面扣子都没有，但鲁天柳没有尽释心中狐疑。她抖擞精神，用十二分的小心走入巷内。

小巷的路面用碎石块铺成，脚掌踩上去很不舒服，而且碎石头铺得也不实，轻微摇摆，稍稍下陷，摇摆的方向各异，下陷的深浅不一。

鲁天柳猛然一愣，脚步微微一停。但只短暂的一瞬，随即便见她腰身一拧，翘臀高提，前后步成剑形，两个飞纵冲出了巷口。

出了巷口，鲁天柳轻拭了一下额头冷汗，再回头看看身后的小巷，满脸都是疑惑和不解。

刚才那是“迭步巷”的坎面，是从鲁家祖先一个最简单的扣子演变而来的。鲁家的扣子只有一块会动的石头，俗名叫做“跌倒仙”。这“迭步巷”却是有好多石块，在每块石块下设置不同的机括，踩一弦动一石。每一块石头的动作方式都不相同，但都根据双脚步法算计好。踩动一块石后，石头的变化迫使你下一步踩到预定的石头。这个石头的变化，再迫使你无奈地踩中下一块。如此类推，会让人似跌又稳，似行还退。为了极力保持身体平衡不跌倒，会不由自主地在七八步中前后左右不断地前进和倒退，重复自己的步伐，无休无止。

直走到巷子的中间，鲁天柳才发现这里是“迭步巷”，到了这程度，后退还不如往前冲。而“迭步巷”始终不曾有丝毫的动作变化。

鲁天柳的确很难理解，坎面不动还在其次，可这么常见的坎面，自己在巷口为什么没瞧出来。答案只有一个，而且非常简单，当鲁天柳挑起一块铺地碎石之后，全明白了：“迭步巷”坎面的弦儿是松的。也就是说，它处于完全动作后的状态，总弦脱挂了。可这是高手解的？还是总弦老旧后自己断了？

“这么细致巧妙的坎面，坎子家用的总弦材料绝不会断。那么就和刚才滚向自己的银元一样，是有高手暗中帮我。可这个百年来不曾有外人闯入的隐秘地界，偏偏是自己按黄绫指引闯入的时候，正好也另有高手同时闯入帮助自己，这巧得未免太过蹊跷？”想到这些，鲁天柳的心中非但没有欣喜，反变得更加疑惑。

这一道街面是一条笔直的路，也是一条下坡路。鲁天柳又与周围山岭做了下比对，可以看出来，沿着这条街往下，应该是条出镇的道路，通往山谷的更深处。

鲁天柳没有止步回头的意思，她只是在心中祈盼：“但愿前面就是自己想去的地方，但愿那地方有自己想要的东西。”

与下面街道不同的是，这里有几间店铺是开着门的。借着暮色，能看到这几家店铺前的街面上闪闪亮亮银光一片。

发出银光的有对折镰、燕型剪、雪花钹、圆尾锥、双边锯，鲁天柳无法判定那几家是五金店还是铁匠铺，却能判定那是一个“川流不息”对合子的坎面。江湖坎子家有这样句话：“川流一过，不留寸息”，由此可知“川流不息”坎面儿极其霸道的杀伤力。

但是现在，那个本可以让鲁天柳死上不知多少回的毒辣绝杀坎已经动了，所有的扣子也都散了。因为鲁天柳清明的听觉搜索到一种细微物件的震颤，循着这别人听不到的声响，她看到两边店铺门板、门柱上钉着无数幽蓝的细长钢针。这是“川流不息”对合子坎中最后一扣，带有剧毒的蜂王针。

没有人，也没有死尸。这世上没人具备逃过这坎面的功力，所以肯定是坎子家的高手挑拨弦索，等坎面所有的扣子都撒尽了，这才施施然走了过去。

鲁天柳走过“川流不息”时想：“现在看来前面的确已有高手闯入。但这高手是什么路数？不会像姑苏一战时那样，半道杀出个别有用心的第三家，那么宝贝落在他们手里一样是糟糕透顶。”

“三断旋板桥”，这是小镇出口的一道坎。桥作三断，平时走人过车和一般的桥没什么两样。机括弦索儿张开后，踩碰坎弦，那桥面铺板间的叉接便立马分开，断作三段，并且三段都以自己所立桥柱为中心快速旋转。叉接打开后，桥板两端都是一尺多长的锋利快刃。踩坎之人不管是下落还是上纵，身体在半空中就会被旋击成碎肉。

鲁天柳过去时，那桥板已经分开，却不在旋转。这是坎面散动后未及时收弦重扳机括的状态。虽说是座断桥，但鲁天柳要过去还是容易的。她用“飞絮帕”把桥板都拉到水平，然后纵身一跃，落脚点都在桥板中间立柱位，三步便已经立身在对面桥头上了。

稳稳落在桥头上的鲁天柳感觉身后好像有什么怪异，吓得她脑后筋狂跳，赶紧一个回身，却什么都没发现，难道是错觉？

再往前是个狭窄的山峡子，有人工修凿的痕迹，道儿也平整过，估计原先这口子很小很隐蔽。一进峡子口就是个弯儿，看不到里面的情形。不过鲁天柳清明的听觉隐约间能听到里面有鸟雀扑翼追逐，流水珠滚玉飘，裸露的肌肤也触到峡子里涌出的浓浓湿气。

可以继续往里去，听觉和触觉搜获到的信息足够鲁天柳作出这样的判断。但就在要迈步的瞬间，她忽然想起自己在镇口卜的那个掌卦。顺出相式，这顺出包括前面峡子里吗？如果单是小镇，现在自己的确是顺出了。

鲁天柳又缓缓伸出手掌，此时她才发现，雨不知道什么时候已经停了。远处的山林间开始弥漫起淡淡雾气，这里山体雨后的水汽竟然这么快就开始蒸发了。

鲁天柳收回了手，心里在安慰自己：“无卦便是一卦定，前面卜的掌卦已经包括了这里。”

要进就要快，各种迹象都表明有人走在自己前面了。鲁天柳不再胡思乱想，快步走进峡子口，几步后身影在弯口处一闪不见了。

这时，“三断旋板桥”下的水面上现出几双眼睛，和四分路口屋脊上的一样，很大的眼球却只睁开一条缝，露出一团浑浊的黄白色。

鲁天柳根本没有想到那个峡道竟然很短很短，短得就好像是个砌了玄关的门堂，一转过弯，才几步就出了峡口。

进来后看到的景象更是鲁天柳没想到的，就如同进入了仙境一般，一眼望去到处是奇花异草、虬松翠柏。近前是石柱林立、山石嶙峋，远处有水声潺潺、鸟雀扑鸣。周围的山体起伏有致、烟雾缭绕，就像是圈巨大的花墙，围出个别有洞天的妙境。更为神奇的是此处的光线也亮堂了许多，根本不是外面那样阴沉的暮色。也不知道是山谷里的环境让人感觉错了时辰，还是这里面另有什么神奇的光华。

从那些石柱的空隙中，鲁天柳隐约看到里面有水花飞溅，莫非那就是雁翎瀑？！

水若翎

心中一阵难以抑制的欣喜让鲁天柳朝前疾走几步。但只是几步，随即便停了下来。因为这仙境般的地方看不到现成的路。也许仙人们进入都是乘雾驾云，所以不需要路径。

没有现成的路并不意味着不好走。挡在她面前的只是片石柱林，而不是石墙。众多的石柱之间有众多的间隙，间隙还不小，问题是间隙能不能走，该走哪一个。

那些石柱确实有些蹊跷，虽然外表看上去都是天然形成的，可鲁天柳始终感觉其中隐藏着什么规则。但是这石林要做成坎面，必须是有黄巾力士移山开石，否则绝非人力可为。

在石林外徘徊了许久，鲁天柳最终决定从左数第二个空隙中穿过去，因为这个空隙比较通彻，能够直接看到里面。

走进石柱林后，便更清楚地看出这些石柱的规则。它们看起来形状各异大小不同，但差异都是在石柱的上部，而下面一人左右的高度都差不多，基本都是三合围的方柱。也就是说这里的布置虽然没有黄巾力士移山开石，却是利用了自然环境的天成之势再人为改造的。

又走了几步后，鲁天柳完全确定了这些石柱的玄机。“八十四风云桩”，这是最早的行军摆阵方法之一。它不属于奇门遁甲之列，原来是用于安营扎寨时防止突袭的。在营寨门外安置好，挂上大旗，不懂其中理法的撞入，便会觉得遮天蔽日、天昏地暗，道路循环无穷尽，再加上里面设置的鹿角丫叉、陷坑暗绊，是很厉害的一道防御工事。

这里的石柱没有八十四根，布置上却更加巧妙。它借助了石柱上的树木杂草和石柱上粗下细的造型，让人一入其中，便有种变了天地的感觉。这其实就是阵法与坎面的区别，“八十四风云桩”被鲁家祖辈改制后的坎面叫“云柱碍”，原是用于大殿与廊额中的机关，是以大殿和廊檐的云柱为碍，把简单的一座大殿变得深邃莫测，起到阻碍和围困的作用。

鲁天柳选中的通畅间隙是走不过去的，里面能看到的景象其实是眼障子。但这鲁家制作的坎面又怎么可能难住鲁天柳，她并没有撤身而出，而是寻出坎面缺陷，几步便绕回到正路上了。鲁天柳之所以敢这样做，是因为这里和进来时的“双碾槽”不一样，它利用的是天然环境，属于僵沿坎，对家没有能力来改这个坎。

唯一让鲁天柳有些心惊的是，这些石柱的顶上不时有砂石、泥土落下，可能是由于年代久远，上面的山石风化得厉害。于是鲁天柳赶紧加速通过，心想别没被坎面困住却让落石砸着那才叫冤枉。

可如果鲁天柳此时抬头查看的话，她也许可以看到石柱上缓慢爬动的一些“东西”。从下面看不到它们的上身和头部，只能看到它们不知是胖鼓还是浮肿的双腿和屁股。皮色灰白中夹杂着暗黄，还有曲折的青道红道交织着布满全身，那是清晰凸露的青筋和血管。许多这样的“东西”正缓缓地往下爬落，它们的动作虽然笨拙却很一致。

奇怪的是鲁天柳清明的三觉也没察觉到这些活物的存在，莫非是什么搅乱了她的三觉，还是什么蒙蔽了这些“东西”的存在。

出了石柱群，展现眼前的景象让鲁天柳屏住了呼吸。

这里的一切都是灵动的，一切都是富有生命力的。她仿佛听到那些无名的小花小草在向她召唤；她仿佛看到水面上荡起的涟漪化作一张张笑脸；树丛中、水面上的鸟雀边飞舞边歌唱；许多翩舞的蝴蝶簇围在一挂银练般的瀑布下，与在山石上溅起的水花追逐嬉戏。

就连围住这里的山体，也起伏得像是活的一般。左边怎么看都像是条曲折游动的蛇，右面则像探首凝视的龟。仙龟灵蛇首尾对！这不就是风水中的“玄武局”吗！而且在龟、蛇头部的合位下有一挂瀑布，这叫“玄武溢液”。这是风水中的绝佳天局，要不是附近有凶穴牵制，单凭这风水格局便能成王成侯、富甲天下。

在鲁天柳面前有个圆形大水潭，水色是深绿的，整个水面绷得浑圆，就像是块巨大的水晶。与这个大水潭相连的是瀑布下的小水潭，那也是圆形的。瀑布很奇怪，上面飞落下的一片片水花如同翎羽一般，没入到水中竟然没有丝毫声息，也不溅起什么水花。只是荡起无数的涟漪，一圈连一圈，一圈套一圈。

两个水潭整体看就像只大葫芦，葫芦腰的部位有个连接水面的狭窄口子。虽然平静的水面看不出小潭的水是否在往大潭中流，但在鲁天柳这边，大潭里的水已经漫出潭沿，四下里往低处流去，汇入周围溪流之中。

葫芦腰的两旁还各有一根石块堆垒起来的石柱，上面已经是青苔层层、乱草横生。这两根柱子一眼可以看出是人为堆垒起来的，而且垒得很随意。上下偏差很大，看着摇摇欲坠，好像随时都会倒。不知道这石柱有什么用处，看着也不像图腾、牌坊之类的物件。

此刻鲁天柳心中油然生出些亲切感，这地方自己好像来过，只是忘记是前世还是梦里，特别是那两根柱子，似乎早就藏在自己的记忆里。

前面已经没有路了，这里已经是悟真谷的终点雁翎瀑。鲁天柳心中很确定这个判断。但冥冥之中似乎有个声音在催促她："来吧，继续往前！不要停住脚步！"

鲁天柳使劲摇晃了一下脑袋，她想从这种幻境中清醒过来。

"是神灵的呼唤还是鬼魂的诱惑？"鲁天柳又打量了一下四周的环境，"这样的地方不应该存在污秽的东西，也许真的是找到正点了，那呼唤是神物之音！"

大水潭上没有桥没有船，沿潭边也绕不过去，因为两边都与石壁相连，除非有能力从刀削般的崖壁上爬过去。鲁天柳蹲下，用手试下水，实在没办法她只能游过去。

手指触碰到水面，一股彻骨的寒冷直冲透脑髓。但水的寒冷还是其次，让她心彻底寒透的却是另有原因。她清明的触觉察觉到水下有股力量，沉寂却强大。这是一股吸力，也许正是在这股力量的作用下，才使得水面像整块的水晶。鲁天柳在潭边捡起一根枯枝，往水潭的中间一扔。枯枝在水面上震颤了两下，托住枯枝的水面凹下一点，接着像是强绽开个缝，枯枝钻入缝中便不见了。整块水晶般的水面竟然连个涟漪都没荡起。

鲁天柳暗自庆幸自己没有完全被周围的景象迷惑，这里的水面竟然连枯枝都不浮，要是贸然入水，后果是可想而知的。

就在鲁天柳踌躇无计之时，突然感觉背后传来一阵阵的寒意。这寒意和那潭水又不相同，像根冰刺、污血和晦垢冻结成的冰刺，慢慢地刺入脊椎，让人感觉寒冷与刺痛相互纠结，并由脊椎扩散至全身，让人不能动也不敢动，就连个冷战都打不出。

与此同时，背后的石柱间落下了更多的砂石泥土，随后一种奇怪的气味也从石柱上方渐渐笼罩下来。

鲁天柳发现自己真的无法动弹了，僵硬的状态迫使她的目光只能看向一个方位，那里有一根不大的树桩，树桩上系着根黑色的绳子，绳子是延伸到水潭中的。

“是‘风熏藤’。”鲁天柳认得。她曾在南方的一些地方，见有人建房子时柱梁并不采用槽扣结构，而是采用简单原始的绑扎法。他们将藤条浸湿后绑扎，等干透后藤结会收缩得更加紧固。用来绑扎的就是这种“风熏藤”，据说这植物不霉不蛀、千年不腐。

“风熏藤”，北宋《南疆寻异》中有记：“熏藤色墨黑，韧而不僵，奇异之处为不腐。”

这可能就是过潭的路径，可是如同冰刺般的冷意让她全身都没了意识，双脚更不能挪动分毫。

就在此时，一个黑色影子从空中快速划过，鲁天柳听到身后有一些压抑且怪异的响动，紧接着自己的身体便像脱开了什么拉扯一样扑了出去，跌爬在树桩旁边。

鲁天柳回头看了一眼正飞入林木之间的黑影，好像是一直神出鬼没跟着大家的那只红眼八哥。

藤绳本来不应该很重，像这样的长度别说是鲁天柳，就是个七八岁的小孩也应该能拉起来，但鲁天柳急切之中竟然没拉动。

藤绳在不停地震颤，这是因为水下的吸力在和她较劲。她开始巧妙地用力，一紧便停，一松便收，将收上来的藤绳挽成圈套在树桩上。她必须抓紧时间，清明的三觉已经感到那股寒意正再次包绕过来。

水漉漉的一条黑色藤绳绷拉在潭面上，另一端固定在对面葫芦腰的位置，就像横挂在水潭上的钢丝。

鲁天柳纵身上了藤绳。刚出水的藤绳很滑，而绷得再紧的长绳索都会往中间挂下，所以她双脚直接滑到中间位置。这下藤绳一下子被压得凹下，脚尖已经触到了水面。鲁天柳一惊，便借助绳子的弹力往前一纵，跃出有四五步远。但纵出容易落脚难，湿滑的藤绳很难站住脚。鲁天柳落下时脚掌在绳上一搭，未曾着力便知道自己这下已然失足，身体直往离葫芦腰不远的水中落去。

鲁天柳已经顾不得一切了，手中“飞絮帕”撒出，往那根看着极不稳固的石柱绕去。“飞絮帕”的链条挂住了，石柱也没有倒，它们都承受住了下落的鲁天柳。

拉住链条可以荡过去，但荡起的弧线有一个离水面很近的点。于是鲁天柳双眼一闭，极力将身体躺倒放平，紧贴着水面掠过，辫梢在水上划出一线涟漪。

鲁天柳轻盈地落在大小两片水潭交汇的空地上。落地之后并没有马上起来，她静静地在调整急促的呼吸和激荡的心境。她清楚地看到，雁翎瀑飞落的水幕真的和雁翎一般，两片细碎的水花竟然远远飘来，在鲁天柳的头顶散落成晶莹的珠粒，轻轻扑落。

细密的水珠扑落在鲁天柳脸上，她除了感觉出怡神的清凉外，还有丝丝痒意。这感觉让她仿佛投入在一个温柔怀抱，嗅闻到乳汁的鲜香。于是鲁天柳疲惫紧张的脸恬静地笑开了。

真的很奇怪，只是隔着一个水潭，两边的感觉竟然一个像地府一个像仙界。

连接两面水潭的口子真的不大，鲁天柳一个纵步就能越过。但她连着来回好几次，都没有找到另一根藤绳或其他过水的设置。小圆潭虽然不大，但是要想越过去到达瀑布的下面，没有辅助的手段绝不可能。

其实鲁天柳自己也不知道为什么要到那瀑布下去，那里有什么？自己去做什么？只是从那召唤的声音在她脑海里响起后，她心中好像只存有这样一个目标、一个信念！

透过四散飞舞的雁翎状水花，隐约能瞧出瀑布背后是一块冲刷得很光滑的石头，那石头浑圆浑圆的，就像两面山体夹住一个圆球。“仙龟灵蛇，吐液育珠。”这是传说中的一个风水局，是风水典籍上都没有记载过的风水局。

"我是要往那里去！"鲁天柳终于找到了理由，"那圆石被山体夹住后，两边会有个夹角的空隙，和双碾对撞留出空隙的道理一样。也许最终找到宝贝的路就是那里。"

"可是我现在该怎么越过这面水潭呢？"鲁天柳心中焦急，"这里水花落下，连溅起涟漪都很勉强，说明水面的绷紧力更大，水面下有更加难以预测的力量存在。"

"肯定还有其他办法，只是自己被烦躁焦虑迷失了灵慧，一时找不到准点儿。"

鲁天柳重新在水潭边躺了下来，一动不动。她把心神中纠结的所有得失都放弃了，在这个天华地灵的地方尽情享受大自然的抚慰，享受那雁翎水花飞散成的细密水珠对自己脸庞的亲昵。

世间有许多种修道的方法，道家的打坐入定，理学家的冥思入玄，星数推理中的凝视虚升，佛家的吟念忘空……殊途同归，这些方法都是为了集中思想，摒弃杂念和纷扰，用空灵的思想和心境去领悟玄妙深奥的理义，但在这些修行派别形成前，人们最原始的领悟方法大概就是入梦，其实这入梦并不是真正睡着了去做梦，而是把自己放松，进入到一个半睡半醒的状态，这样的状态可以避开五官的干扰，让大脑处于一个绝佳的思维环境。

身体处于一个仙界般的环境，思维便运转得更加玄妙。入梦后的鲁天柳在寻找一些东西，寻找一些迹象，寻找一些缺儿和破绽。她又见到了老爹鲁盛义、五郎、俞有刺，还有周天师，咦，好像还少了什么人。她仿佛又听到了水声，思绪随之回到了逃出太湖三岛的船上。

八卦引

几天前，周天师从龙虎山取得真言回到太湖，不料遭对家尾随，不得已领着鲁天柳等人趁天黑划船逃出太湖三岛，太湖中船行了一夜，庆幸的是没遇到任何危险。天大亮后，他们从太湖南岸一个偏僻的水湾弃船登陆，但是让周天师万万没料到的是，在这个野猫都不拉屎的地方，竟然发现了天师教的暗记“裂妖云”。

周天师带大家伙儿按暗记一路寻出三里多地，最终在一所破庙中找到留暗记的人，一个在天师教帮厨的老厨工。这事情让周天师很是诧异，山上的打杂帮工都是外雇，不算天师教的人，更不该懂教中密传的暗记。

天师教饮食不讲精细，只论饱熟，所以人虽多，却不请厨师，只请厨工。这个邋遢的老厨工周天师认识，因为这老头儿虽然不是厨师，却总喜欢在烧菜时把些粗陋的材料翻些花样出来，味道也还算可口。而且他还喜欢喝酒斗口，是酒瓶不离手，骂人拐着钩，所以教里都知道有他这一号。周天师曾经问过他叫什么，老厨工说自己小时是个孤儿，现在是个孤老，无名无姓。自打做厨工后，大伙儿都管他叫水油爆。这名字来由可能是自己喜欢琢磨着变菜样，水煮的改油炒，油焖的改水炖，也有可能是他特别会骂人，像是水进热油立时起爆儿，所以才落了这样个不知该算外号还是该算名字的称呼。

“我是水油爆呀！周老天师，你下山些日子就不记得我了。”看着满脸疑惑的老周，老厨工放下嘴边的瓷酒瓶，笑呵呵地抢着说道。周天师能明显觉出迎面冲来的一股子酒气。

“我当然认得你！只是，你怎么来了？”

一问这话，老厨工水油爆马上把脸收敛得很是严肃。

“是这样的，自打你们下山后，龙虎山就没安生过。起先我们还以为是闹鬼跑妖的，后来想想不对，鬼啊妖呀怎么都不敢到咱们龙虎山来闹腾。掌教天师说闹腾的是人，让我们还跟平常一样，该怎么着就怎么着，其他都不要理会。”水油爆一口气说完这些，才又往嘴巴里抿入口酒。

“可前些天一大早，掌教天师却亲自跑到厨房里找我，让我下山，往太湖南岸这边走一趟。并教会我怎么做暗记。我这脑子，费了老劲儿才记住这个怪样式。”

周天师微微点点头，如果龙虎山真的被什么人下眼儿钉，让这样个什么都不是的老厨工下山送信儿倒是最不会引起注意。

“哦！对了，怕你们不信，掌教还给了我个铜不铜金不金的牌子，你们要再过些天不来，我都要用这劳么子换酒喝了。”老厨工掏出个牌子。

周天师吓了一大跳，他一眼便认出那是掌教天师的信符“天师令”。这是龙虎山祖师用东海玄金制成，上面铸有天师擒魍魉的图案，天下只此一块。如非万分紧急的情况下，这“天师令”是绝不离掌教之身的。可现在这“天师令”却在一个老厨工的手里，用来证明这个什么都不是的老厨工的可信程度。到了这一步，周老天师才真正意识到局势的险恶和危急了。

“还有这个，我也不知道装的什么？”水油爆又递过来一只青色小布囊，这倒是天师们人人都有的，用来放朱砂、符咒等等随身用的杂碎物品。

水油爆确实不知道这里面装的是什么东西，就算他打开看过也不可能知道那些是什么东西。但这些东西却让周天师的神情瞬间凝重起来，因为只有他知道，这些东西里暗藏着一些最为重要的信息。

其他人都被安排到破庙的四周警戒，庙里头只留下鲁天柳、鲁盛义、俞有刺、水油爆和周天师。

青囊里倒出的是一堆奇形怪状的碎木片。鲁盛义、俞有刺他们很难想象这东西除了生炉起火外还能派其他什么用场。

老天师很有耐心，他坐在那里足足有一个时辰，终于把那些碎片片拼成一个完整的图形。那是一块木八卦，龙虎山天师教暗传绝密信息的“奇巧百拼木八卦”。但这只八卦很是陈旧，一眼就能看出并非近几代天师所用。和周天师同样有耐心的还有鲁天柳，她也待在这堆碎片前没挪窝，而且要不是她几次出主意，老天师还得多些时候才能把碎片拼完。

拼好的木八卦看不出任何端倪，掌教天师拿这东西到底是要传递什么信息？

“没用吗？我瞧瞧，说不定在背面呢。”水油爆嘴里说着，伸手便拿那木八卦。其他人想拦都来不及，他已经把东西抄在手里了。

“咦？”“咦——？”大家发出一阵惊异的声音，谁都没有想到，一大堆碎片拼成的木八卦在水油爆的手上竟然没碎，还是一个整块。

水油爆一翻手，将八卦反拍在案面上。大家没急着查找反面是否有线索，而是先细看那八卦为什么没碎。原来，这些碎片虽然凌乱，但是拼合正确的话，碎片和碎片相互间是会有些支撑力的。只要是将它们整体用轻重合适的力道抄拿起来，便不会碎，但这抄拿的手法和力道的把握，却不应该是这样一个邋遢老厨工能办到的。

有人盯住水油爆的脸，也有人盯住水油爆的手。眼中除了疑惑还是疑惑。

水油爆从大家的眼光中似乎意识到什么，但他又确实不知道有什么需要解释，于是他反倒比其他人更加疑惑。

鲁天柳食指在木八卦的边上轻轻一碰，几块碎片便分离开来。当水油爆的目光落在那个脱落的碎木片上时，他听到了鲁天柳软侬的吴语：“侬真格有本事哉，阿拉碰都碰勿得。”

吴侬软语好听，却不是人人都听得懂。可是水油爆听懂了，他以前曾在大饭庄帮过厨，接触过天南地北各种客人。

“你是说我能把这拿起来呀？哎!我这招叫‘沾手牢’，还真没几个人会嘞，不是吹啊，这不是一天两天能练成的功夫，而且还要摔掉多少盘子碗呢。想当年我在东大胡子肉庄那会儿，从早到晚忙得一身汗两手油，递盘子送碗带端菜，要不会这‘沾手牢’的本事，早被哄到伙计房倒马桶去了。”

哦！几个人从水油爆乱糟糟的话里大概听出些缘由，他这手法和力道是在厨房里打下手练出来。想想也是，满手油，再拿捏个沾油的盘子，用力不是，不用力也不是，的确是需要把握好力道和手法。

“那，我是这样的。”水油爆说着又伸手去抄那木八卦，这次大家仍然没注意到，仍然来不及制止，但水油爆却没把八卦抄起来，他的手刚刚触到木八卦却忽然停住了，“这里有字，这里还有线！”

这堆碎片带来的信息竟然是被这个什么都不是的老厨工最先发现。

字迹混在八卦的爻形图案中，非常的陈旧，而且写得很细很密。但发现后仔细辨别还是能看出内容的：“循天道施威泽，如水漫虚及海际。奉皇命缘流行，舍残身为觅宝迹。三宝铭”

“这联儿是三宝太监郑和远航前铭志的誓言。”谁都没有想到，俞有刺刚听清那些字的内容，马上就说出其来历。

“你能肯定？”周天师不是很相信这个湖匪头儿作出的判断。

俞有刺挺一挺宽大的肩背，伸伸脖子，说道：“我说是就是，明了告诉你们吧，我祖上之所以能暴富，就是挂货船在三宝太监的远航船队背后，做成几大笔海外易货生意。发了以后才圈湖捞水活、买地置码头的。这郑三宝算是我家老祖的恩人，他的言行细末我们家世代相传，不要太清楚呀。”

“那就对了！”周天师听完这话后，满脸的兴奋。“永乐帝因为郑和远航有功，赐名三宝，后世又管他叫三宝太监，这落款对得上。这事情转来转去还是回到永乐帝这儿，我们这路数看来是走对了。”

“你没听我说么？这赐名三宝是在郑和即将第一次远航的时候，赐这名是有用意的，据说是时刻提醒郑和不要忘记什么事，说不定就是这上面写的什么觅宝迹，记着替皇上找好东西吧。”俞有刺对周天师不是太礼貌。这是因为老天师不怎么看得起他这湖匪，现在好不容易得着个机会，便用言语刺扎下老天师。

老天师是什么道行内涵，怎么会与俞有刺争什么牙屑口沫。可是一旁的水油爆却不是个省舌头的料，耳听着俞有刺言语间对老天师不敬，便在一旁插上话来：“这爷们儿口舌好，生得也好，赛过三捻三割的鹦鹉口，又像个落汤挂葱的团鱼子。”

这番话像是夸又像是骂，让人贸然一听还真听不出其中真正的意思。

鲁天柳是第一个反应过来的，她听出水油爆是在骂俞有刺是熬汤的甲鱼呢。转眼再看看俞有刺，矮身量短手脚，又背阔肩宽腰横，脖子不由自主地伸一伸，扭一扭，倒着实像是个甲鱼，扑哧一声笑出声来了。

周天师紧接着也反应过来，心中不由一紧。赶忙把身子往俞有刺和水油爆中间一横，嘴里含糊其辞地打着圆场："说笑了，说笑了。酒多了，酒多了。"因为水油爆戏弄的是个湖匪头子，在人们印象中这些人都是伸手就会要命的。

出人意料的是俞有刺没有生气，反而也笑了："你个老死蟹子，倒真是会骂呀，两句话就把我给做菜了。"

这俞有刺本身外号就是"带刺鼋鳖"，当然不会忌讳别人骂他是甲鱼了，而老厨工一个落汤挂葱，他听来也是觉得新奇有趣。

水油爆见大伙儿被自己的骂逗乐了，很是得意，张口又要接着来："只是你的……"

这次只几个字就被制止了，制止他的不是俞有刺的分水刺，而是周天师如刺般的目光。

"树不笑草软，草不争树风，两块儿里不要起是非，还是说正经事。"周天师说着就又把话头转到那联儿上，"你们瞧这上联，'水流虚及海际'，和黄绫上'虚海际'应该是一个意思，并且永乐帝当年确实是派三宝太监行了远航海际之事。现在就剩最后一个'实雁翎'了，也许这句才是最关键的，也或者所有内容要连起来看才能明白真正含义。"

"鲥烟苓？！老天师你倒是真会吃，那可是福建的一道名菜，色香味形都好，还滋补养身，当年……"看来水油爆不仅不怵俞有刺，就这周天师他也没放在眼里。这不，老天师的话还没抖落清爽呢，他就又抢嘴抢舌地聒噪起来。

但才说到一半，他忽然像发现了什么似的，话头一下转了："哎哎哎！这丫头，和你老子打什么眼色儿呢，对心语？说哑话？怕我们听见？这不厚道，这不厚道。有说就说，有骂就骂，我老水反正老脸皮厚的，瞧我不顺你直说。"

鲁天柳是实诚人，被水油爆这一说脸顿时红了。她没想到自己和鲁盛义只是交换了下眼色，也会被这个酒糊糊的老头给看到，而且还这样大呼小叫的，听着像自己做了什么见不得人的事情。

周天师此时像是恍然大悟了，他紧接上水油爆的话头：“对了对了，我怎么糊涂了，那黄绫是你鲁家得的，对它的隐事儿你们家应该知道得最多。我们把寻来的线索都汇在这儿，你们还没下过只言片语的定论呢。”

“勿要嘈！勿要嘈！依格嘴巴子真格像炒爆豆。”鲁天柳边说边愠怒地斜了水油爆一眼。

鲁盛义依旧没有出声，满脸都是为难的神情。

“好的好的，我小声小声。不过鲁爷，你得出声呀，事儿不说不明，疑儿不言不透。你倒是说叨说叨让我也知道个玄乎事儿，也不冤枉白走了这么多的路，往后喝酒也多个就酒的话头。”水油爆听出这里有故事，便紧追着不放。

“是呀，鲁师傅，我们龙虎山为了你家的事情动了许多人力不说，现在还惹事上门不得安定。你要把这事情明说开，我们一块儿使劲儿把它平了。这样龙虎山才能够消停，余大把子也能回太湖重新过无扰的顺日子。”周天师的话还是很有道理的。

“鲁大哥，你说说吧，反正我是撑定你的，只要能寻着解我祖坟厄破的道数，血海鬼狱我都敢去。”俞有刺又习惯地扭下脖子。

鲁盛义低垂着头一动不动地坐着，粗壮的双手很用力地握在一起，上面青筋突跳、骨肌蠕动。

终于，他下定了决心，抬头站了起来，扫视一圈说道：“这趟事面儿铺大了，我没想到龙虎山会为这几个字动这么多人，然后还连累了余老弟的手下兄弟。可铺开了再要掩就难了，听进了再要拔也晚了。先头里说清，这事是为了苍生后世积德造福，但行这事也是凶险异常。你们可思量好，真个要把事帘儿挑了，我们父女两个可要赖在你们身上了。”

其实这话主要是说给周天师听的，俞有刺和鲁盛义已经不是一天的交情了，对鲁家的事情多少知道些。

周天师没多说话，只是点了点头。鲁盛义知道，对于这样道行的人来说，点点头已经足够了。

“一句话。用得着我，你说话，用不着我，我吃饭。”水油爆声音很高，口齿却不是很清楚，大概是嘴里的酒没来得及咽下去。

“水老哥，这事你就不要听了，到时候要烦得你没辰光喝酒的。”鲁盛义说。

“不让我听，那也行，走了。对了，掌教天师还让我带个什么口信的，不过我好像有些忘记了。”水油爆说着就往庙外走。

“真格假格？侬递个信还掖点私哉？”鲁天柳问。

“没法子，帮厨落下的毛病，切个啥剁个啥总要藏点好的在身上。”

“别走。”水油爆经过俞有刺身边时，被他一把拦下了，“鲁大哥，让他听，行事时也带上他，我看着。”俞有刺想得很清楚，这样个人，不碍事就留着，碍事杀了灭口，先把他知道的信儿套全了再说。

其实鲁盛义刚才的话对水油爆是个试探，他心里隐隐觉得这个外表邋遢不羁的老厨工不是个省料的货色。就他的一番真真假假的说道，和他那招沾手牢的功夫，就算不是老江湖，那也是个杂色众生中熬出的人精。再说，天师教掌教何等神通，他亲自委派过来的人，必然别有玄机用意。

“这样也好，那我把事情原委细说说，水老你也一块儿听听。”于是鲁盛义先把鲁家八宝定凡疆的祖命大概说了一下，然后着重说墨家藏宝被动，鲁、墨两家合力与朱家夺宝的事情，“朱家利用宝贝气数得天下，有一个人起到关键作用的，那就是刘基刘伯温。也正是因为朱家有这样一个半仙高人帮护着，所以墨家和鲁家始终夺不回朱家手中宝贝。

“有一趟，我鲁家在争斗中无意间夺得一个‘命理金匣[1]’，从中得知刘基为朱家窥天机动干戈，破了修炼之功，大折阳寿，必须速离俗世修行先天之本。但离世修行的话，后天人道之数却是要依赖朱家皇家之气才能护住，这样最终才有重新出道的机会。但他知道朱家所仗宝贝已然到宝气敛蓄阶段，要想让朱家江山稳固，必须另寻其他手段。”

这些事鲁盛义说得很有底气，因为是直接从“命理金匣”里获知

1　装有人的发、甲和生辰八字，天数星位。

的。而下面的事情都是鲁、墨两家对朱家长期的窥探，加上对明宫内部人的收买得来的，可靠度不知道有几分。

“刘基离俗之前遍访天下，寻找对朱家江山有利的玄数天机，并总结出最为有效可行的法子告知太祖，让他依法而行。但那时太祖年岁已高了，已经懒得再动，便将这秘密与皇位一并传与皇孙朱允炆，并且告诉他其中真正含义，让他继位后力行其事。

“可刘基千算万算却没算到永乐帝朱棣会夺明朝帝位，朱允炆逃走时带走了那个秘密。夺得帝位后的永乐帝也知道朱家江山的缺陷所在，于是遍寻典籍文载，宫中秘录，并组织众多文匠高手编制《永乐大典》，就是要寻找出和那秘密有关的资料，以保江山永固。”

鲁盛义说到这里打住了。

“稀罕、稀罕！这故事有些意思，后来呢？接着讲啊。”水油爆见鲁盛义住口不说了，便忙不迭地催促起来。

“那么朱家到底动了八宝的哪一宝？”虽然周天师已经隐隐猜出朱家动的是哪一宝，却还是希望能得到证实。

鲁盛义和鲁天柳又对视了一眼，看鲁天柳没有阻止自己的意思，便缓缓说出：“五行‘火’宝。”

“这么说，那十二个字就是朱允文带走的秘密？”周天师知道鲁盛义已经很不愿意再透露更多消息，但这是眼下问题的关键，自己必须要问清。

“我们也不能肯定。”鲁天柳用纯正的官话回答了周天师，“这要看最终解出的真正含义是什么。”

“哦！不过要是真的话，那么永乐帝倒也从其他地方寻找出其中的部分内容。”周天师说。

“是的，你告诉我上武当的经过后，我们也是这样认为的。今天从这木八卦上三宝太监的誓联来看，恐怕永乐帝当年找到的还不止你所说的那么多。但我们现在的疑虑是，如果永乐帝能从其他地方找到这些，那这黄绫上的内容就不一定是刘基留下的匙儿。”鲁天柳说着自己的看法。

“你这想法很有道理，宝相气息的兴衰规律为三百年一轮回，其中百年兴、百年平、百年敛。所以走‘宝字格’的家族兴旺衰败也基本是这样的规律，除非又动用其他宝字和手段再变格局。明朝276年的运道，再加上太祖起事到得天下这一时段的运道，正好三百年左右。这样看来，永乐帝的所得和所行没起到作用。”

“你们不是说他还少了一句什么吗？也许这才是关键。”俞有刺对讨论的事情是极感兴趣的，因为他听出来了，这趟行的事儿与改变命数运道的宝贝有关，自己也许可以借此机会，解了自家风水的厄破。所以他耳中不曾漏过每一个字。

“还有。”鲁盛义开口又停了下，“可能是当年永乐皇帝没有解出这几个字的真正玄意，所以他的所行都是错的。”

周天师捋了下胡子微微点头：“这都有可能，不过从字面上来说，永乐皇帝的做法倒都是兼顾到了。‘火灵继’，可以理解为继续火灵的作用，也可以理解为继续火灵之后的水冥之力，简单点说就是找到水宝。火宝衰敛之时，却是水宝正兴。永乐帝建真武金殿，塑假像真武，这是祈真武水神佑护。引雷火烧殿，借天火延续自家手中火宝的宝力，但其效甚微，这引来的天火之力也就只能维持金殿中一盏孤灯长明而已。后又派郑和远赴海际，其他历朝历代皇帝都是从内陆与外界相交，唯永乐要走水路，而且还赐名郑和三宝太监。这也不外乎是想假借水冥之力，同时搜罗期望中的和期望之外的各种宝贝。”

“可我们却不能够再像永乐帝那样去理解，因为他的做法我们办不到，最重要的是他那样做没找到真正的水冥。”鲁天柳说。

“我们现在最需要理解的是最后一句‘实雁翎’是什么意思。”鲁盛义说。

“是呀！等全部意思都懂了，联系起来理解或许会有新的发现。”周天师有着同样的感慨。

鲁天柳突然想起了什么：“喂！水油爆，侬个怎没声息哉？侬讲格掌教师祖的口信哉？快点讲呀！”

大家的目光一起盯向水油爆。水油爆得意地一笑，又往嘴里抿口酒，这才满嘴酒气地凑到大家跟前低声说道：“去浙江衢州江郎山的笔头峰找第二个送信的。”

阴阳辨

大伙儿在太湖三岛静观了两天，没发现追尾的对家，江湖之上也未有什么异动传闻。于是周天师带头趁夜进了浙江境，直奔江郎山笔头峰。

他们此行非常谨慎小心。首先除了知情人以外，其他跟班都不知道这是要往哪里去，每天前行的路段都临时安排，每段路都先派人踩点，安全后再放信儿让后面的人跟进。最后还留人扫尾，并观察背后有没有坠子。

踩点的是关五郎，他是这群人中除鲁天柳和鲁盛义外最值得信任的了。扫尾的是周天师的两个童儿。童儿年纪小，不容易被注意，做事也细心，重要的是他们不知道丝毫内情，与要了的大事没任何利益冲突。

其他人都走在一堆，这样可以互相照应也可以互相监督，防止有人将一些信息找机会透露出去。

水油爆这老家伙一路上酒瓶没离过手，看看景儿，喝喝小酒，空下来再和人斗斗嘴，倒是最开心逍遥的一个。

再后面是俞有刺推着一只船。这只小船底下装着一只独轮，和一般放鸬鹚的小船很相像，撑篙前后绳扣一穿，篙子往肩上一搭，就和小车一样。所不同的是其他鸬鹚船都是木头的，而他这船是一只铜壳船。铸这只船用的全是流觥山下流觥河底捞上来的乌青铜，这种铜料轻如木，坚如钢，早在宋代《金料谱》中就有记载。流觥河水急漩密，深难探底，以前的人只偶尔在河边捡到些铜石，要都能像俞有刺这般好的水性下去捞，那河底的铜石早就绝迹了。

船上堆满了东西，其中大部分是必要的用品和干粮饮水，还有就是俞有刺多年积蓄的细软，其中包括他祖上留下的“刺水铜甲”，所以船很重。俞有刺在后面推着，他的两个徒弟在前面用绳子帮忙拉着。俞有刺身后是他的结拜兄弟黄大蟹，他和俞有刺替换着推船。

俞有刺不管是推船走，还是空手走，始终都盯着水油爆。自己说过会看住这老家伙，就一定会做到。水油爆一路上和俞有刺还算客气，因为他这一路喝的酒都是俞有刺买的，而且往后几天预备着的几瓶酒也都在俞有刺的船上。

江郎山的笔头峰并不是太高，所以除了俞有刺的两个徒弟留下看船外，其他人都像游山玩水的闲客轻松地登上去。

大家在峰上文华亭等了两天，始终没有等到龙虎山第二个传信的，最后就连周天师都开始怀疑水油爆了。

“我要是骗你们，你们把我油煮、水爆、火焖，烧熟了不吃直接倒泔水桶都成！”水油爆信誓旦旦。

鲁天柳性子直，忍不住笑着说：“侬个油煮哉、水爆哉、火焖哉，龙虎山个祖师吃侬烧个小菜没气得把侬给吃咯？”

“你的意思是说我做菜难吃？你不相信我的手艺？你问问周老天师！不然我下山烧给你尝尝！”水油爆有些急赤白咧，看来他很在乎别人对他厨艺的看法。

没人继续跟水油爆纠缠口舌，这番对话让大家咽口水都有些来不及。上山两天，大家只能吃干粮喝山泉，所以肠胃间都寡淡得很。

全都在山上候着也不是办法，大家商量了下，决定留下周天师、鲁盛义和鲁天柳三个人继续等，其他人把剩余的干粮留下，便先行下山了。

到第五天，山下人估摸鲁天柳他们干粮快吃光了，便让人往上送吃的。水油爆坚持要上来，因为他亲手烧了两个得意的小菜，要让鲁天柳见识一下自己的厨艺。

于是俞有刺跟着水油爆，一起上了笔头峰。

两个人刚上到峰顶，带来的饭菜还没进口，那送信的终于到了。这次仍然是口信，简单的两句话：“展翅东南，层翎接海。”送信的虽然不是人，这简单的两句话倒是说得字正腔圆。

周天师和水油爆都认得那是掌教天师精心饲养的红眼八哥。天师教养了不少八哥，因为它是四大灵禽之一，可以来往于阴阳两世之间，天师法中就有用八哥传鬼语问前世今生的法术。而这只八哥来历更不一般，它的正名应该叫“奕睿”。《灵禽传》中曾有：“奕睿天禽，阴阳随行，火眼辨邪，口吐魔音。喜恶地，多夜行，喙食鬼脑，爪挖尸精。养之，为护吉驱邪善器。”

水油爆一见这只八哥，便在手心中倒了些酒。那八哥便落在水油爆的手臂上，探头去喝掌心中的酒。一看便知这两个是老朋友，一人一鸟两个酒鬼。也难为掌门天师如此大胆地棋行险着，用他们两个来送信。

“老水，你别喂醉了它，先弄清楚还有没有其他的口信，别再把什么掖藏着。”俞有刺看着八哥喝酒虽然也觉得新鲜好玩儿，却没忘记上次水油爆的教训。

“嘿嘿，有长进，拐弯骂我是扁毛畜生呢。放心，让它喝，喝开心了它什么都告诉你，喝不开心你上下两张嘴都问不出一个字。”水油爆说着又在掌心里加了点酒。

周天师和鲁盛义听水油爆回俞有刺的话，都没好意思笑。鲁天柳这趟又憋不住了，“噗哧”一声笑出声来。

俞有刺一时还没反应过来，见鲁天柳笑便问：“柳丫头，笑啥呀？”

鲁天柳脸一红，扭头光笑不说。

俞有刺摸摸脑袋，终于回过味来：“哦，你个老死蟹子，骂我吃拉不分。”

水油爆不理俞有刺，一只手托着八哥，另一只端起他带来的一盘菜：“鲁大小姐，你尝尝，你尝尝，我做的油煎白菜，味道绝对的。”

那八哥把水油爆手中的酒喝干了，这才又冒出两句话，很是含糊。

“说的什么呀？再说一遍，再说一遍！”周天师显得有点着急，他生怕漏掉了什么重要的信息。

可任凭周天师怎么着急催促，那八哥只是缩着脖子耷拉着翅膀，根本不予理睬。

“呀！是真醉了还是耍酒疯呢，话也不好好说。”水油爆骂完八哥，回过头又对周天师说：“老天师，你别催它了，这畜生就这德性，让掌教给宠坏了。不过它说的话我听懂了，应该是‘八卦有线，自己看看’。”

大家听水油爆这样一说，再想想八哥刚才的含糊发音，差不多是这几个字。

鲁天柳赶忙掏出木八卦，这碎木片拼成的八卦俞有刺已经用鱼胶封好，不会再轻易碎散了。八卦背面上的线条与文字很清晰，让人怀疑是新画上去的，但线条勾勒出的图形却很怪异，怎么都看不出代表的是什么意思。

木八卦在几个人的手中转了一遍，一帮人还是一头雾水。

只有水油爆没有看木八卦，他一直端着菜盘子拿双筷子跟在鲁天柳旁边，嘴里不住地唠唠叨叨："鲁大小姐耶，你倒是尝尝呀，绝对不骗你，真的好味道。我叫你鲁大姐行不行？你倒是尝一口呀……你吃了要觉得不好，我叫你鲁婶子都行！要么罚我叫你鲁大妈！你不要听别人瞎说，他鱼不鱼鳖不鳖的，还吹牛说自己祖上跟着三宝太监去海外做二道贩子。就算是真的，他祖上也肯定没吃过这么好的白菜。"

俞有刺像是猛然悟出些什么："把那线再给我瞧瞧！"

终于，在众人期待的目光中，俞有刺极其肯定地告诉了大家，那线条画的形状，与三宝太监出海远航前计划的图形是一样的。

"如果真是三宝太监的远航图形，那么这结果我们就不用考虑了。因为事实已经证明永乐帝'远海际'的做法没有达到目的。唉！都说我们天师教能一掌天地，阴阳双握，有时却连世上一个小小玄机都勘不破理不清。"周天师的感慨中带有巨大的失落和沮丧。

"一掌天地，阴阳双握！"鲁天柳重复了一遍这句话，她感觉有一线灵光从脑中闪过。《玄觉·阴阳篇》有："万物皆有阴阳，以觉知物，需阴阳尽了。付诸行则为视正反、触内外、聆静动、揣明暗……"

鲁天柳拿起了木八卦，一个手指点住背面那处线条勾勒的部位，然后慢慢将八卦翻了过来，让正面朝上。最先理解她动作的是周天师，老天师一步迈过来，双手轻轻捏住木八卦的边沿。捏住八卦的手指微微有些不稳，平缓的呼吸也变得有些急促。一个道行高深的天师出现这种状态，由此可知他的激动和兴奋到了何种程度。

巽木位，那线条画的图形对应木八卦的正面是巽木位。巽木卦象主东南，为风卦象。但鲁天柳、周天师都是学过先天数古形八卦的，他们知道这位置在先天数古八卦中有另一层意思。巽木卦，又为顺卦，世上何物最顺，为水。另外后天风卦象的注解中有“一伏未起后复兴”的定语，这其实也是从先天水相的后浪压前浪来解的。

鲁天柳和周天师对视了一眼，他们都在极力平复自己的心境。心境也许能用道家的定力按捺住，而纵横的思绪却是无法阻挡的。

这个线条图形竟然对应的是巽木位，也就是先天数古八卦中成世八数的“水”位。“火灵继”为水冥，“假真武”为借力水神，“远海际”为行水路，也可以理解为离得很远的海边。这些也许都在为最后一句做着铺垫和定义。

鲁天柳轻轻吁了口气，这是她从《玄觉》中学会的控制方法。待心境平复，她才缓缓而言：“记得老天师说过，武当那位道爷提到朱家永乐帝不知从什么地方得来个说法，把北平紫禁城和武当天柱峰定为天地阴阳两眼，并且还是南北阴阳倒置。你看，这道理是否与先天数古八卦相合？”

周天师想都没想就点了点头。

“那么如果把这八卦中间的阳眼位定为北平，把阴眼位定为武当，那么我手指所点反面的图形大概在什么方位？”

“横气走东，立步朝南，神州之东南方位，展翅东南，层翎接海，这大概是福建的……”周天师在思忖、在迟疑，因为他不敢肯定。

就在老天师要说未说之际，鲁盛义再也按捺不住了，一句话冲口而出：“武夷东览胜，千岭列如翎！”

“武夷东览胜，千岭列如翎”和“展翅东南，层翎接海”都是说在福建武夷山以东，有一片地域岭连岭、岭叠岭，坡崖交错，沟谷纵横，就如同排列着的层层翎羽。

鲁盛义之所以知道这个地方，是因为他在绍兴查探宝迹时，结识过一个篾匠。篾匠就住在这片坡岭层叠如同翎羽的山区，一个被竹海翠嶂围裹的山村里。

篾匠叫祝节高，有一手妙到毫巅的竹器手艺。他编制竹器时，从剖竹、剔片、刮芒，到编制成器，整个过程只在片刻之间，让人叹为观止。而更让人感到不可思议的是，编制过程中，他还能利用竹料各层色彩和深浅的差别，在竹器上编出图案花样。鲁盛义曾经看他编过一只竹篓，只见双手十指翻飞，蔑条左旋右摆，还没等瞧得仔细，那米黄色中嵌几朵墨菊的竹篓就已经编成。

不过鲁盛义与他深交却另有一番道理。那是因为他从祝节高编制的众多竹器中看出鲁家特有的工法。比如做竹家具时，祝节高会在承重主料边加暗销，这点和鲁家六工“架梁”中柱梁之间加暗榫的方法是一个道理；还有在竹器外加编浮出的立体图案时，他使用的引枝错插手法和鲁家“余方独刻”的木工雕刻技法非常相似；最重要的一点，他编出的大六格眼提篮，竹片篾条的排列格局与鲁家独有的“斜插竹篱格”是同样的规律。由此，鲁盛义认定这个祝节高是哪处护宝祖辈的后人，就算不是，也必有渊源。

与祝节高交往几次后，鲁盛义发现这人应该是个不见世面的木讷手艺人。他从小到大一直生活在山里头，三十多岁了就出过两次山。他的竹器手艺是祖传的，但祖上没传下一丝和鲁家有关系的信息和线索。

但有种现象很奇怪，面对鲁盛义的各种试探，祝篾匠就像梦中未醒一样茫然。可处事交往上，祝节高却很是老道，谈吐举止不逊老江湖。而且这人定力很好，不惊不乍，很难从他神情上琢磨出心里想什么。

其实人都有两面性，像祝节高这人就很难说。要么他真的是淳朴之极，要么就是连江湖走老了的鲁盛义都骗过，城府之深无法揣度。

鲁盛义每次外出，要是经过千翎山区，都会去看看这位朋友。山里的生活比起外面来要艰难许多，鲁盛义还不止一次地周济过他。

这一趟往那地界去，第一站他们就直奔祝节高居住的小山村。

这里如同一片绿色的海洋。一条溪流贯穿的山坳，两边的山坡上全是竹林。山坡的小道上，三四个壮硕的汉子肩扛着刚砍倒的青竹往下走。溪流边一片圆滚的石头上，坐着个几个姑娘婆姨，正悠闲自得地给一把把的蔑条修宽窄、剔毛刺。柔软光滑的蔑条闪烁着油亮的光泽，就如同巨石下“哗哗”流过的溪水一般。一条引水槽架，用粗竹劈开为槽，用细竹交叉为架，从水涧那里开始，蜿蜒延伸到竹林的深处。

“好地方啊，住这里，俗人都能染上点仙气。”这可能是水油爆这一路说得最正经的一句话。

在村口的场子上，鲁盛义见到了祝节高。虽说是村口，站在这里却看不到一点山村的外貌，整个村落都被竹林密密地掩盖着。要不是有人带着，怎么都不知道这里面还有个住着不少人的山村。

祝篾匠正在教几个小孩子编竹玩意，见到鲁盛义一行人，并没有表现出惊讶，也没有见到远来朋友的欣喜。

又玄意

一只红眼八哥从场子上飞过，停在引水的竹槽上喝水。有不专心编竹器的孩子发现了它，召唤其他孩子一窝蜂围追过去。八哥先在俞有刺铜船的船头停了一下，然后一抖翅膀往竹林中飞去。

那是掌教天师的红眼八哥，送完信后便跟着他们一起走。只是它走的是天路，又是自己寻食，整个路程只露了三四次面，每次在水油爆掌心里喝完酒就又飞得不见了。

八哥把孩子们都引走了，这样篾匠正好可以和鲁盛义不必避讳地聊几句。

“啊，这么多人，来我们这穷山恶水的，可要委屈自己了。”语里的乡音很浓重，语气却是很淡漠。

“实在是有事，这才拉一帮人来扰你清静。”鲁盛义已经习惯了祝篾匠的淡漠。

“哦，要我帮什么忙？”话很直接，这让一些人改变了对他的看法。才对上一句话就知道是来找自己帮忙的，这样的人不会木拙。

“是这样，我们……”鲁盛义话没说完，篾匠便制止了他。

“不要告诉我你们办事的目的，我帮你不图什么，就为你当我是朋友，而你也不是坏人。”语气虽然淡漠，却让鲁盛义心里着实感动。“可你们怎么把事情办到我这里来了，这儿真没什么值当的东西。”对周围景色感叹不已的人们都觉得篾匠有些言不由衷。

鲁盛义为了表示自己的信任，决定把黄绫密言的事情告诉篾匠。他把篾匠拉到一边，背着其他一些人，用手指在旁边引水槽里蘸了蘸，就着身边的青石面写下“火灵继，虚海际，假真武，真雁翎。”这几个字，并且低声给篾匠解释。

篾匠明显没有认真听鲁盛义的解释，只是自己打量那些字，嘴里念念叨叨。

看着篾匠这副神情，鲁盛义慢慢放缓了话语直至停住。

等鲁盛义不说话了，祝篾匠提高了声音：“是不是有几个字写错了？还是记的人听错了？和实名儿差点。”

这句话让其他知道这十二个字意思的人瞪圆了眼睛，怎么？这其中另有含义？

“兄弟，你们几个去向那些大妹子讨些水喝。”

“看看周围有没有什么果树，摘点野果来尝尝，要么挖点竹笋晚上炒着下饭。”

“……”

周天师、俞有刺他们把那些不知内情的人都打发了，然后都围拢到篾匠旁边。

“鲁大哥，你解得也不对，这些字应该两字一名。‘火灵，继虚，海际，假真，武真，雁翎’。‘火灵’是火灵桥，那地方全是枫树，山上又是红石，水下长满红蒿和紫藻，看起来就像全被燃着了似的，所以此桥叫火灵桥。‘继虚’，火灵桥下便是继虚河，这河常年流淌不枯，却又找不到源头在哪里，这叫流继虚无，所以起这么个名字。

“‘海际’是口井的名字，在继虚河下游，离火灵桥有十几里的山路，在个小坡腰上，是个天然水潭。潭口虽然只有水缸大小，却没有人知道它到底有多深。传说这是海眼之一，可以直达到海底龙宫，它是大海汲取天地之水，以保其不枯竭的途径。这井能远远看到，却很难靠到近前，因为这坡子在山洪泄道的正中，坡子下部已经被山洪冲成个倒角樽，上去的人必须会悬空吊攀的技巧。不过本地人就算会这技巧也不去，传说谁要是被这井口的阴寒气一冲，不是生病就是倒霉运。据说还有人当场就被冲落魂魄，掉入井中的。

“下面这两个字我觉得是错了，从海际井往东四个岭头倒是有个嫁贞林，‘嫁贞’与‘假真’这两个字的音儿倒接近。那林子也很奇怪，长的全是贞女树，而且两棵两棵地靠搭在一起。传言说想知道婆姨有没有偷汉子，只要让女人对着两棵靠搭在一起的树磕个头，如果两棵树分开便是贞节未保。

“从嫁贞林下去，沿山谷中水流顺走，二十多里的山底路，再拐折过几道岭弯后，有个悟真谷。这‘悟’与你写的‘武’又不一样。悟真谷很大很深，其中道路艰难，还多毒虫猛兽，十分凶险，起这名字是说从那里进出一趟便可悟得生死、苦乐之真意。但其实那里就算凶险，以前还是有好多人进出过，却也没悟出些什么。

“最后这‘雁翎’是我最不确定的，只是听老辈人说在悟真谷的谷底尽头有个很难找到的延伸段，有人偶然去过那地方，说里面有挂雁翎瀑，因为落下的水流被棱石阻挡、击散，水花如同片片雁翎散落，很是好看。但这是几辈子前留下的传闻，后来也没人证实过。不知道是真是假。”

祝节高说这些的时候，大家都凝神屏气地听着，没人发出一点声响。篾匠的语声一住，便只听见小溪流水、竹林摇曳。

“带我们去那里！”鲁盛义打破沉寂，很坚定地对篾匠说。

“不行！”篾匠很坚定地回绝了。

“为什么？”“为什么？！”“有啥子事？”大家七嘴八舌，有些乱糟糟地。

篾匠一点不着急，气定神闲地等着，等大家都不再吵吵了，他才清了下嗓子说道：“那些地方已经去不得了。你们要是早来一百多年，带你们去那里没问题，但是从我祖爷爷那代起，不单是我们这村子，千道岭这片山区所有的山村都定下不准去那里的规矩。”

“早来一百多年？是我上上辈子，那辰光我住宫里享福，才没闲劲儿来这儿呢。”水油爆听篾匠说得离谱，便调侃起来。

“住宫里你也是太监。不要多嘴，听他说。”俞有刺恶狠狠制止水油爆。

篾匠根本没搭理水油爆，只管自己说道："以前我们这里的人都以采药、卖竹为生，像我们家这样做竹器的都是少数。但是从我祖爷爷那辈子起，外出采药的就经常有人神秘失踪，生死不明。后来经过查找，发现这些人都是在悟真谷、嫁贞林、海际井那一带出事的。有一个从那里侥幸出来的采药人说，那一带的树林、道路全变了，进去后便不见了天日，难辨方向。从此，这里的人家便不再采药，只卖竹，并且大都像我家一样开始学着做竹器、卖竹器。"

祝篾匠没想到，他很有些震慑的话说出后，面前的几个人竟然显出难抑的兴奋。

"路很远吗？要不你给我们画个路线图，我们自己寻着去。"周天师说。

"看怎么说了。要是算直线距离，也不远，可要真走到那地方，连绕带弯、下谷上岭还真不近。"

"路好走吗？大概要走多长时间？我们得把吃的带足了，饿着可怎么办。"水油爆问这话估计是要盘算下要带多少酒。

"从火灵桥到海际井这段路虽然没出怪事情，还是老线儿，但这么多年没人走，我估计路都毁了，没个两天恐怕走不下来。海际井往前一段，据说至少得走六天。再往前我就不知道了。"

鲁天柳在旁边一直都静心地听着篾匠说话，可是不知道为什么，心里总觉得这个看上去很朴实忠厚的人似乎还有些话没说。

"还有其他路吗？"鲁天柳用的是纯正的官话，她怕篾匠听不懂。

"没有。"话虽然这样说，但鲁天柳还是看到篾匠眼神中闪过一丝慌乱。

"那好，我们准备些东西，吃过饭就上路。"鲁盛义这话是对篾匠说的。

篾匠回身叫来远处的一个孩子，让他回村叫家里准备饭，然后又对鲁盛义说："你们要准备些耐饥的，像笋干、苞米青豆饼。水倒不用，沿途都有山泉溪流。要有竹片棒子，走老路开路用，那东西劈枝断叶比刀还好使。再准备些篾足兜，沿继虚河走的话，绑脚底既能防滑，又不容易被碎石扎脚。这些我家里有现成的你们就拿着，少的话我现做。"

说完这些，他就不管鲁盛义他们了，坐回到原来的地方教孩子们编竹器。

饭菜很快好了，都是山里的土产，笋干、蘑菇、山药之类的，主食是竹筒苞米饭。祝节高没有把鲁盛义他们往村里让，饭菜是一群丫头、小子给端到场子上来的。

大家也没介意，拿起东西就吃。都不是讲究的人，一路干粮吃腻了，这些简单的饭菜倒也吃得有滋有味。

鲁天柳端着一筒苞米饭坐到篾匠的旁边。篾匠没有抬头，始终认真地在编只篾笸箩。鲁天柳听说过篾匠神奇的手艺，但这样一个普通的笸箩他已经编了许久。很明显，这是在用手里的活计掩饰什么。

“这些孩子好乖巧，女孩儿水灵，男孩儿机灵。这地方也好，像神仙地儿似的。要一直能过这种日子就好了！哎，祝大叔，你真不想知道我们要去那里干什么？”

篾匠低着头，无声地摇摇脑袋。

“有好多事情老辈人说不能做，是不想后代吃苦受罪，就像不准去悟真谷的规矩。可有些事老辈人不做，后代便会吃更多的苦。要是这里山不绿了，水不清了，这些可爱的孩子们没吃没喝了。你会不会闯到悟真谷里去为他们找新的村子？”

篾匠不作声也没有摇头。

“好些事兴许你比我们更清楚，我也不多说。只是告诉你，我们做的事，目的和这差不多……”没等鲁天柳说完，篾匠站起身走了，很快消失在竹林深处。

一直到鲁盛义他们上路，篾匠都没再露过面。只是让人送来他们路上要用的东西和一张草草手绘的路线图。

从路线图上看，出了山坳，应该沿山脚的小路往南，然后绕过左边的岭子转回来朝东北方向走，过了两道岭相夹的岔口往右走一段，就到火灵桥了。

刚出山坳，鲁天柳就停住了脚步：“等等，还有人会来。”

大家都有些懵懂，只有周天师微微牵出一丝赞许的笑意。

过了两三袋烟的工夫，俞有刺他们已经有些不耐烦了，但鲁天柳始终坚持："会有格人来哉，莫急，不会耽搁阿拉这厢辰光。"与篾匠交谈后，鲁天柳就已经确定他会跟来，因为她能看穿篾匠的神情和行为，这大概是《玄觉》开启了她的某种潜能。

鲁天柳的话刚说完，一个瘦长的身影出现在进出山坳的路口，正是篾匠祝节高。

祝节高的装束很特别，腰里缠了一捆蔑条，手腕、小腿处是竹片做的护围。戴一顶没收边的斗笠，一圈全是蔑条支棱着。后腰挂着一把腊木把的乌钢砍刀，这是用来砍竹剖竹的，胸前的衣服上有两个横着的布袋，里面插着一把细长的蔑刀和一把方形的刀片，这是用来剔篾片和刮毛刺的。做竹器一般都是坐着，工具放在胸前最趁手。

"在等我？"篾匠问。

"在等你！"鲁天柳说。

"知道我会来？"

"也许，但不知道你为什么来。"

"因为你们不是坏人。"

"你怎么知道我们不是坏人？"鲁天柳笑了。

"因为坏人早就来了。"篾匠也笑了。

这句话让一些人脸色陡变，心如鼓擂……

第六章　踏入养尸地，鬼爪缠身

周天师所说的养尸地，就是将尚未死绝之人用三角形纯银箔封泥丸宫，这样可以使得尸体散了七魄，仍留三魂在体中。然后将尸身竖直埋在土下，头部距地面一尺半，为阴阳交汇的界线。这样尸身就能同时吸收阴阳两股地气，这就叫养尸。养尸具备阳尸阴魂的特点，无痛无觉、力大无穷，在咒符引动下，为器为杀，为迷为煞。关于养尸，宋代黎岱所著《异葬记》、元代无名氏的《黔泊野谈》中都有记载。

匿蒿深

从火灵桥开始走的话，恐怕要几天才能到达嫁贞林，其中还要保证能够顺利地通过早已属于危险地带的海际井。但祝节高带大家走了另外一条路，一条普通人没法走的路。这路虽然艰难得多，却也相对安全得多，而且从这里走，两天不到的时间就可以到达嫁贞林。

祝篾匠本来倒也没想到走这条路，是俞有刺的铜船提醒了他。

"你们这船能逆闯急流吗？"篾匠问。

"不是船的问题，要有划船的硬手，要有个好的'瞄流花儿[1]'，还要有好桨子。"俞有刺说的都是实情。

"桨子我能做。"篾匠懂桨子，而且会扎桨子。他扎的是竹条桨，这桨子韧劲足，承力大，并且在遭遇太大力度时，竹条间会绽开缝隙疏流，保护桨把不被折断。

俞有刺扫了大家一眼："那试试吧。"

敢说试试，就起码有八分以上的把握，否则俞有刺会断然拒绝。走江湖不是要把戏，来不得虚的。俞有刺扫看大家，那是在确定这里的人手能不能凑够成对的桨把子和一个"瞄流花儿"。

结果俞有刺决定亲自做"瞄流花儿"。逆冲激流，"瞄流花儿"的作用很大。他必须趴在船头，观察水流和漩子变化。并迅速做出判断，指挥各个桨把子的力度，调整船头方向。避免船与激流直撞，还要躲开水下暗石，利用水流的切隙和回流，减小船头阻力。

划船的好手正好有四个，俞有刺的两个徒弟，把兄弟黄大蟹，再加上一个善于使船且天生神力的五郎。他们商量好了，水流缓时单对划

1 急流行船中需要配备的重要人员，负责查看水况。

桨，轮流休息，保持体力，遇到急流时四个人便一起上。

做好一切准备后，篾匠便领大家穿过一片碎石滩，来到一条山间小河前："这条河当地人叫它'过天渠'，我们就从此处逆流而上。"

篾匠不但做了几把竹条桨，还扎了个不大不小的竹筏。竹筏的前端安了个非常牢固的竹辘轳。

俞有刺的铜船先逆流而上，并带上篾匠用竹丝编的绳头。等到了一定距离后，将绳头固定在一个地方，后面的人用竹辘轳收绞绳子的另一端，让竹筏前行，这样竹筏也就能逆流而上了。

"过天渠"的水流很急，却没有难住几个操船的好手，倒是流经的几处地方吓得他们眼晕心颤、一身冷汗。其中几处地方一边是往上的万丈峭壁，而另一边过渠沿是往下的万丈悬崖，而且这些地方的河水已经漫过渠沿，顺峭壁落下，形成大片的帘状瀑布。他们的船也就是在瀑布流落而下的边缘上划过；还有两处的渠道根本就是在石坝顶上流过，两边都是往下的万丈悬崖。这些地方只要稍有什么闪失，铜壳船随时可能冲过低矮的渠沿摔下深渊。

难怪叫"过天渠"，这条河真的就像是从天上流过。这也是为什么一定要逆流而上，而不能顺着河道边岸走过去的原因，因为有河无岸，只能从水上漂过去。

而且走这条河道还非俞有刺的铜船不行。逆流而上时，需要不断随水流改变方向，这就无可避免地会与水下暗石和沿岸石壁发生碰撞。而且在河段回旋往下，那铜船还要借助石壁减缓冲劲，所以时不时能看到船体与石壁摩擦出的串串火花。这要是其他什么船，早就成碎片了。

冲上最后一道急流后，他们终于进入了一个平缓的宽大水面。这时四个划桨的都感觉自己像散了架一样。而俞有刺呢，一双眼睛因为长时间处于紧张的查辨状态，没机会休息，那眼皮已经麻木得合不上了。

此处的景致又是另一番天地，四面山岭团团包围，那些山岭上的树木红一片绿一片，裸露的山石黄一片褐一片，多彩斑斓。水面看着很平静，蓝洼洼一块像是凝结住了一般。而其实这水面的周围有不下百道溪流、泉眼不断有水注入，所以这里被叫做"聚流池"，也有管这叫"天酒盅”的。但是这酒盅的口子却不规则，南面有个柔和的湾子。为什么说是柔和？因为那湾子的岸上长满了密密的蒿草，清风吹过，就像一捧柔软的头发。

“其实更像眉毛。如果从山上往下看，这里的水面和那蒿草真的像是眼睛和眉毛。所以那个水湾叫‘眉子弯’。”到了这里，篾匠显得轻松了许多。

“这滩水要是像眼睛，那也是个流泪的眼睛。”水油爆一路没说话，大概是被周围凶险的景象吓住了，这时刚刚缓过来，接上话茬。

“也对也对！”篾匠回头看看背后“过天渠”的流口，连连点头。

鲁天柳心里一愣，水油爆的话让她感觉有点不祥。她转头看了周天师一眼，发现他眉宇间微妙地一紧。

他们是从“眉子弯”上的岸，上岸后才发现，这些眉毛比远处看到的要密得多也高得多，进到蒿草里，一步之外便看不到别人。

这里会有路吗？有路也没法子走呀！

路在眉毛后面的头发里。就像人一样，额前往往会有一缕头发挂搭在眉毛上。“眉子弯”背后也一样，有一个“挂发峡”。那是一条长着更密更高蒿草的峡道，蜿蜒着，真的很像一缕柔顺的发梢。

可这样的路该怎么走？这峡道不但蒿草密生，而且距离还不短。且不说其中有没有危险，就是方向途径都没法看清。

“我在前面砍开一条路。”五郎疏松着因为划船而酸胀不已的胳膊。

“这里是‘套管子蒿’，往峡子里去是‘外骨杆”和“八层皮”两种蒿草。都是韧性和硬度极好的品种。不说你累不累吧，就你这把刀，砍废了都走不出百步。南宋时岳飞黄天荡大败金兵，就是把金兵引入这种蒿草地里的。”

篾匠嘴里说着，手中却没闲着，在山脚下砍了一根枯死的细竹，然后蔑刀、刮刀并用，没几下便出来个轻巧的连十字方架。然后又摘来一片热带植物一般的大叶子，而这里偏偏也有。篾匠说这植物在他们这里俗名叫“赛织麻”，青绿时坚韧如布，不用刀剪很难弄破，但是枯萎之后，小风一吹便散作碎片。篾匠用蔑刀小心地把“赛织麻”的大叶子剖下一层来，然后用竹丝穿扎在竹架上。做成了一个碧绿颜色的叶形风筝。

鲁盛义和鲁天柳从篾匠开始扎竹架就看出他是要做风筝，因为这竹架的结构和鲁家祖传木鹞的构架有许多相同的路数。

篾匠又从自己带的那捆绳子上撤下一束，捻成根细绳。

“祝老弟，你是要放风筝呀。这小风筝可驮不了我们过滩子。要不让鲁爷给我们做些木鸟儿，不是说鲁家祖先做的木鸟儿能驮着人飞吗？我们坐木鸟儿直接飞过去得了。”水油爆躺在旁边的草堆里，晃荡着一只已经空了的酒瓶对篾匠说。

“木鹞能飞是真的，驮人却未必，因为它本身重量挺大，机括的动力却有限。另外木鹞动后没有定向。”篾匠说话时仍旧低头捻着绳子。

鲁天柳和鲁盛义对视了一眼，相互间的意思很明白：这篾匠竟然知道鲁家最古老的技艺特点。可篾匠偏偏不承认自己是鲁家的传人，是不是其中另有隐情？

“呵呵！你说话倒也好笑，鲁爷他们家做的木鸟儿找不定方向，你这树叶子做的风筝就能找定方向？那你上面还要安双清蒸鱼眼才对，呵呵！”水油爆话里带刺。

“它不用安眼睛，只要我们长着眼睛就行。”篾匠语气还是淡淡的，他对人虽说不热情，不过也不容易生气。大概在山明水秀的山林中待长了，修养出了几分世外之人的气度。

“好了，整一百竹节的绳长。”好半天之后，篾匠抬起头说。

此时天色已晚，整个下午又逆流行船，他们决定先好好休整一下。

“今天确实把大家给累惨了，我这把老骨头也吃不怎么消。不知道前面还有没有这样的逆流河道要走。”周天师盘腿打坐在河边，却心事重重怎么都入不了定。

“没了，下面的路都得靠自己走。当然，这要我们都会走路，也要那路肯让我们走。”篾匠回应老天师的话很有些玄机。奇怪的是没有一个人继续追问，似乎都能明白篾匠话里的意思。

风筝是在第二天的大清早上天的。这风筝虽然不认识路，但它绝对是会顺着风飞的，而峡道里的穿山风也绝对是沿着峡道的方向吹，不管这峡道是曲折蜿蜒的还是笔直通畅的。

所以不管蒿草有多高，后面的人只需看见风筝，跟着风筝走，就不会掉队。

但是眼睛要盯着风筝，脚下就无法走稳当，再加上密密的蒿草连磕带挂，各人行进步伐和速度的差异，人群渐渐松散开来，队伍越拉越长。

鲁天柳原来是和鲁盛义并排走的，他们的前面就是祝篾匠，后面跟着五郎。虽然相互间只隔着两三步，却无法看到人，只能听到声音。后来连声音都听不清了，一则是因为自己钻过和分开蒿草的声音太嘈杂，混淆了听觉，另外是他们相互间的距离已经逐渐拉开。

有几个人倒是始终在一块儿，因为他们是牵在一起的，那是俞有刺和他的两个徒弟。他们一个推船，两个拉船，虽然稍稍滞后一些，但还是可以跟得上队伍的。而俞有刺的把兄弟黄大蟹却不跟他们在一起，俞有刺派他去看住水油爆。这老小子可千万不能丢了，他知道的事情太多嘴又太快。

到了“挂发峡”蒿草滩的尽头，鲁天柳竟然是第一个从蒿草丛里钻出来的。连她自己都没想到，自己竟然会走到祝篾匠的前面。

跟在她后面出来的也不是五郎，而是周天师的徒弟，而旁边本该是鲁盛义的位置，出来的却是周天师。

乱了，人都走乱了！但只要不丢就好。祝篾匠牵着风筝绳出来了，他后面跟着鲁盛义和五郎。他们三个身高差不多，步伐比较一致，所以始终在一起。

再后面是周天师的一个童儿，接着便是俞有刺师徒三个人推着船出来了。

当俞有刺的铜船出来后，蒿草堆中恢复了平静。

“这么慢，好像没声响了。人可还没齐呢！”五郎瓮声瓮响地说了一句。其实周天师、鲁天柳他们早在他之前就发现不对劲，只是都稳住心神没有表露出来。

“不会出什么事吧？”鲁盛义问。

没人回答，没人知道该怎么回答。

鲁天柳走到离别人比较远的地方，然后静心凝神，用清明的三觉在密如浓发般的蒿草中搜寻。过了有好长的一段时间，三觉的搜寻始终是空白的。

“出事了！我回去找找。”俞有刺说完抽出分水刺带着两个徒弟就要再往蒿草中钻。

“不要去！先听我说。”篾匠开口了，“要是真有什么危险的话，你们进去也讨不到好。如果没危险只是走失了，我把风筝挂在这里，他们迟早都能摸出来的。”

“你说得轻松，又没你的兄弟在里面。”俞有刺一脸的愤慨，“有危险我们兄弟死一块儿都是应该的！”

“余当家的，祝老弟说得有理。我也有个童儿没出来，我也很心焦，但事情要考虑清楚后才能做的，你这样反而会坏事的。”周天师那童儿是他从小带大的，就跟自己亲生的孩子一样。

“静声！”鲁天柳突然喊了一句。

大家一下子静下来，回头往峡子里看。大片的蒿草被风吹拂得如同起伏的波浪，但这波浪上却没有一丝涟漪。蒿草没有细处的变化，不可能有人走过。可是鲁天柳却听到了些东西！

有人打了个冷战，有人握紧自己的武器。周天师的徒儿甚至连符咒都掏出来了。

“在那里！”鲁天柳说着话往峡子一侧的石壁跑去。

五郎几个大步抢在了她的前面：“你说，在哪里，我去。”

俞有刺也跟了过来，于是还没等其他人继续做出反应，他们三个已经没入了绿浪般的蒿草丛里。

如同波浪般的蒿草中突然飞出个黑影，带着一声沙哑的怪叫冲上天空。这突兀的情形把人们都吓得够呛，大颗的冷汗顺着额角、脊梁不知不觉中就淌流了下来。

等大家都缓过神后才看清，黑影原来是红眼八哥，这扁毛畜生钻出蒿草便直接飞出了峡口。真是怪，这八哥在篾匠他们村口被小孩们追赶飞走就再没出现过，这时候却突然从这蒿草丛里飞出来。真不愧是掌教天师的仙鸟儿，神出鬼没地。

也就在此时，鲁天柳他们三个背着如同死狗般的水油爆从草丛中出来。这老头眼睛闭得紧紧的，脸色刷白，手中还兀自握住酒瓶不放手。

“怎么回事？！”

“咋会这样的？！”

“还有两个呢？”

大家都哄围上来。

周天师掏出一个小瓶子，倒出两颗药丸要往水油爆嘴里塞，但是他的牙关咬得死死的，撬都撬不开。

“让我来。”祝篾匠随手从地上拔起根小草，抖落草根上的泥土，露出雪白嫩滑的根须。然后他让周老天师走开，自己蹲在水油爆身前，把草根塞到水油爆的鼻孔里搅动了几下。水油爆猛然打个喷嚏，“呕！”的一声醒了过来。

“什么玩意儿？有小葱味，还有点茴香的味儿。可以用来炝冬笋。”不知道水油爆是否真的清醒了，这冬笋还能炝着吃？

“这是‘通全草’，可以清神醒脑去涩。你要是做菜吃，还能通肠道，比巴豆都灵。”篾匠一本正经地回答水油爆的问题。

“哎！老水，你瞧见我兄弟了吗？我让他看着你的。”俞有刺着急地问道。

“你问我？我还问你们呢？我怎么到这儿了。刚才我还觉得自己在做挂炉烤硝肉，熏得我满鼻子满脸的烟火味和硝味。自己还没来得及尝一口味道怎么样，就到这儿了。”

“你那是在做梦！”周天师剩下的那个童儿说。

“是做梦吗？我闻到味道时好像在走着的。我是先烤肉再睡着的，还是先睡着再烤肉的？哎！我怎么糊涂了。”

“算了，不要追问了，他也说不出什么来。烟火味加硝味？我估计他闻岔了，可能不是硝味，而是很相似的硫黄味。用曼陀罗木叶粉熏硫黄，也就是江湖上下三门中的‘迷魂熏香’。这草峡中除了我们应该还有其他什么人。他们三个大概是离我们比较远，落了单才被人下招儿。不过我们事先没有走漏什么消息呀，就是走的路线也是临时决定的，怎么会遇伏呢？”周天师到底是龙虎山“辨微堂”的，见多识广，从水油爆前言不搭后语的几句话中就分析出些头绪来。

“要有问题的话，就是出在昨天晚上。一夜的时间足够什么人豁缝子、走消息。要是昨晚过峡子，也许就不会出这些事情了。”篾匠说。

“你这话的意思是说我们这些人中有暗钉？你说谁看着像，我带的人我用命担保！”俞有刺胸脯拍得啪啪响。

“昨晚夜路换谁都不好走。”鲁天柳说的是实情，但同时心中在暗暗后悔。自己身上带着白蛇眼，把这东西挂在风筝上就能连夜过了“挂发峡”。

“就是呀，这条路径是你带我们走的，这之前是不是……”周天师的徒弟在一旁也插了句话，但话没说完就被周天师严厉的目光制止了。

话虽没说完，道理却是明摆着的，疑点最大的的确是祝篾匠。

“还有那只鸟呢？水老头你和那鸟是搭伴儿，用它豁缝子最方便了。你昏了吧唧的到底是真是假？别是装样吧。”俞有刺的徒弟也插话了，自己师叔不见了，他们都很着急。

“你是说我不是玩意儿？你翻肠子水灌多了，用手走路屎尿冲了头，炸鸡屁股的红油进了眼……”水油爆一听话头对着自己，马上不糊涂了，翻样儿的骂语滚滚而来。要不是俞有刺拦着，他徒弟都要上去抽老水了。

“我们先不要相互猜疑了，还是赶快离开这里。这里的地势很是险恶，别再让对家起了兜子。”鲁盛义虽然也觉得事情蹊跷，但眼下这些人可千万不能起内讧。别正事还没摸到边，就让对家一个小招式全抖落散了。

挂发峡里还没出来的黄大蟹和童儿应该已经凶多吉少了，但眼下不是感情用事的时候，大家虽然各怀疑虑，却都在鲁盛义的建议下迅速离开了。留给蒿草丛里的一线希望，就是那只风筝了……

晨林诡

当祝篾匠带着一群人突然出现在嫁贞林前的时候，嫁贞林里出现了一片骚乱，从里面传出的声音有像隼啼猿嘶的，有像蛙鸣狼嚎的，混杂在一起分外地瘆人。树木草叶更是窸窣声此起彼伏，整片的林冠像是被巨手拂过一般。

他们的出现，到底是惊醒了妖魔恶灵还是唤起了野鬼亡魂?

周天师左手五指快速地动作，如此娴熟的掐指算也只有像他这样道行的龙虎山天师才能做到。

当周天师拇指尖最终在中指二节上停住时，林子恢复成一片死寂。树木草叶都像凝固了，山中的微风竟然不能让它们有稍微的摇摆颤动。

此时的鲁天柳很茫然也很恐惧，她清明的听觉无法从沉寂后的林子中搜索到任何异常的响动，刚才还很是复杂的声响，现在瞬间全部消失。这样的情形让人很难理解，这样的情形更让人感觉害怕。控制力能够达到如此程度，这背后的力量强大得无法度量。

“有些什么东西？”鲁盛义在小声问周天师。

“有些阴晦的东西，却都是人力所为。没事的，他人可为，我们便可止！”周天师的话增加了大家的信心和勇气。

但仅仅有信心和勇气是绝对不够的，要闯入这里的地界最重要的还要有能力。

进到林子里后，他们发现这里的树木真的就像篾匠说的那样，每两棵搭靠在一起。只是从周围地面上的杂草和落叶来看，这里绝不会是百多年未有人来过的。

“老祝，你不是说这里一百多年都不准人来的吗？怎么没有落叶积的淤层。”俞有刺首先发出了疑问。

“侬后来没听祝大叔还讲过一句话格？坏人早就来格。”鲁天柳替篾匠回答了俞有刺的提问，“不能来不是不想来，是坏人不让他们来格。这厢不要说没落叶淤层，侬细看看，连这些树的枝杈都是修剪过格。况且、况且……当心！别碰那树！”鲁天柳最后几个字用的是纯正的官音儿，因为这样重要的警示她怕有人听不清、听不懂。

但是晚了，嫁贞林里一对靠搭在一起的树突然分开了。有人好奇地摸了下它们的枝杈，它们便骤然弹分开来。

随着那对女贞树骤然分开，俞有刺的一个徒弟飞了出去。很难想象，一个魁梧壮硕的渔家汉子、湖上霸匪，筋肌纠凸的身体在分弹开的女贞树前会是这样地轻飘无助。

被自己抚摸的树弹飞出去已经是很意外很奇怪的事情了，但更意外和奇怪的是这样的弹击和飞行才是个开始。身体飞出的落点是另一对女贞树，所以没等身体落地，就再次被击飞而出。这次击飞后的落点仍然是一对搭靠在一起的女贞树。

俞有刺的徒弟跌落在第四对树的树根处，这次倒不是树木没有弹击，而是因为在他飞向第四对树的时候，有个东西抢在他前面撞在那对树上，提前松卸了弹劲。

抢在身体前面的是一只瓷酒瓶，浓烈的曲酒洒得树干树枝上到处都是，酒香飘散得很远很远。

酒瓶的主人只会是水油爆，他在祝篾匠他们村里没吃到酒肉，但继续往前走的时候，却没有忘记要一个细篾的带盖竹篓，把自己剩下的酒带在身边。

“我早就说嘛，像这样有灵性的林子是要带些酒水香烛拜祭下的，要不然会冲撞神灵的。瞧瞧，这瓶酒一洒就好了吧。你们年轻人就是不懂事，唉，老天师怎么也把这茬子给忘了？”水油爆啰里啰唆，听不出真假。

鲁天柳愣了一下。水油爆一直是帮着周天师的，可刚才他最后那句话却是在嗔怪周天师，语气中似乎还有些其他的意思。

俞有刺的这个徒弟“没事”了，左胯骨被弹碎，右胫骨断做三截，两根肋骨戳出皮肉，这样的伤势真没什么事情好让他做了。于是把他移到嫁贞林外面，找个妥善地方安置下，再给他留下干粮和金疮药。他现在唯一要做的就是休息和等待。

俞有刺的心情很沉重，离着要找的正地儿还好远，自己就已经折了一个兄弟一个徒弟。看来有些事情真的不是自己力行便有所得的，应该把希望托付给最有可能达到目的的人。他心中此时另有了打算。

不管水油爆的说法再怎么神乎其神，摔瓶酒是绝不可能解扣的。再说了，他们这才刚踩点坎边，坎面中真正的扣子还没撒落开来呢。

鲁盛义很认真地用“指度”和“伏龙探根”查探了前面要穿过的树林，居然让这个老木匠瞧出这些对子树排列规律的奥妙所在。这里的坎相和鲁家四方连垛堡完全一样，是“三十六天罡朝圣位”，南方坎子家秘传的“偏目错步行”也是这种原理。

天罡朝圣位的走法对步伐的大小快慢要求极高，如果无法掌握其中规律，那么随着每步的移动，会导致视觉发生误差。多步下来，误差叠加，最终让你难以自制地去主动撞树。说白了就是“偏目错步行”，踩入坎面就会目斜脚歪，偏离方向。

没人知道走这里的天罡朝圣位在步伐上要遵循什么规律，大小如何，快慢几许。再则，这里是以对子树为迷障，树木枝叶参差，无法作为参照度量步伐的距离尺寸。这样只要哪一步上差了点，一路走下来，十步之内肯定还是撞树落扣。

但是鲁家对于这种迷字、绕字的坎面有个通用的死法子，那就是探着走。走一步看一步，一步定下后，等视觉恢复正常了再瞄准了踩下一步。虽然这样速度很慢很慢，但对顺出坎面却真的很有效。这种法子一般是由六工中会“辟尘”技法的来实施，因为会“辟尘”工法的人目力好，仔细有耐心，能发现不易觉察的弦扣。

这里懂“辟尘”技法的只有鲁天柳一人，所以第二个踏到扣儿的只能是她。

鲁天柳碰的不是对子树的扣，而是被埋在草地里的一根软皮索子给抽绊出去的。她在一切正常后迈出下一步的过程中，被皮索子弹抽在脚背上。于是鲁天柳失去了重心，直直地朝一对女贞树跌撞过去。

跌撞的鲁天柳没有碰到搭靠在一起的女贞树，她在距离那树已经不到一巴掌距离的刹那突然停住了。原因很简单，从一开始往前探着走时，鲁天柳就已经把“飞絮帕”的链子头绕在五郎的刀杆上。就和他们平常训练配合的那样，一有什么不对劲，五郎随时可以发力将她拉回。

“是八步绷弹绊，柳儿，贴树干绕树根，莫走两对树之间的中档。”其实不用鲁盛义说，鲁天柳也已经看出来了。这种扣子是北方“揽骏索子帮”用得最多的技法，他们主要是用它来捕捉野马、羚子用的。所谓八步绷弹绊，那是对人而言，对于马来说，正好是一纵之下，索子弹前绊后的距离。但是这种扣子有个最大的缺陷，就是绊子头是“强牵[1]”，所以知道了绊子绷弹起来的长度，从“强牵”位走最安全。鲁盛义所说贴树干绕树根就是叫鲁天柳走“强牵”。

鲁天柳贴树干绕树根走，没再出什么意外，而且每过一个八步，她顺手还把那八步绷弹绊的索子给解了。这样做是为了防止前面遇到什么无法对抗的攻袭时，可以快速退撤。

大家都跟在鲁天柳的后面，缓慢地前行，没有一个人抱怨走得慢。在这里，每一处都可能存在恶毒的攻击和杀戮。值得庆幸的是，他们却没有遇到其他什么突袭。可能是对家为了保证坎面的严密性，没考虑到在坎面中暗设活道，所以他们自己也无法快速进出而达到突袭目的。

这种情况鲁盛义注意到，他悄声告诉周天师：“我们现在走的是堵坎，就像无形的围墙一样，最初的意图就是不让人走过去。从这位置进入对家的范围，接下来肯定会遇到重重堵截，大家都要打足精神，随时可能会有厮杀。”

周天师看看这并不密稠的树林，发表了不同的意见：“这林子很大，对家无法料到我们会从哪条道出去。鲁师傅，你不要太担心，出坎沿时，我先用惑目符乱口子掩形，绝对不会有事。”

鲁盛义没再说话，心中却在嘀咕：“这老天师对坎面子明显不太了解，三十六天罡朝圣位最终朝着的是一个圣位，坎子再大也都得绕回来。”

速度真的很慢，直到天色全黑了都没能走出嫁贞林。黑夜的来临也

1　意思是为了能够受力而必须牢靠地固定在地面上。

意味着危险的来临，要在对家的坎面中存身度过黑夜，不仅需要无畏的勇气，更需要高明的手段。

鲁盛义拣根树枝，在地面上画画算算，最终确定在天罡朝圣位坎面和八步绷弹绊交叉的空当处围坐。这个位置正好是树扣和索子扣合围后余留下的空隙，也是对家无法重新下招的死角。

关五郎把朴刀横在双膝上，正对前方而坐。他的脸上布满着凶悍和无畏，那气势真像是力士金刚。五郎是个笨拙的人，更是个专注的人。此刻他脑海反复在构思一个动作，就是凝聚所有的精气和劲道，砍出无坚不摧的一刀。他要以这一刀迎对黑暗中可能出现的危险。

俞有刺把铜船横搁在后方的来路。这玩意儿原先瞧着是个累赘，现在倒绝对是个很好的护盾。

铜船的外面，鲁盛义按“斜叶橱形困”的方位洒下了百十枚“碟座儿朝天钉”。那一颗颗钉子就如同不倒翁一样晃晃悠悠，顶尖闪着寒芒。

五郎正对的前方没有布设什么防护扣子，但周天师却在地上插下了十二道火云朱砂符。这火云朱砂符的功用是在遇到诡异力量时会发出红色光芒，让无形的诡异力量显现。虽说对家无法快速通过无暗活道的坎面袭击，但阴路的技法还是要防的。那种手段与坎面扣子无关，可以随时出现在任何地方。

过去江湖坎子行有规矩，只要是坎面未破，对被困的闯坎人是不另下搏杀手段的。鲁、墨两家最初和朱家争斗时就吃过这样的亏。因为朱家虽然精通坎子却不属于江湖坎子行，他们是为达目的不择手段的。

一直到天色蒙蒙亮，对家都不曾有一点动作，只在黎明前最黑暗的时候，树林中传出两声怪叫，声音不高，听着却是撕心裂肺让人虚汗直流。

最镇静的是周天师，老天师鬼鬼道道见得多，多少厉魂恶魄都在他手上被毁过，几声怪异的叫声是无法让他修炼极深的道心起丝毫波澜的。

鲁天柳也还好，因为在她清明的三觉没有搜索到任何怪异，所以她认为那声响也许是什么夜鸟孤兽发出的。

还有一个极为镇定的人是关五郎，不是他的道行高，而是全神贯注准备劈出一刀的他此时终于支撑不住，眯眼睡着了。对抗了一夜的睡眠此时才来临，那睡意是最深的，所以没有像其他人一样被那声响惊醒。

清晨的山林中一般都会涌起淡淡一片雾气，嫁贞林也不例外。虽然天色已蒙蒙亮了，林子里却凝固着浑浊的雾白，把那些对子树掩盖得影影绰绰，就像披着白纱的鬼怪。

“啊！杀——！”五郎酝酿了一夜的一刀就是在此时劈出的，刀刃锋利的寒光就如同闪电分开了浑浊而凝固的雾白。

刀劈出后却没有能收回，跃起劈杀的五郎落下后仿佛是个石像。踏着坚实的马步，双手紧紧握住鸭蛋粗的水磨钢刀杆，只有粗重的鼻息和蠕动的肌筋在证实着他强悍的生命力。这是在运力，这是在对抗，这是在与一个无形的力量争夺那把刀。

凝住不动的状态只是暂时的。很快，天生神力的五郎双手开始颤抖了，踏住马步的双腿也开始微晃了。这一切应该还不算意外，意外的是那把刀开始泛红了，从刀头开始，通过刀身、刀杆，再到五郎的双手，最后可以看到五郎的脸也涨得通红，像灌满了血，像燃起了火。

周天师的身手瞬间变得敏捷，让人根本无法想象这是个已过花甲的老人。他侧转身体，一步横跨到五郎所持朴刀的侧面。左手从道袍后掖处变魔术似的抽出一道黄符，右手从斜背的布包中掏出一个青色瓷瓶，然后左手食、中两指夹住黄符，右手拇指一挑弹去瓷瓶瓶塞。

“一书分得百页懂，一页分得两路通，阴不为阳用，阳不开阴棂，天光青青，抬头神灵，八方净气，血怨随平。太上老君，急急如赦令！”周天师念念叨叨中，左手一晃，黄符点燃，随着纸灰的飘落，右手瓷瓶也对着那刀头倒下。

瓷瓶的样子是在倾倒什么，但其实什么都没有倒出来。不过随着这个动作，那刀上的红色开始快速褪去。刀杆、手、脸上的红色也在迅速褪去。等五郎的脸色完全恢复正常后，他双腿一软跌坐在地，朴刀也“咣当当”一声掉落，撞在石块上火星四溅。

回头道

周老天师长长舒了口气，回转身来。站在他身后的鲁天柳可以看到老天师额头上有细细的汗珠。

“差点就大意了。”说这话的语气中，周天师多少带着自责，“总以为对家会用夜鬼子，没想到他们还能驱动晨鬼子。”

鲁天柳听这话很好奇，便问道：“什么是夜鬼子、晨鬼子？”

“夜鬼子是夜间出来活动的鬼魅，就是没有阳明之后，从旮旯、地下聚集起来的尸气、沼气一类的阴晦之气。这些气息交汇在一起，就能产生奇怪的力量，这也就是人们一般概念中的鬼。晨鬼子却是在晨昏交界和天色昏暗时才出现，这种气息一般是血气与煞气的聚集，无阳明不出，阳烈即散，有阴暗不见，阴退即现。这和人们平常说的撞邪、遇煞的意思相近。”老天师侃侃而谈，可以听出，天师教对鬼的理解与墨家的见解以及鲁天柳的分析又有不同。

“幸亏是关小哥晨时睡着了，要不然这晨鬼子的暗袭我们都发现不了。它的阴力与夜鬼子是反的，夜鬼子是人清醒时可以觉出，晨鬼子是昏睡时才能觉出。”

关五郎被晨鬼子一闹，已经完全清醒，再没一点睡意。只是精神略显颓落，脸色也不是太好。这也难怪，撞到了鬼，终究是会有些影响的。

“怎么没精神头？害怕了？不就是撞鬼吗，谁死后还不变鬼。来，喝我老水一口酒壮壮胆。”水油爆到底年岁大，又在龙虎山待的时间长了，对这鬼神事情倒没什么害怕的，反倒是主动来安慰五郎。

五郎头一仰，还没反应过来就被水油爆连灌了两口酒，仓促间被呛得直咳。不过他马上一骨碌站了起来，也不知道是酒起了作用，还是被水油爆的话激的。

“其实就是害怕也别不好意思，要没你那一刀，说不定我们都要被鬼索了魂去。”水油爆说的倒是实情，不过好像是话里有话，周天师的眉头不禁微微皱了一下。

等晨雾散尽天色全亮，他们才开始继续前行。不过此时有些人脸上畏缩的表情已经相当明显。这也难怪，有人失踪，有人受伤，再加上白天遇鬼，这些人心里的压力在层层加码。前方就像个无尽的地狱，而他们在这地狱之路上才刚刚开始起步。

又用了大半天时间，他们终于走出了嫁贞林。周天师出林子时燃的两把“清邪隐真香”加上“虚形符”来当惑目子，结果都是白费。林子外面鸟啼树曳，一派宁静平和的景象，根本没有像鲁盛义说的那样有重重截杀。大家的心情顿时放松了许多。

不过祝篾匠却不紧不慢地泼了一盆冷水，说道：“外面的情景已经和老辈人的描述完全不一样了，从分布和范围来看，也有别一般的山区特色，似乎存在着人为设置的规律。”

鲁天柳也看出来了，那些林木草地虽然方位形状各异，但它们的边缘是线形的、光滑的，没有相互的参差和渗透。只这一点就可以肯定，那是人力种植、修整的。除了看出来这点，鲁天柳还嗅出轻风中有淡淡的血腥味道。

“祝大叔，这一带的情形我瞧着邪性，你有没有其他的路？”鲁天柳悄悄问祝篾匠。祝篾匠没有说话，只是摇了摇头。

“鲁大哥，照你们坎子家的路数，我们可是要找到正路往前走，要不然没路就是死路。”俞有刺在悄悄地和鲁盛义说话，不过悄声的话语还是有人听到了，那就是站得离他不算近的水油爆。

“那里有路！”老眼昏花的水油爆竟然是第一个找到路径的，那是在两片颜色迥异的树林交界处，从黄、绿两色间露出的一线白色石阶。

“那里有鸟！”还有人眼神比水油爆更好，是周天师的童儿。

从他们的位置到那条白色的石阶路，这中间是一片面积很大的平缓坡地。整片坡地绿茵茸茸，像是块精工细作的波斯毯子。那些鸟儿就在这草坡上，但是鸟儿不大，只有拳头大小，又长着绿褐色的羽毛，眼力不好还真的很难瞧出来。

童儿总免不了孩子的天性，他蹑足快奔，悄然接近那群鸟。眼瞧着离鸟群已经不到二十步了，那群鸟儿依旧挺着细长的喙儿摇头晃脑在草中寻食，不曾有所觉察。

当童儿已经接近鸟儿不到十步的时候，鸟群慌乱了，开始四散奔逃起来。

“原来是不会飞的笨鸟。你瞧那几只，连跑都跑不快，看来待会要有鸟肉吃了。”俞有刺瞧着有趣，也跟着兴奋起来。而他的徒弟和周天师的徒弟这时候也都飞跑过去，从两边包抄鸟群。

“不要！”鲁天柳大叫了一声。

是俞有刺提醒了她。刚才她也瞧着那群鸟觉得有意思，但当俞有刺说到几只跑不快的鸟儿时，她清明的听觉搜索到金属的摩擦声和啮合声，这是机括运转伸缩才有的特殊声响，而这些声响的源头竟然就是那几只飞不起来的鸟！同时，刚才嗅觉发现到的血腥气味也集中锁定在那几只鸟的身上。

“不要！”鲁天柳的声嘶力竭晚了些，童儿已经朝一只鸟扑过去了，那一瞬间大家或恍惚或真切地看到奔逃的鸟儿回转身来，也朝童儿飞扑过去。

鸟儿被扑住，但扑住鸟儿的童儿没有站起身来。

两位小徒弟在青草铺成的斜坡上急速地停步，但滑溜的草坡加上他们奔跑的惯性，仍是让两人继续滑出十多步后才完全停下。

而此时，那几只跑都跑不快的鸟儿飞了起来，虽然飞得不高，却足够它们凌空冲向刚停住脚步的两个人。

两个人各自挥舞刀剑阻挡，刀剑与那些鸟儿相撞之下竟然发出大声的金属撞击之音，同时还有成串的火星溅出。

“钢隼，是钢隼！快趴倒，贴地趴倒。”他边喊边掏出“子午钉雨盒”。“子午钉雨盒”平时是存放木工用的钉子的，方头大钉、窄尾钉、扭纹钉、榫销钉、芝麻钉等等都可放下，且各有搁槽，取用方便，但只要将盒子底上子午钮翻转，这些钉儿便会被弦簧射出，化作漫天钉雨。

但跑近了后，鲁盛义突然发现那些鸟儿和自己印象中的钢隼不尽相同。虽然鲁家前辈制作的“子午钉雨盒”具有对付钢隼的功效，但能不能应付眼前这种与钢隼相像的动扣子，鲁盛义心里没有十足把握。

俞有刺的徒弟是湖匪出身，干的是刀头舔血的营生，实战经验丰富。听到鲁盛义的喊叫后，他单刀直砍，身体顺势前扑，紧贴草皮滑出。两只钢隼贴着他身体飞过，一只的尖喙挑破了他屁股后面的裤子，另一只的翅膀削断了他脑后一撮头发。

周天师的徒儿也倒了，不过他是被刺倒的。一只钢隼的尖喙直戳入他的左肩，他是顺着这冲刺的力量跌倒的。不过刺中他的钢隼并没有就此放过他，尖喙戳在肉里没有拔出，两只爪子和一对翅膀不住地狂扑乱抓，一时间只看到鲜血四溅，碎肉乱飞。要不是周天师及时赶到，这整个的左臂膀都要不保。

周天师果然身手非同一般，一剑挑出，他徒弟肩上的那只钢隼便远远摔出，左劈右砍让两只冲向他的钢隼落地。可突然之间，草丛中扑飞出一群的钢隼，朝他直冲而去。这下他再也无法对付，而且连贴平地面躲过去都已经来不及了。

一朵巨大的青黄色花朵挡在周天师的前面绽开了。那花朵的花瓣细长柔软，闪动着水流般的光泽。随着花瓣的伸展绽放，冲过来的那群钢隼被尽数裹在其中。

花朵的枝蒂握在祝篾匠的手中，花朵本来是缠绕在篾匠腰间的那捆篾条，只是在他的挥洒抖拨之下，开放得比真正的花朵还多姿。

细长柔软的篾条缠住了钢隼的翅膀、利爪，有一根同时缠住几只的，也有几根同时缠住一只的。那些钢隼在挣扎，在相互碰撞，却无论如何都摆脱不了婉柔的束缚，只能越缠越紧。

又有一群钢隼从草里飞出，此时鲁盛义已经赶到，“子午钉雨盒”朝着那群鸟儿的方向一举，便开启了弦簧机括，一片细密的黑色朝着鸟群铺洒而去。

鸟儿全都掉落在地，只偶尔发出点卡涩的声响。“子午钉雨盒”中的钉子像雨丝一样射出，也像雨丝一样钻入鸟儿身体各处的缝隙，于是机括弦簧被卡住了。

“大家当心，再瞄瞄有没有了。”鲁盛义说着话把手中的藏钉盒交到鲁天柳手中，然后从地上捡起一只中了钉儿的钢隼。“制作技法与鲁家木鹞相近，不过能用精钢制成，且外相动作与真鸟相仿，却是比我鲁家高出一筹。”

“的确像，它是叫钢隼吗？”鲁天柳看着鲁盛义手中的鸟儿也觉得不可思议。

“钢隼也许是个统称，做的时候是依照本地真鸟的模样，这样才具备隐蔽性。只是奇怪，这簧劲驱动的鸟儿，又没杆子操纵，怎么懂攻袭人的？”鲁盛义感到奇怪。

周天师的徒弟虽然疼得龇牙咧嘴、口鼻歪斜，却忍不住要展示自己的见识：“你们没瞧着鸟脖子。哎哟！下面的红点……啊哟……那是‘嗜血定’，西域传来的妖法。”

此时传来周天师悲戚的呼唤声，扑倒的童儿被轻轻翻过身来。他被那只钢隼长长的尖喙斜扎入眼睑，深深刺进左脑之中。而脖颈处也被钢隼锋利的翅膀和钢爪扑抓得血烂一团。

童儿的死是悲伤的事情，但由此带来的警示却是现实的：还往不往前走？

照祝篾匠所说的路程，前面还有好大一段要走，这还不包括那个走一趟便悟得人生生死真义的悟真谷。前方杀机无限，像这样的歹毒杀招不知藏有多少。

没了童儿，伤了徒弟，周天师遭受的打击最大，但他继续前行的决心更加坚定。

同样坚定的还有俞有刺，他已经断了吉脉亡了家人毁了世运。世上什么人最可怕，穷极之人！当然这穷极不单是指贫穷，而是指没有任何值得珍惜和牵挂的。试想处在这种境地的人还有什么能阻挡他前行的脚步？

不过俞有刺的一往无前却是有目的的，他要改变自己的处境，改变世代穷极的逆命。可是道行高深的周天师也如此不住不休地却是为了什么？是为了他修道济世的悯心，还是为了昭德泽福的天命？

祝篾匠很少说话，但他始终都非常认真地在观察别人如何应付那些坎面扣子。在这个过程中，他的神情中渐渐透露出兴奋和激昂，木讷的肉体里仿佛有个狂妄的神灵随时会脱体而出。他也不愿退走，也许是他在这些危险的过程中找到了从未有过的趣味和快乐，也许是他在什么人身上发现实现自己生命意义的希望。

鲁家的人肯定是没有退路，剩下的就只有水油爆。俞有刺瞧着都到这步了，这水老头能跟到这儿已经不易。现在看住他防止泄露秘密也没太大意义了，便主动给老厨工开释："水老头，你转回头吧，有劲儿的话在林子那边搭上我徒弟一块儿转回去。"

"我干嘛回头，跑林子里，随便出来个人就能把我捏死，跟着你们要安全得多。再说了，你怎么不让你徒弟走？"水油爆很拎得清，他的话里有别人疏忽了的道理，这道理是江湖混久了才能懂的生存之道。

俞有刺苦笑着看看自己的徒弟，年轻人被铁隼吓得苍白的脸色到现在还没有恢复过来。即便这样，惊吓未褪的小伙子也不肯走，只回了俞有刺简单一句："我的命在你手里。"说完，眼中一点晶莹都快迸挤出来。

都不愿意回头，那就只好踏上前方无法度测的道路。童儿的尸身就埋在这条路的端头，周天师这样做是为了留个魂引儿，以防不测时能引导大家按正确路线逃出。

水油爆刚才远远看到的真的是一条白石路径，在翡枝碧叶的映衬下显得特别的眩目。

"不要从此路走吧，荒山野岭中出现这么一条精致的道路，其中必然有叵测居心。"周天师大概已经领悟到坎面扣子的厉害，变得异常小心起来。

"你有其他路？"祝篾匠不是在顶撞周天师，他真的是希望这个神奇的老人能显现出什么神仙般的手段来。

周天师并不在意篾匠到底是什么态度，只是轻声说句："我以为你有。"

"这石阶用的是雪玉岩，是矾岗类岩石的一种。因石质密度不高，其中杂质色素会随日晒雨淋流失，所以时间越久色泽越白。从这里石头的洁净度看，这条石阶铺设至少要在五百年以前。"鲁天柳仔细辨别石头后自语道。

其实鲁家对石材的辨别并不是非常在行，只是这鲁天柳和四川乐山的石匠石化松为忘年之交。石化松江湖人称"化松石神"，他对天下石头都了如指掌，对奇石异石惜如性命。鲁天柳对石材的识辨技艺大多是从他那里获取的。

“说得真对，这条白石路以前就有，我们这里的人大都知道。祖辈传下话，说这是条善人之路，也有叫回头道的。最早在这起端处还有个石碑，上面刻着：‘白路皆白走，莫如急回头。’但其实走过这路的人都不会出事，除非是进到了悟真谷里，所以石碑上的字应该是劝阻人们不要去悟真谷，而且这石路两旁多出药材、山果、良木，山民一般不用走完这条路，便已经收获颇丰，转头回家，除非是心性过于贪婪。不过现在难说了，石碑已经不见，山林也有变化。到底是善人之路还是伤人之路只有走过以后才知道。”祝篾匠喋喋不休说了很多。

细心莫过于女人，鲁天柳却是从祝篾匠的话里听出了蹊跷。既然这里有如此重要且充满神奇色彩的路径，祝篾匠怎么从没跟大家提过。

是疏忽了？从一个正常人的性格来说，去过一次的地方是很难忘记的，点点滴滴能够说上一辈子，而居住一辈子的地方，他会觉得没一点值得说的。如果篾匠真是疏忽了、忘了，那么唯一的理由就是他对这条道太熟悉了，潜意识中觉得没必要告诉别人。

篾匠来此之前偏偏又说这里已经封闭了百年以上，那么他又怎会对这条石道如此熟悉？

但是在这样一个危难与尴尬并存的境地，一个人与人之间最需要相互依存和信赖的时候，有些疑问并不适合随便提出。

鲁天柳什么都没问，而是施展开链臂技法，“飞絮帕”球头在石阶上连续碰击。没发觉任何异象之后，她带头往雪白的石阶踏上去。

一个粗壮的身形从旁边蹿出，是关五郎，他抢在鲁天柳的前面站上了石阶……

急奔走

和祝篾匠说的一样，这条白石阶道的两旁的确有许多奇异草木，有些树上还挂着累累果实。这很奇怪，才是万物复苏的开春时分，那些树上却已经结了秋果。远远看那些山果饱满鲜滑，让人口舌生津。但有了前面的教训，没有一个人觉得这会是一份口福。

鲁天柳他们走得并不快，但白石路很快就到头了。也难怪，本来这条道就不是用来走的，而是要人及时回头的。

没有人回头，而不回头就要走更为艰难的路。俞有刺把铜船给弃了，太累赘。整理船上的物品时，篾匠到周围查看了下地形。这地方是处在一个半腰岭的位置，旁边有个蜿蜒而过的底谷。谷中不管是小草还是灌木，还是两旁的树木，都朝着一个方向歪斜，看来这里水季时是条河。歪斜树木的位置挺靠上，说明流过的水量不小，很可能是这周围山岭的主要泄洪道。俞有刺便把铜船一脚踹下山谷，船在蒿草丛中翻滚了几下便不见了。

有路不一定能走，无路也不一定不能走，最让人犯难的往往是有几条路放在面前，这时候能走不能走就在自己一念之间了。

鲁盛义他们面对的有两条路。可是让人为难的是篾匠和周天师各自坚持其中一条道路是正确的。按理说应该听祝篾匠的，这里毕竟是他祖辈生活过的地方。可是周天师认为祝篾匠自己也从没到过这里，前面领的路又没有一段是顺畅无阻的。

周天师的选择是经过周密分析的。他从树林颜色的区别和分布上来看出，前面这片区域和道家的“虚升分清图”非常相似，“虚升分清图”是教导初始修道之人在入虚提升时如何控制自己的七情六欲，把它们各自藏于身体的哪个部位，然后让一脉清灵之气从中蜿蜒而过，最后到达灵窍。周天师选择的那条道儿从蜿蜒走势来看，正应合气脉穿过“虚升分清图”的走径。

“祝老弟，你择的道儿兴许与老人们说的无误，但这百十年来，对家要是把它改了呢？”周天师说得很是客气，完全是用商量的语气。但这话绝对有道理，篾匠知道的路径都是来自祖辈留下的信息，而对家的阻杀设置很可能就是针对这些信息的。

“我不知道自己择的道儿对不对，但我知道这条道怎么走。”祝篾匠很倔，他的性格并不像他手中的竹条那样能直能曲，这和他长时间在山里很少接触外界有关。

一旁的鲁天柳再次听出篾匠话里的破绽：“他知道一条被坎子家掌握了百十年的道路怎么走，是他走过还是有人教过他怎么走？这篾匠到底是哪路神仙？”

“鲁大哥，你相信我就跟我走，不相信我，你们自管跟着天师走，我就在这儿等你们。”篾匠语气始终淡淡的，不带一点烟火味。

“实在不行我们分两路就是了，愿意跟谁自便。”俞有刺瞧两个意见争执不下，便在旁边出了个馊主意。

“既然你知道那路怎么走，我们还是跟着你。不对再退回就是，也不在乎这一天半天时间。”周天师到底是修行高深之人，主动让了步。他的心里很清楚，眼下就这么几个人，力量再要分散开来，别说办成事情，能否有命退回去都是问题。

也许篾匠真是对的，他选择的路走下来山明水秀，处处鲜果灵草，没见到一丝危险的迹象。

不管外人怎么样，鲁家的人却是越走心中越是沉重。坎子家都知道，在大面积的地域中，不可能连续铺开坎面，只能在几处关键位置设坎节，也就是扼住关口。只有对自己设的坎节信心不大的情况下，才会沿途再多设几个杀扣。坎子家管这叫“途扣”，也有叫“线瘤”的，其作用主要是消减攻入坎面的“解家”的有生力量。现在走了半天的路程了，没有发现对家设的一个途扣，一切都和平常的山水没什么区别，道路也算好走，没有需要手脚并用的攀爬路段，太不寻常了……

鲁天柳清明三觉搜索的信息表明有许多活物在他们周围活动，但这些东西没有围击他们，也没有阻拦他们。

鲁天柳脚步越来越慢，渐渐退到队伍的后面。当和前面走的几个人拉开一段距离后，她发现那几个人被枝叶间落下的光线笼罩着，像是镶了金边一般，而身上映照着树叶的各种色彩，斑驳陆离。

“咦？”鲁天柳看了看自己身上，怎么没有和他们一样？刚才和他们在一起时也没注意，离远了才看到，莫非是树木枝叶间偶尔出现的巧合？

不对，不是巧合！鲁天柳灵犀顿通，这正是对家为什么不与我们正面接触的原因，因为我们不知不觉中已经踩入了坎面，对家认为我们目前的处境根本不值得他们动手。

“停一下，我们好像走错了。”鲁天柳没有直接说出踏坎的事实。这主要是怕一些人知道事实后慌乱。应该尽量不动声色，不让对家觉察出自己已经知晓，否则他们很可能改坎。

“没有呀，又不曾有岔道偏路，就一条道走到黑的，闭眼都走不错。”祝篾匠回身朝鲁天柳走近几步说。

“那我们这是在往哪个方向走？”鲁天柳试图通过提问来让大家瞧出处境不妙来。

俞有刺抬头看看天上面落下的光线，然后抢在篾匠前头回答道：“柳丫头，这还瞧不出，是往南。”

鲁天柳点点头，俞有刺用的“天光辨向”是水上人家惯常用的法子，因为在广阔的水面上没有参照物，只能从太阳光的方向上来判别。

“不对，应该是朝东。”祝篾匠又一次和别人的见解不同。不过篾匠要没有把握是不会说出不同见解的。他用的是“迎阳背阴”的法子，这是通过观察树木、山石的色泽以及附着的苔生植物来确定的，这法子和观树木年轮一样都是山里人常用的辨向手段。

“不可能！”俞有刺可没有周天师那样的涵养，见篾匠否定自己的判断，胸中愤火上涌，不做丝毫让步。

鲁盛义是个明白人，一听两人辨别的方向不同，便知道不对劲了。又见俞有刺发火，赶忙打圆场：“老弟，别急，也许两人都辨得对，是我们走错了。

“是不对，我这里瞧出的是往西南方向。”周天师等大家都静下来后，才把他遁甲盘上得到的结果告诉大家。

又一个不同的方向！这下大家都意识到问题的严重，走错了，走到坎面里来了。立刻有两三人用埋怨的眼神看着祝篾匠。

“你这妞娃子，打的什么趣，莫名其妙地研究方向干嘛，我们只要走过去不就行了嘛。”祝篾匠反倒嗔怪起鲁天柳。

这话说得有些道理，也有些强词夺理。而且话一说完，篾匠便只管领头朝前走。

周天师朝俞有刺递了个眼色，俞有刺马上会意，紧赶几步盯牢在篾匠的背后。同时，一对闪着阴寒芒色的分水峨嵋刺也从后腰间抽了出来。

鲁天柳有些着急，她此时感觉这一趟闯得太仓促，还不如没进到千翎山区时那样组织有序各负其责。

“哎！你们听我说，不要急着走，听我说！”鲁天柳往前赶，想把大家拦下来。

可是领头的篾匠却越走越快，后面的人也一个紧跟一个，没人理会鲁天柳。

“等一等，周围有怪声，担心有活扣！”鲁天柳真的急了，她再不能忌讳对家听到自己的话，高叫一声。

祝篾匠猛然停步。紧跟其后的俞有刺也反应迅速，脚掌一横，在离篾匠半尺不到的地方停住。

再后面是俞有刺的徒弟和周天师的徒弟，他们都收身不住，直往俞有刺身上撞来。俞有刺双臂一横，纹丝未动就将后面两个人给架住。

停住脚步的篾匠蹲下来，用手轻轻掀开旁边一蓬细叶草。草下有半个脚掌印。半个穿竹片鞋底的脚掌印。

篾匠将自己的脚伸过去，看得出，这脚印和篾匠的脚掌大小一样，而篾匠穿的鞋也正是竹片编制的。

“怎么回事？！”俞有刺愣了。

“是循道坎吗？”鲁盛义赶上来问。

篾匠点点头，又马上摇摇头，却始终没有说一句话。

“嘘！都静声！”刚在大家身后站住的鲁天柳语气有些微颤。

“怎么了？觉出什么了吗？”水油爆看着鲁天柳紧张的表情，轻声问了句。

鲁盛义也用忧虑的目光注视着鲁天柳。

“他们来了，到处都有，越来越近了！”鲁天柳微闭着眼睛，全神贯注地聆听着，同时用纯正官话一字一句地说出搜索到的信息，那样子看着像中了邪。

“跟我来！”篾匠再次跳起来朝前赶，这次已经不是快走，而是开始奔跑了。

俞有刺依旧紧跟着，其他人只能紧跟着。

山路真的不好走，奔跑之后便更加明显。俞有刺肯定是跟不上篾匠的，水上的本事在山里使不上，能不连摔带爬就已经很不错了。鲁盛义、五郎就已经跌爬了一身的泥土草屑。

已经换成周天师紧盯住篾匠，他的背后是水油爆。怎么都没有想到，这个老厨工还是个翻山越岭的好手。他的步伐动作并不快，可始终稳当，步步到位，前面再快都不能把他落下。再后面是鲁天柳，她虽然练过轻身功夫，可走起山路来也不轻松，至少几次想超过水油爆就都没成功。

篾匠这次又是戛然而止，这次又是掀开路边一蓬细草，不同的是这次看到了整个的脚掌印。

“不远了，赶紧走啊！”篾匠没有细细研究，一看到脚印便肯定地说道。

“赶紧走！”鲁天柳几乎是与篾匠同时说出的，不过两人表达的意思却不同，鲁天柳说这话是因为危险进一步逼近了。

当他们冲出树林，冲到前面岭子半腰的一处平地上时，身后树林像是落下一片暴雨，树叶剧烈抖晃，噼啪作响。

“还是过来了，不管啥路、啥图，只要保住还能喝酒就行呀。”水油爆回身看着那怪异的树林发出一声感慨。

周天师觉得这话是说给自己听的。刚走过的树林确实是按“虚升分清图”布置的，所以自己选了“气脉冲灵台[1]”的路径；而刚才篾匠走的是“血脉绕平心[2]”，这是“意血相注化铅汞”的路径，可他也走通了。

鲁天柳在奔跑中已经为水油爆的体力和步法而惊诧，而且嗜酒如命的水老头打从进山以后，除了在嫁贞林摔掉一瓶酒，其他酒一口都没动。

就在鲁天柳看着水油爆暗自纳闷时，鲁盛义将她拉到一旁悄声说道：“出来后我也瞧出了，刚才那坎面是从奇门遁甲第四十局‘九转天格’演变来的。你说得没错，这坎面中还有活扣，但这活扣一般是踏坎人奔走七转，精疲力竭时才撒出的。这篾匠肯定是个坎子家的高手，他能看出天光树影后三级方位变化，所以三转上就将我们带出，对家杆子都来不及提前撒扣。这样的高手我们鲁家很少见！”

“就是说他的本事比我们要高，只是深藏不露。如果他真是鲁家后人的话，我们成功的机会就大了。”鲁天柳说。

“可他要是对家的诱儿，取我们的性命的机会也很大！”鲁盛义说。

“他要是诱儿那干嘛还把我们带到这里来？”鲁天柳觉得奇怪。

“鲁家祖辈藏的宝，别人家不一定能启出。那么获取我们信任，然后把我们当作启匙儿，这也是夺取宝贝的一个好招儿。”

想法不算错，怀疑也有道理。但接下来发生的事却让鲁天柳开始怀疑鲁盛义的想法，因为有更多的疑点出现在别人身上。

转过这个坡，再越过一个圆陀岭就可以到达悟真谷的谷口。这个岭子与前面的山岭相比显得贫瘠许多。远望过去，整个岭面上只有稀松的四五棵树，发黑的树皮，绿得发黑的树冠，歪扭的树干。在西下的血色残阳映照下，就像是地狱中逃出的凶魅。

“这里不能停留，必须连着往前赶。过了这岭子再休息。”俞有刺是匪家出身，江湖上的经验多。他们现在所处的位置是个岭弯子，前面

---

1 道家修炼的一种方法。道家将体内气息、血脉、器官划分为几个部分，然后将一些影响修炼的概念通过意识控制藏在各个部位里，然后让本元的气息按一定路线冲向灵窍，达到入虚提升、气脉贯通的目的。

2 道家将外来吸收的一些不良物质和人体内产生的一些不良物质称为铅汞，意思是难以消解又有毒素。修炼中要以意念驱动血行，将这些物质化解掉，这过程中需要的是血脉的运行，而且最终路线是绕转到与心位齐平，因为最终化解的物质是要通过肺部吐纳而出的。

又是广阔的秃岭面，如果在这地方落脚休整的话，对家无论是暗袭还是强攻都方便至极。

周天师也点头称是，还说出一套“营不对折见，营不坠陡坡”的兵家用语来。

他们走上秃坡的一半，正好目送最后一丝暮光沉落下天际。这点微光才不见，大家立刻便觉得寒意顺着脊梁往后脑上爬。同时，有一股小旋子风无声地绕着大家飘过，扬起些许尘埃扑上了人们的脸面口鼻。

“老天师，寒劲透骨，不对劲呀。”鲁天柳把自己的发现告诉给周天师。

周天师立住了脚步：“是有点不对劲。”说话的同时左手五指飞快地捏掐不停，然后突然又换做右手捏掐。

见周天师换了手掐算，鲁天柳脸色顿时变了。左手测人情，右手度鬼事，这是龙虎山“左右阴阳”测算法。换作了右手，说明刚才的寒劲和旋风可能与鬼有关。鲁天柳和一般女孩子一样，可以不怕恶人、凶兽，却没办法不怕鬼！。

入尸地

右手的掐算也停止了，周天师满脸的迷惑。

“是脏东西？！”鲁天柳问。

“不知道，很奇怪。算出的结果说亦人亦鬼。”周天师答道。

“绕口令呢？什么人呀鬼的，荒山野岭的，又黑灯瞎火，不要瞎说话再引些什么出来。”水油爆从鲁天柳和周天师旁边经过，正好听到他们的对话。

水油爆的话才说完，又一阵急风刮过。随着这阵风，传来“沙沙卡卡”的响动，其中还夹有呜咽声。那些声音仿佛是鬼怪妖魔在饮血嚼骨，听着心里直发颤。

“什么声音？挺吓人的！”俞有刺的徒弟说话时，牙关和嘴唇禁不住地抖动。

“别紧张，这是风吹竹子的声音。”篾匠在安抚大家。

“风吹竹子可不是这样的声音。”五郎瓮声瓮气地反驳篾匠，“我们在阳山的家，房子旁就是竹林，我听了那么多年都没听到过这样的响动。”

“竹子跟竹子本身就有不同，另外竹子种下后，在间距和排布上也有不同。这些原因都会导致风吹竹声的差异。就是同根竹管，没窍眼就是吹火筒，有窍眼就是笛子，你说它们发出的声儿能一样吗？”

憨厚的五郎辩不过篾匠，虽然觉得这说法不妥，也只能恹恹地住口不说话了。

篾匠说得没错，竹子就在岭子顶过去十来步。这竹子真的与其他竹子不同，黑黝黝的颜色，干高枝少，叶子也少，不过叶片很大。最为奇怪的是这些竹子真的有窍眼，像笛子一样，呜咽之声正是风吹窍眼的缘故。另外这些竹子靠得很近，风吹摇摆后，枝干、竹叶间摩擦发出的声音也真的很怪。

“定魂笛竹！”周天师到底见识非凡，一下就辨出竹子品种。

“那是传说，什么‘笛竹排音定三魂’，说这种竹子是阎王爷种在阳间定镇不愿转世的孤魂野鬼的。其实是因为这竹子的节痕、枝尾沁出的露液是甜的，这才招了蛀虫钻了许多孔眼出来。可‘排音定魂’的排列布置却是人种出来的。”周天师说得没错，竹子按一定间距整齐排列只会是人为，“竹子这么种，总不会是为了美观好看吧，肯定是派什么用场的。”

“是有用呀，这不把你们都给吓了吗。”篾匠只是在说自己的判断，没有要顶撞谁看轻谁的意思。据他所知，这些竹子除了能发出些声响外，真的没什么作用。

“不听老人言，吃亏在眼前，不听老人话，吃亏在脚下。叫你掰竹笋吃，你偏要嚼竹子，那倒也好，到时候屙出个竹凳子挂屁股上，到哪儿都能坐。”篾匠的话得罪大家，也勾起了水油爆斗嘴的兴致，于是也不管时间场合，冒出言语刺扎篾匠。

祝篾匠淡淡地笑了笑，没搭理水老头。他觉得老水说的和他说的一样，实话而已。

“别说起个竹子就没完了，赶紧走吧。瞧这岭子下乌压压的，应该是片树林，下到那里我们就住脚歇劲。”俞有刺嘴上说着，脚下却没有动地儿，而是把目光在篾匠和周天师之间转来转去。

周天师微微一笑，没再坚持自己和篾匠的分歧。

篾匠也没再多说一句话，顺了顺腰间的篾条，整了整斜挂布囊中的蔑刀，然后率先挤开排竹，往岭下走去。

鲁天柳跟在篾匠旁边，篾匠这一走，她赶紧吐气收胸腹，也从竹子的间隙中钻了过去。

五郎跟着鲁天柳，不过他粗厚的身体要钻过竹子间隙不太容易。于是索性朴刀斜下一插，把根小碗粗的竹子从尾部削断。这就像是在墙上开了个门，后面的人都从这里鱼贯而出。

最后一个过去的是水油爆，刚钻到排竹这边，他便像个狗一样提鼻子闻了闻，然后左右眉头飞挑了几下。

鲁天柳过了排竹后却没有马上向前走，因为一过来就感觉心口闷闷的，气息一下子变得不是非常流畅。记得《玄觉》上讲过，突然间出现了这种情况叫做“意压”，缘由有好多。但出现“意压”后要重视，应立刻汇聚精气进行辨察，感觉周围和自身的每一处微小变化。

现在大家都着急往岭下的树林赶，这种情形下鲁天柳根本无法汇聚精气，她还远没达到随时随地聚气入玄的道行。不过这种现象却让她加了小心，放慢了跟行的脚步，尽量利用清明三觉搜索周围的情形变化。

坠在后面的鲁天柳刚好看到水油爆的犬嗅样，禁不住掩口要笑：“水老爹，侬闻出啥么子个？有莫有格好小菜？”

水油爆竟然没有对鲁天柳的笑语反击，却是一反常态地对鲁天柳说：“柳半仙儿，你也细闻闻，看有什么异常没有？”

鲁天柳听水油爆叫她柳半仙儿，表情明显错愕一下。她曾在龙虎山被掌教天师和几位辈分极高的老天师辨相明身，说她是“青瞳碧眼的半仙之体”，这事情只有陆先生和那些辨相的天师们知道，而这“柳半仙儿”也只有掌教天师玩笑时叫过她两次。这水油爆到底是什么人，怎么连这都知道？鲁天柳脑子中迅速地扫过这一路发生的看似巧合的事情，看来以前陆先生告诉给自己的话没错：“高深之人，才能巧合为事。”

“问你话呢！打什么愣？是不是在想藏枕头下的猪头肉呀。”

“有的呀！”鲁天柳随口答道。

“有什么？”水油爆的语气很不以为然，似乎已经知道鲁天柳没有闻出什么，只是敷衍打趣自己。

“阿拉闻出侬已经几天没有喝酒格，勿晓得是戒酒哉还是舍不得喝格？”

“舍不得，这酒要派用场的。”

“哦！”虽然鲁天柳不知道这酒能有什么用场，但感觉水油爆要不捏着个酒瓶，就像自己没了“飞絮帕”、五郎没了朴刀一样不自然。

“你们不要在后面啰唆了，天墨涂目甩鞋钉[1]，别再生米粢饭泡开水（走散了找不到）。”俞有刺在前面高声招呼他们。

“知道！”“晓得格。”鲁天柳和水油爆一起答应了声，这回答表明俞有刺的匪家黑话他们都能听得懂。

岭子下到一半，鲁天柳觉得胸闷心烦的感觉越来越重，而水油爆的眉头也跳个不停。

最先停住脚步的是周天师，停住的同时还叫住最前面的祝篾匠。

“怎么了，快到下面林子了。”篾匠有些不能理解周天师的做法。

“不是，我感觉不大对劲，这周围有晦气刮毫。”周天师回道。

“别疑神疑鬼的，瞧这大片的……噢！”篾匠的话没有说完，就被一阵莫名而起的凉风吹堵了口鼻。

没人再作声，这样阴寒的怪风已经足以提醒他们在嫁贞林中遇到的怪事。

“炭旺火苗蓝，油热溅水爆；风疾雨水到，天晴戴草帽。这有啥呀，要下雨了呗。”水油爆的话很有道理，这让大家紧张的心稍微松弛下来。

1　天色漆黑没有现成的路径。

果然，话才说完，清凉的雨丝已经飘上了面庞。

“真下雨了，我们还是赶快到下面的林子避避吧。”鲁盛义说着就又要往下走，可才迈出步去，便被人断然喝住：“不要动！”

声音是周天师的，黑夜中虽然看不到他的表情，可语气中所带的紧张和惶恐，让周围的空气顿时凝固了。

雨很快变大了。不过初春之际，山里的雨再大，也只是在天地间拉起一道细密的线幕，让已经很黑暗的夜色变得更加模糊迷蒙。

“鲁师傅，你往右走四步。小五哥，你往左走三步。”周天师的话一字一句清清楚楚，“俞老大，带你徒弟退后四步，然后两人分开五步远。祝老弟，你朝前两步。”

周天师继续安排着。

“水老爹，侬要朝前四步哉，阿拉朝前一步哉。”鲁天柳看出周天师是在做怎样一个安排，没等吩咐，已经和水油爆把位置站好了。

“还有你，暂且往右撤，撤出个百十步不要紧，只要我们叫你你能听见就行。”周天师的徒弟在最右面，偏出队伍许多，所以对他的安排特殊点，也或许他的位置最好，还没有踏入到某个危险的范围之中。

过了好久好久，在各个位置伫立不动的人已经被雨水完全淋透。被雨淋还是小事，重要的是心理的负担，恐惧、紧张、不知所以、不能动弹，让几个平常都是刀出血溅的搏命汉子开始变得焦躁起来。

“搞什么活结网、虚踩板，老周你有没有准断？别哄我们在这里淋水毛子，我可是要往下奔，哪怕杀个血迸骨碎。”俞有刺第一个沉不住气了。

“你大小还是档把子，这么会儿都稳不住了。就是烫壶酒也要够火够辰光才冒泡呀。”水油爆没等周天师开口，抢白一句把俞有刺给噎了回去。

“你不也说风起是因为有雨，现在雨下了，风也止了，干嘛不走？难不成整夜在这里淋雨？”这次是篾匠发话了。

“冲呛口鼻的阴风你不是也觉出不对了吗？再说了，眼下就是走，你能看出该往哪里走吗？”这次是周天师沉稳的声音。

“往下就……”篾匠的话只说了一半就停住了。因为他自己忽然感觉不到脚下本该有的朝下坡度，而且也看不到刚才还黑压压的树林了。树林看不到还情有可原，因为天色已近子夜，又加上雨水密蒙。可是这脚下的坡度怎么感觉不到了？这里是个不长大的坡子，陡度很明显，难道是自己站时间长了，脚下麻木了？

“大家听我说！”周天师运气而言很有分量，“刚才在定魂笛竹外面我大意了，没有好好想清楚笛竹的作用就闯了进来。‘笛竹排音定三魂’，人死之时必散了三魂七魄，但如果将三魂定住不散，此尸可以为养，现在我们误入的就是片养尸地。唉，不过能将石岭这种多石少土的地方做成养尸地，这也确实让人想不到。”

周天师所说的养尸地，就是将尚未死绝之人用三角形纯银箔封泥丸宫，这样可以使得尸体散了七魄，仍留三魂在体中。然后将尸身竖直埋在土下，头部距地面一尺半，为阴阳交汇的界线。这样尸身就能同时吸收阴阳两股地气，这就叫养尸。养尸具备阳尸阴魂的特点，无痛无觉、力大无穷，在咒符引动下，为器为杀，为迷为煞。

关于养尸，宋代黎岱所著《异葬记》、元代无名氏的《黔泊野谈》中都有记载。

虽然周天师把责任往自己身上揽，但大家心里都清楚，主要还是因为篾匠和俞有刺他们太过莽撞和执拗，这才导致这样的过错。

“现在大家就算是在帮我，你们要觉得累了乏了，可以坐可以躺，只是在各自位置上不要乱走动，先保持住目前的‘八仙定邪位’。只有这样布局的阳气形位才能镇住养尸不敢出土，至于我们怎么脱出此境，容我再想办法。”

老天师这样一说，显出了道家高深之人的涵养，反倒让篾匠和俞有刺心中很是过意不去。

“嘿嘿，‘八仙定邪位’，这里幸亏有你这位何仙姑，要不然这位置还真摆不出。”水油爆悄声对鲁天柳说，不知道这话是在打趣还是真懂龙虎山驱妖降魔的高招。

“阿拉要是何仙姑，侬就是格太上老君矣，立错位哉。”鲁天柳这话带着试探，她希望水油爆能在自己暗示下主动表明自己身份。

“呵呵，到底是半仙儿，说话都带仙气儿。不过七电一霓之局可不止‘八仙定邪位’一个，一瓣蒜还炒七只虾米呢，难说我有没有站错位。”水油爆低声道。

鲁天柳不再说话，倒不是水老头把她比作一瓣蒜让她生气了，而是她从刚才的话里听出了蹊跷。“八仙定邪位”，这是龙虎山天师做外功[1]时比较常见的一种布局排位。可是刚才水老头的话似乎是在有意无意地提醒自己，这里七男一女的布局不一定就是“八仙定邪位”。可那又会是什么奥妙局相呢？这其中又有何用意在？

时间过得很慢，至少陷在养尸地里的人这样认为。随着时间缓慢地流逝，被周天师安抚下去的焦躁惶恐又开始在人们心里翻腾起来。这也难怪，周天师说过再想法子、再想法子，可是直到现在都不曾拿出只字片语来。只是盘坐在雨中，闭眼掐指念叨些什么。

篾匠最坐不住了，他觉得这次走错都是因为自己的坚持，连累了大家，心中愧疚、脸上难挂。但转念想想，自己祖辈传下的技能中，都不曾提到鬼怪尸魂之事。而现在除了是两口阴风冲口外，其他也没什么异样。别是这老牛鼻子故弄玄虚整弄自己吧？

想到这里，篾匠决定用自己当探杆。没事的话可以戳破牛鼻子的虚妄之言，要有什么事那也是自己活该。是死是活都是给大家一个交代。

篾匠说动就动，也没跟谁招呼，蹦起来就往山下蹿。

篾匠的动作不可谓不快，但他只走出了一步便摔落在地上，溅得地上的泥水扇面铺开。

“别使劲挣扎！放松！随它怎么拉。我们这就救你。”周天师大声地朝着篾匠喊叫。可是现在的篾匠什么都听不到了。刚摔倒地上，他就已经成了个失魂的人。每个动作都是呆板笨拙的，昏乱中盲目地大力挣扎着。

“啊，这是什么？”鲁盛义也发出惊恐的声音，这是因为在他站立的位置前，从地下伸出一只深黑色的手，骨枯皮皱，指甲却是尖长雪白，弯曲得像是一个个钢钩。

其实不止是鲁盛义面前，其他人的周围也都有一两只手从地下伸

1　天师教认为，除了静修悟道，外出除妖伏魔造福百姓也是得道的一种功德修炼，这就叫做外功。

出。那些手在奋力地挥舞抓挠，试图抓握住些东西的欲望极其强烈。

就是这样一只突然从泥土中冒出的手抓住了祝篾匠的脚踝。但这还不是最可怕的，可怕的是他摔下后，泥石的山坡瞬间变得松软，并且越来越软。草皮、泥土、碎石都膨鼓起来、翻腾起来。那只深黑皱皮的手正牵着篾匠的脚踝，一点点地往松软的地下拉，就像是拉入一个沼泽。而篾匠盲目的大力挣扎也恰好加快了他下陷的速度。

天禽镇

“都别慌，也别乱动。听我的！”周天师发出一声断喝。鲁天柳第一次听到老天师如此厉声的叫喊。

老天师喊叫的同时，从布囊中掏出一个线球，线球金光闪闪，看来是用金叶蚕或者碎星天蛾吐的丝捻成的线。老天师把线头挽了个双环活扣，然后再掏出两只小瓶子，一个瓶中是蛆油，还有个瓶中是黑猫血，这都是对付厉尸的好东西。

周天师手指在瓶口一按一晃，再将粘在手指上的两样东西分别抹上活扣。

“传给我，先从我这里渡叉[1]。”鲁天柳只是从老天师的手法上就看出他要干什么。

线头通过水油爆递给鲁天柳，毛手毛脚间，水油爆竟然把线绕在了身上，幸好只是绕了一圈并没有妨碍金线的牵拉。鲁天柳将金线在右手食指上绕环一扣，然后将线头挂在“飞絮帕”球头上甩给俞有刺。俞有刺在周天师的指导下，将金线在左手中指上绕一环后，再用分水刺挂住线头，抛给自己徒弟。

---

1 将线按一定范围角度折连成X形。

很快地，金线在几个人之间形成一个很疏的网，网格只有两个不太规则的X形。网虽然织成，但接下来的事情才是真正困难的，就是要将那线头的双环活扣套在篾匠的双手上。可是谁能越过地下冒出的养尸手，到篾匠身旁给套上？

离篾匠最近的是俞有刺的徒弟，这个年轻人虽然有心也有勇气过去完成这件事情，但周天师不同意："篾匠已经移位，'八仙定邪位'走形，这才会让养尸有少许出土。你再要轻动，被养尸扣住，这守位局势就彻底散了！到时我们没一个逃得出去。眼下最好是局外再有个人冲进来把线扣套上。"

"你徒弟呀!你徒弟不是在那边吗？这里这么吵吵都不过来帮手，莫不是睡着了？快叫他来，篾匠都已经土石没胸了。"俞有刺着急地说。

"他恐怕不行，要能逃过养尸出手，速度必须是江湖上一等一的。"如果真像周天师说的那样，此时他们又要到哪里找这样的人呢？

篾匠还在挣扎，可是他每挣扎一下，身体就又被土石埋下去几分，此时已经快被埋到脖颈了。

鲁盛义实在看不下去了，祝篾匠是给自己请来帮忙的。而且从他目前显出的技能来看，这人很可能是鲁家后代传人。原先自己还怀疑他是对家预留的钉子，可要真是钉子，那现在被养尸拉进土里的绝不会是他。想到这里，鲁盛义谁都没打招呼，把挎背着的木箱往地上一放，将自己捏住的金线往木箱挎把子上一系，颠着脚就冲了过去。

这些人中动作最慢的就是鲁盛义，他在姑苏城的园子里被大树砸伤，留下微跛的双腿。而在竭力奔跑过程中，这种症状越发明显，脚步间几乎是不规则的蹦跳。

地下养尸的手不断地探伸出地面，多得就像雨后冒头的笋尖。奇怪的是，这么许多突然极速探出的手，却没能抓住脚步笨拙且缓慢的鲁盛义。因为养尸的手虽然探出，但对于这样一个怪异的跛跳脚步，对于一个不是正常人也不是正常兽子的脚步，它们不知道是否该抓，又怎么去抓。

从俞有刺徒弟的手上一把夺过线扣，鲁盛义几乎是一个跌爬滚到篾匠的旁边。

线扣套在了祝篾匠的手腕上，周天师那边微微一带，线扣收紧入肉，顺着篾匠血脉，隐约流过一道金芒。紧接着，篾匠周围的碎石泥土一阵更加猛烈的翻腾，可他的身体却再没有往下陷落半分。

“快回来！镇位不齐我们都得完！”周天师边收线扣边吼道，神情和言语间已经完全失去了修道之人该有的镇定。这也难怪，“八仙定邪位”上缺了鲁盛义这个阳仙定位，整个养尸地像是起了一层波浪。泥土石块翻腾之间，养尸开始努力着往外爬。

“快！镇不住了，养尸就要出土了。”可是不管周天师如何厉声催促，鲁盛义都无法回到原来位置。因为此时在他与原来位置之间的坡面上，养尸已经出土了。枯瘦的手臂、破烂的身体、残缺的头颅密密麻麻、乱钻乱舞，再没有空隙可以踏出一步。

“啊！”这声惊呼是五郎发出的，他注意力全在鲁盛义那里，根本没注意到身后由远及近有一片养尸手从土中伸出。当他知道时，一双脚踝已经同时被抓，紧接着就是膝盖入土，大腿入土。

周天师见此情形忙将线头再一收，缠在五郎拇指上的金线收紧入肉，下陷停止。

可此刻周天师自己脚下突然有一只养尸的手臂破土而出。老天师可能是早有预感，脚下土石才一松，他就立刻作出反应，双脚齐齐往前一跳。但是因为手中掌控着金线网的主引儿（操控的终端），不能大幅度避让。所以养尸虽然没能抓住老天师的脚，却一把吊住了他的道袍下摆。周天师被定位了，他腾不出手扯断道袍，就这样被紧紧吊拉住，再要有其他养尸出土，他肯定是在劫难逃。

“吱——”水老头舌唇间突然发出一声尖利的哨响。随着这声哨响，岭子顶上一个黑影直冲下来，从大家身边扑闪而过，然后盘旋一圈又重新回头朝着这几个无法动弹的人掠冲过来。

黑影所过之处，出土的养尸肢体像是被火苗扫过的枯草头，迅速地蜷曲收缩。黑影最终轻巧地落在鲁盛义木箱的垮把子上，一只血红的鳞爪刚好压在金色线结上。

金线拉成的稀疏网骤然闪过略带些血色的金芒，随着金芒闪过，那些养尸快速缩回地下，比它们爬伸出来要快速突然得多。

从黑影闪烁着血红光泽的眼睛可以知道，那是掌教天师的红眼八哥，天禽奕睿。“八仙定邪位”又成，而且其中一个位置是由通灵的天禽镇住，难怪养尸们会这样快速地缩回去。

大家终于松了口气，水油爆也显得很是得意：“一泡鸟屎就能坏得满桌菜肴，关键时候还是这鸟东西管用。呵呵！”得意间，一转头，看到周天师盯视他的目光，便立刻恢复成低头抱着酒瓶的蔫蔫样。

老天师注视水油爆的目光充满疑惑。龙虎山天师们都养有灵禽灵兽，作为驱魔除晦行法术时的帮手，可这些灵禽灵兽都是谁养谁使唤得动。这倒不是因为训练方法各有巧妙，而是因为在这些动物的身上下了“犀心咒”。“犀心咒”与主人心意相通，这样灵禽才会按主人的想法行动办事。如果一只灵禽能够被其他人召唤，那么除非是“犀心咒”已破，也就是这人已将“犀心咒”的主人杀死。

奕睿送信、奕睿贪酒、奕睿随行这些都还合情理，但水油爆竟然一声呼哨就能指示奕睿准确落在木箱挎把上，并且出爪压住线结。这些就是善通鸟性的驯鸟人都无法做到，除非是灵禽与指使的人心意相通才行。这是掌教天师的红眼八哥，水油爆却是如何与之心意相通的？或者自己走了眼，此奕睿非彼奕睿？

水老头的出现的确很是蹊跷，而且自打水老头出现后，不管是到江郎山，到千翎山区，一切都好像是这老厨工在安排着，并且是走一步看一步地安排。如果他是掌教天师委派送信的，为什么不一次将口信说完，要等自己这些人有所发现又不愿带着他时才又说出个口信。而且后来送信的是听从水老头使唤的红眼八哥，那么所传口信为什么不会是他的意思或者已经被他更改了？还有他身上带着的“天师令”牌，这真是掌教天师给的吗？

篾匠被鲁盛义从土里拉出后，马上就恢复了清醒。查看了一下，也没受什么伤，只是在脚踝上留下一圈紫黑握痕。鲁盛义瞧篾匠没事了，便赶忙一瘸一拐回到自己位置。奕睿鸟儿也知趣，瞧着鲁盛义回来了，翅膀一振，扑闪一下便消失在黑暗之中了。

周天师暂时从疑惑中收回思绪。眼下身陷危地，不是解决这些疑惑的恰当时机。暂且同心协力度过眼下劫难，过后再多加观察细心查辨就是。

“祝老弟，你可不能再一意孤行了，这样会连累大家。我们都保持原位不要动，保存体力，耐住性子，会有机会的。”周天师语重心长地对篾匠说。

虽然篾匠不清楚刚才危险的局面，但是从大家惊魂未散的神态，还有如同翻过犁似的地面来看，他估计自己的莽撞肯定给大家带来了惊心动魄的危险。周天师是对的，怪只怪自己见识太少又沉不住气，差点害了大家。于是他非常诚恳地耐下性子，安静地等待，虽然并不清楚要等待的到底是什么，也不清楚要等待多长时间，但他知道必须这样去做。

天快亮了，雨没有停的迹象，周天师也没有要动的打算。周天师不打算动，其他人也就不敢动。只有水油爆，随着天色越来越亮，他显得不安起来，表情和眼神越发凝重，一个懒散的人竟然连坐都坐不稳当。

淋了一夜的雨都没有觉得怎么样，天亮了，篾匠他们几个倒觉得不得劲儿了，一阵阵地打寒战，精神头也变得萎靡。

“冷了吧？幸亏我带着酒，这下派用场了。”水油爆说着把酒瓶抛给篾匠，“喝一大口，分三次慢慢咽下，肯定就觉得浑身暖和了。”

周天师看篾匠打开酒瓶，稍一抬下颌，像是要说什么却没有说。是的，他本想阻止大家喝水油爆的酒，可转念又一想便放弃了。

水油爆还让篾匠和五郎用酒浇洗养尸抓过的痕迹。篾匠和五郎正感觉养尸的抓握处肿胀了起来，并且瘙痒难耐，不知道怎样处理才好，浇洗酒液后，不但瘙痒除去，肿胀也迅速消去。

“你们那是中了尸毒，这酒里有解尸毒的东西。”周天师说话时，用意味深长的目光看着水油爆。

“是吗？我还不知道呢，老天师，我听说尸毒可以用糯米解，会不会是因为酿制这酒的五粮中有糯米的原因？”水油爆话里的道理连周天师都无法辩驳。

“什么劳么子酒？老水，你往酒里掺水了！没什么味儿。”最后一个接到酒瓶的俞有刺咽下酒水后，马上精神抖擞地数落起来。

“不掺水我怎么够喝，不掺水这酒早就没了。我是喝点掺点，时刻保证满瓶。”

“嘿嘿!已经交关好格，伊舍得把带酒味格水把侬喝，太阳西边出哉。”鲁天柳虽然是打趣的话，倒真是有道理，嗜酒如命的水老头今天真的有些一反常态。

可不知道有没有人注意过，水油爆的篓子里还有几个酒瓶。他总不会将所有的酒都喝一点就加点水。再说了，从进山以后，他几乎就没喝过酒。

水老头在说谎！可水老头为什么要说谎？他给大家喝的酒里掺了什么水？其他酒瓶里装的到底是酒还是……

周天师的脸色变得凝重起来，就像这阴雨的天色。天色已经接近午时，他便越发地紧张了，提足气凝住神，完全的戒备状态。

水油爆也很不安，没一会儿能坐得安定。

"水老爹，侬慌张个啥事体？"鲁天柳悄声问。

"你还是不要知道，省得又是担心又是多疑，只是多加注意，有事照我说的做。"水油爆越是这样说，鲁天柳心中的担忧便越多。

"吾晓得侬是哪路神仙哉，侬要不说给吾晓得，吾就说侬个事体给大家晓得。"鲁天柳悄声的吴语真是好听，再加上这么点无赖和威胁，让人很难不对她让步。

"你个柳丫头，成不了仙也得成精。好吧，说给你听听。"水油爆想了一下，决定把事情详尽地给鲁天柳说说。他换了个趴下的姿势，让自己的头部离盘坐在地上的鲁天柳很近很近。

"养尸比养鬼更为实用，其法也很是凶残。为了发挥其最大能力，一般是将活人的最亲之人当他面折磨杀死，然后再将本人折磨数日，让他积聚所有怨气和凶煞之气，再在午时左右封三魂断七魄竖直着入土，这样留下的三魂就可夜为鬼，晨为魅，日为煞。驱用时则夜鬼为迷，晨魅为惑，日煞为凶。也就是说，从子时开始，越往午时，养尸越有可能出土。"

"那么午时之后再到子时是不是一个蛰伏的过程？"鲁天柳问。

"丫头聪明，应该是酉时伏得最深。"

"那么我们利用这个时候冲下去？！"

"不知道这块养尸地到底延伸到哪里，最好再有什么镇物压一下，我们就能全身而退。"

"这里谁有这样的镇物？"

“不知道，到现在我还没找到有那样的镇物。不过这事还有时间筹算，眼下最重要的是应付白日煞。”

鲁天柳听这话才发现，不知不觉中天色已近午时。

“晨魅未出，日煞会更凶，你自己小心了。还有，你已经知道了这些，下面就全看你和老周两个摆弄了，他是知道怎么做的。”水油爆说完这些鬼祟地笑了一下。

“这水老头的道家见识不亚于任何一个天师，这可不是一个在龙虎山烧烧饭的厨工该有的道行。”鲁天柳此刻心里已经有太多的疑问，但疑问不是用来问的，更多的还是要自己来判断。就像水油爆说的，自己小心了。

蒙蒙的细雨一直没停过，大家都觉得身上湿冷得难受。可就在午时还差一刻的时候，他们感到了温暖。

热量是从地下传来的，从温暖到滚烫只经过很短的时间。很快，那地上不但不能坐了，就连站着鞋底也都觉得烫得慌。奇怪的是，地上虽然这么烫，却没有一丝蒸气冒出，按道理这样的热度怎么都该把土中的雨水给蒸发些出来。

“静心，长吸短吐，不要让煞迷乱了心神。”周天师的语气仍旧非常镇定，但表情更加凝重。

金线拉成的网莫名地抖动起来，原先还以为是谁害怕，手上颤抖带动金线网跟着抖动。等大家都抖动起来，并且全身都颤抖起来后，他们才意识到不是人带动了网，而是网带着人在抖。

随着抖动，脚下的砂石泥土开始缓慢翻涌起来，翻涌中不时还有“吼—吼—”的怪响发出。

碎身果

“快！将自己平常最常用的器物插在脚下！”周天师亮喝一声。

不管是哪个行业中的人，他使用得最多最拿手的工具由于天长日久的使用，上面浸透了血汗精气、日光月华，可以镇凶辟邪。比如杀猪人的刀、木匠的斧、石匠的锤凿、裁缝的剪刀等等，都具有一定灵力。

几个人纷纷将自己的刀刺斧剑往地下一插，就连水油爆都往脚下倒了少许的酒水。地面土石的涌动渐渐平伏下来，不过金线的抖动却一直未停，而且连这金线的网也变得发烫起来，绕住金线的手指被烫得像是要燃烧起来。

“别慌，忍着点！都是虚像！”周天师虽然这样说，但他也知道凭自己这样一句话是无法让大家忍受住如此灼烫的。于是探手从囊中掏出一个青瓷瓶，口中念念有词：“西有青山，山接青天，天有清气，气透一窍清明，气盛万般清灵。天师执书，老君律令，开灵度清，走！”瓶口一开，大家感觉有清凉沿金线流动，每过缠绕处灼烫尽消，然后清凉顺手指直贯而下，连地面都被消去了烫热。

“大家都闭目凝神，什么都别管，发生什么异象也别乱动。忍过午时三刻就会好转。”鲁天柳大声说了一句，因为她知道周天师的办法只能暂时起到作用，而真正解决这次日煞之厄还需要自己出些血。

在水油爆给鲁天柳讲清夜鬼、晨魅、日煞的道理之后，鲁天柳从各种道家理论中找到“日煞应用纯阴之血破之”的定语。纯阴之血有多种，螭蛇血、元龟血、精卫鸟血，但这些都是可遇不可求之物。而最常见的纯阴之血却是初处之血，也就是年龄在两轮（二十四岁）以下的处女血。食指通中元，其脉直达阴底渊田，于是鲁天柳将食指伸在口中，随时准备咬破食指，以阴血破阳煞。

金线网抖动一些时候后，竟然渐渐止住了。还未曾到午时三刻，一切便都恢复到平静。

“用不上你的血了。太阴日，岁侵清和，又是阴雨天。一切都有人算计好了，这才能够不慌不忙，那是胸有成竹。高手藏芒，棉里掖针。厉害！”水油爆声音很高，而且这话说得已经全没了原先那个老厨工的口吻，这是在提醒大家些什么。可在场的人却没有一个搭理水油爆的茬儿，不知是被养尸吓了，还是各自心中揣摩着什么。

“老这样待着可不是办法，我们是不是可以保持这样的位置往山下移动。”鲁盛义说了个还算办法的办法。

“我昨天瞧养尸没能抓住老鲁，大概和他的脚跛有关系，我们只需改变奔走步法，每两步单腿跳一步，这样也许养尸就没法抓了。”俞有刺是个有脑子的人，他的推断和说法完全在理。

“现在不行，位移则形散，八位气相分布不和，难逃煞杀。再等等。”

“周天师说得很对，我们等到酉时再动，那时养尸基本都是蛰伏不动的。”鲁天柳觉得自己应该出来帮周天师说两句话，要不然别人很难理解周天师的安排和做法。

“就是到了酉时也不行，还得有一两个压得住的镇物。”周天师说。

“千叶花毒腐草，百色菇地黄苔，五步蟒红线蜂，硝水肉碱水面。远，可不去，近，怎可不来。”水油爆说这几句话时眼睛闭着一颠一颠地，就像是要睡着了一样。

鲁天柳知道，这几句话出自明朝时九江名医康梅亭的《物克物辨金方》，陆先生说这书与风水之辨有异曲同工之妙，曾经细读过，也给鲁天柳细讲过。

水油爆说的几样东西，它们两两相对都是相克之物，而它们又是离得很近的相辅之物。千叶花旁无毒腐草便不会开放，而千叶花又是唯一可解毒腐草剧毒的；百色菇只有在地黄苔上才能活，而能解百色菇剧毒的也唯有地黄苔；五步蟒需靠红线蜂扒掉齿上所积毒液黏块，而红线蜂却是需要吃五步蟒蜕皮才能过冬。至于最后两物却是水油爆自己想的，他认为用硝水肉配面是最好吃的，而用煮肉剩下的汤水下碱水面又是最有味最劲道的。

就算鲁天柳不知道最后两样东西的意思，前面的那些已经足够她判断出水油爆在暗示什么。他已经找到镇养尸的物件，而且就在这附近，离这些养尸很近很近。

谁都没有轻举妄动，都拉结着“八仙定邪位”的金线网呢，他们就好像一条绳上拴的蚂蚱，谁都不能也不可以自作主张采取行动。

其实像俞有刺、五郎几个人，虽然知道龙虎山的高人本领强，但从信任度的角度来说他们还是更愿意听从鲁天柳的。所以当鲁天柳说要等到酉时时，他们基本都把目光盯在了鲁天柳的身上，只要她招呼一下就会立马行动。

鲁天柳却始终把目光偷偷盯在周天师那里，好长时间才偶然和水油爆有一搭没一搭地说上句把话。整个下午，她发现周天师虽然表情镇定，但还是有好多细小动作暴露出他心里的焦急，然后再由焦急转为无奈。怎么会这样，现在是往蛰伏时辰走，应该很快就能脱身了，难道他是因为没找到镇物才会这样的？

突然，鲁天柳想到了一件极不合常理的事情，周天师的徒弟！他躲到岭坡的一侧，始终没有露面。周天师好像忘了这个人，就连昨夜最危险的时候都没让他过来帮忙。

“水老爹，侬说个镇物在哪厢？酉时要到个，周天师好像找勿到。”鲁天柳知道该做准备了，今天不能还在这里待一夜。且不说养尸的厉害，就是连续的淋雨也会让大家的身体吃不消，所以酉时必须走。

“不要担心，丫头，该知道的自然知道。”水油爆笑笑，悄声地说。

的确，龙虎山的一个厨工都瞧出镇物所在，那么道行高深的阅微堂管护又岂能看不出。

眼见着酉时到了，周天师反倒变得异常的冷静，刚才还有的焦虑和无奈已经荡然无存，完全恢复了仙风道骨的威仪。他小心却不慵缓地掏出一系列的东西，有黄裱符、朱砂粉、断魂印、阴阳笔，还有桃木小剑、无烟烛、块儿香。就地摊开一张三清像八卦绸布，将这些东西依次排开。

做的过程也很有规律，点烛、燃香、写符、压印、念咒。所有过程都有条不紊，用好的东西便随手收入囊中。很快，拿出来的东西收得只剩下两张符，和一块燃着的块儿香了。

鲁天柳悄声问水油爆："伊做得对不？"

"是的！这是要以竹替烛，定魂笛竹能围住养尸地，是因为它本身的确具备定魂妙用，再加上长久吸收地下尸气，以它为符烛插入尸地的气流两口，在竹未燃尽之前，能定得养尸无法出土。"

"镇物就是这定魂笛竹呀！"鲁天柳恍然大悟。

周天师做完了一切，朗声说道："我马上会尽松金线，松完后，请五小哥往回奔走，砍两根笛竹回来。其他人全都往岭下奔，动作要快！"

说完后，他没等别人再提出问题和异议，就已经将金线松放出几尺，然后线往嘴中一送，"嘎嘣"咬断。

缠住大家的线扣一下子全松散了，没等那金线完全飘落在地，所有人都往自己的目标方向狂奔起来。只有周天师，他依旧伫立原地纹丝未动。

这边拔脚才一奔，岭坡面儿立刻翻腾起来。不过反应速度明显比昨天夜里要慢许多，等五郎已经跑到排竹那里时，这才有三三两两的活尸手臂从土中伸出。

周天师很镇定，他对块儿香吹了两口气，让它燃得更足。然后口中念念有词，烟雾所到之处，那些出土的手像是被定住了一样。这在龙虎山的各种神奇技法中应该算是个常规技艺，是以烟雾和符咒拟造的"土伏"，让已经出土的凶尸恶魂误以为还蛰伏在土中。

当块儿香燃完之时，五郎和周天师已经将两根笛竹削尖尾部插入地下，将写好的黄符一抖燃着，贴在竹干头上。两根笛竹如同两根蜡烛一样燃烧起来，让养尸的坡地上多了些光明。

已经到达岭子下部的俞有刺瞧见周天师做完一切，禁不住嘟囔道："就这么简单，昨天夜里为什么不做，害得我们担惊受怕地，还淋了一天一夜的雨。"

"其实不简单格，而且呢必须等到这个时辰哉。"鲁天柳纠正了俞有刺的说法。

"不一定，菜式心中明了，又有好手帮厨，却迟迟不把菜上桌，其中必定另有说法。”水油爆又汤汤菜菜地信口胡言了，但胡言中却真的藏有某些玄机，并非什么人都能听懂的。

两根代替祭烛的笛竹燃烧得很快，这和种在养尸地边，根茎吸收了大量尸油有关。这个情况周天师没有想到，所以他和五郎跑出的距离并不太远，笛竹已经只剩一半不到，基本失去了镇压的作用。坡面上已经出土的手又开始活泛起来，而其他地方也开始有活尸肢体钻出。

当笛竹上最后一丝火苗灭掉后，坡面上由远及近瞬间钻出的活尸肢体如同一卷毯子，直往岭下滚铺过来，根本不知道会在什么地方停止。

“快跑！继续往下跑！”周天师边狂奔边喊道。

已经在岭下歇住脚的人怎么都不会想到养尸地的范围会这样大，马上转身继续往下。

“入林子，养尸地不会延入林中！”周天师还在喊。

岭底下果然是片树林，树木很矮很密。这样的树林根根相纠，种不下尸体，而且活树吸天地气，受日月光，多少带些灵性，就算有养尸，都是无法拱树而出的。

鲁天柳虽然不是跑在最前面，但她天生对树木有种灵犀，所以最早感觉出那片矮树林不大对。那些树是针叶型冷杉，按道理应该生长在海拔较高、较寒冷的地方。另外那些树整体不协调，枝叶上有些东西是不属于树本身的。

“不要入林！”鲁天柳尖叫一声。

跑在最前面的是俞有刺的徒弟，听到叫声时他离着树林还有十多步远，正常情况完全能停住身形。可问题是在靠近树林的边缘，岭子出现了个很陡的坡度，狂奔而下的掼劲让他像冲落的千斤滑车，根本无法停止。

俞有刺的徒弟唯一能做的就是顺势跃起身体，让身体在空中平走一段距离，这样可以消除最后的冲劲，避免直接撞在树上受伤。落下的位置他已看好了，是在第二排树的一个树冠上，这样可以利用它消去下落的力道。

跟在后面的是俞有刺，虽然只比自己徒弟缓两步，但他一听到鲁天柳的叫声，马上顿足收步。常年水上的生计让他足下的稳劲非同一般，所以只趔趄了两小步双足就完全保持成一种止步姿势。可是这种止步姿势并不能让他马上停住，挟带的冲劲依然推动着他在陡坡上朝前滑行。

鲁天柳也赶到了，幸亏是俞有刺将人阻挡了一下，她才刚好抓住自己老爹的挎箱把子。

挎箱对于鲁家人来说，就好比会家子手中的兵刃，怎么都不会随意脱手的，所以当鲁天柳抓住挎箱把子时，鲁盛义下意识地回手抓住了把子另一侧的竖杆。

与此同时鲁天柳将飞絮帕朝身后抛出，正好缠绕在周天师的手臂上，奔跑得并不快速的周天师被前面冲劲一带，差点没顺山坡滚跌下去，多亏五郎在背后一把拽住了他的腰带。

五郎的身体基本是侧躺在坡上滑行，为阻止这样的趋势，他迅速将朴刀插入了坡面的碎石泥土之中。刀身在碎石中持续划过，带出了串串火花。几个人的冲劲全作用在五郎抓住刀杆不放的左手上，指甲间都捏出了丝丝鲜血。

朴刀终于停住，后面追着出土的养尸也刚好在离朴刀不到两尺的地方停止了。养尸地终于到了头。

最下面抱拉在一起的鲁盛义、祝篾匠和俞有刺也停住了，距离最近的冷杉树还不到一尺远。不过他们现在的容貌却发生了些改变，因为在下滑的过程中，他们浑身上下都被密集的血雨给染红了。

鲜血是俞有刺的徒弟的，现在躺在树冠上的已经不是个年轻的身体，而是一块破碎的肉。

鲁天柳的发现没错，冷杉的自然生长环境一般都是高海拔低气压的地域。这里生长的冷杉，由于气候环境的差异，是很难结出鳞果的。所以她感觉中不属于树木本身的东西就是鳞果。因为这些树上所有的鳞果都是“触崩铁鳞果”，它们是用铁鳞片连接而成，其中暗藏崩簧机括，触动后就会铁鳞四散飞射，无人能避。

鲁盛义仔细查看了下那些铁鳞果，发现它们竟然都是嵌扣而成，不用线弦串接，手法的精致巧妙得难以想象。

俞有刺虽然是个匪把子，却是极重感情，他提出要将徒弟尸身取下入土。对于这个要求鲁盛义无论如何都没法拒绝。俞有刺为了鲁家事情，散了匪众，毁了岛巢，带出来的人死的死、伤的伤、失踪的失踪，付出已经太多了。

于是鲁盛义让大家走远，然后脱掉长大外衣，从挎箱中掏出皮筒线盒。皮筒里都是解线扣用的针、钩、剪、镊，线盒里装的是马鬃胡弦，他这是要用马鬃胡弦穿铁鳞果里面的崩簧窍眼，摘下铁鳞果。

整个过程大家都紧张得屏住了呼吸。俞有刺甚至后悔了自己的要求，让鲁盛义住手别弄了。谁知鲁盛义自己倒不肯了，他说要试试对家到底有多大能耐。

雨已经很小很小，几乎都感觉不出来了。汗珠却很多很大，好像都能听到它们滴落时的声响。

一颗、两颗、三颗……被胡弦固定住不会再崩炸的铁鳞果放进了挎箱。终于，大家听到鲁盛义说了句："得了！扣子全解。"

大家过去，将尸身从树冠上托捧下来。

"小心了，别碰旁边的树！尸身先移后托，防止身下还有未启的扣子。"鲁盛义在旁边提醒着。

等尸身取下埋好，鲁盛义告诉大家，他在外面的那棵树上取下了七枚铁鳞果，本该有八枚，其中一枚被俞有刺的徒弟碰崩了扣。在里面的那棵树上又取下三枚，本该有六枚，那三枚的铁鳞尽数射在尸体上了。

"太多太密集了。如果只是崩炸开一个，兴许还有命。"鲁盛义说。

"鲁大哥，你不把那些果子丢了，全收箱子里？"篾匠问。

"那可是少见的好东西，就是学着做还得费些精力。留着不定什么时候就能派用场。"

树木很密，每棵树上都有许多铁鳞果，这树林就算是神仙都过不了，所以最实际的做法就是绕过去。

绕过冷杉林，一片淡竹林子出现在他们面前，在峭壁沟谷之下，那峭壁又不是这几个人有能力攀援而过的，所以还得从中穿过。

第七章　鬼婴壁：鲁班家族的梦魇

鲁天柳到此时才彻底看清那些鬼婴，它们的体型和模样真的很像婴孩，但动作显得有些笨拙呆滞，要不是亲眼见到，很难想象它们能跑得这么快。它们全都一丝不挂，惨白的皮肤上暴出根根青紫色的粗大血脉；硕大的滚圆头颅，却长得龇牙尖鼻；一双眼缝很长大，却像怎么也睁不开一样。

……

现在鬼婴壁已成，就像是个圆筒，将四个人牢牢罩住。成壁后的鬼婴形态各异，难怪它们要比百婴壁数量多，因为它们有大有小，各自扭曲。

“百婴壁，圈无命。”这是江湖上坎子家都知道的俗语。

参差竹

淡竹林里的竹子长得极度杂乱，这是闯入之后看到的唯一一片不曾有人打理过的林子。好多竹子歪倒了，弯曲了，折断了，枯枝绿叶交织在一道，分不清哪棵是活竹哪棵是死竹，而且在竹林中时不时有腥臭味道飘出，闻着有些像是死老鼠。

此时天色已亮，蒙蒙细雨又下了起来。竹林里到处可以听到水滴击打竹叶竹干的声音。

是不是走错路了？绕了个圈走到野路上来了？这次连篾匠都没了把握。要么是错过了什么路口？这一点大家否定了，都说过了冷杉林直到淡竹林这一段，谁都没看到其他路口。

“别是绕反了，该从冷杉林的另一边绕过去。赶紧回头吧，坎子家不是说没路就是死路吗？”俞有刺说道。

“谁说这里没路了，只是不知道这路能不能走过。”鲁盛义说。

“是吗？这里有路？”俞有刺瞧着竹林感到奇怪。

竹林之中枝横叶歪，怎么看都不像有路，就算有路也不是人走的。

“人为能做出齐崭样子，那怎么就不能做成野路相？”鲁天柳插了句话。

“是呀！管他呢，走走再说，就算是对家摆下的坎子路，到头来还是要走的。只要不迷路，万一真错了还能退回来。”篾匠说的话总是能把问题化繁为简。

这次是鲁盛义在前面带路。“定基”一工的技法能在各种特点的地形地貌中辨定出宅基地的合适方位、朝向、范围、形状来，所以看出杂乱竹林中可走的路面也是情理之中。

果然有好走的路，尽管这路走得有些艰难。

鲁天柳这次没有坠在后面，因为她要紧跟老爹，利用清明三觉帮助他发现异常。另外在出现意外时，自己也才来得及护住老爹。

现在坠在最后的是周天师，这很奇怪。本来一路走来，周天师作为尊长又是道行高深之人，始终都是大家的主心骨，可此时怎么变得有些畏畏缩缩。而另外还有一件更奇怪的事，周天师让他徒弟远远躲开养尸地，但此后就再没召唤过他。脱出养尸地后，他也没去找，甚至连提都没提，似乎已经忘记还有这样一个人。

谁都知道周天师不会糊涂到如此地步，他这样做定是另有什么用意。唯独五郎傻憨憨地问了下他徒弟去哪里了，周天师只面色怪异地回了两个字："有事！"

越往竹林深处走，路就越顺，而一般走得顺的人都不大会回头看。正因为如此，他们疏忽了一个性命攸关的现象。

这个现象就连走在最后面的周天师都没有发现。他们一路走来的地方，都是无法退回去的。杂乱的青枯竹枝看着没有规则，其实却是在这些道路上摆成一个个倒叉口。这就像捉鱼用的倒壶兜，顺着稍稍推挤开些竹枝可以过去，反向却会被竹枝尖刺支楞着再难回去。

"呀！有人！"鲁盛义转过一丛竹叶，被眼前突然出现的身影吓了一跳。

"咦？！怎么是他！"鲁天柳虽然也被惊出一身冷汗，却一眼认出了前面的人。

一个本不该在这里的人，一个本该和大家在一起的人。那人直直地站立在那里，身体侧对着他们，样子轻飘飘的，很像竹林中挂着的一张皮影。

"是你徒弟哎，走得挺快，都到这里了。只是瞧着不得劲，样子像吃多了头道浆糟[1]。"水油爆回头对周天师说。

周天师的脸色很难看，却没有意外和惊诧，似乎这一切他已经有所预感。

那人真的是周天师的徒弟，只是此时已经死去。一根尖锐的竹枝由

1　做酒刚发酵还未掺水时的糟料。

他的后脑刺入，再从他大张的口中穿出，将他的身体颤巍巍地挑起，只剩脚尖还拖挂在地上，一荡一晃显得很轻飘。

俞有刺小心地走近尸体，他想查看一下那支杯口粗细的尖竹到底是怎么穿进后脑的，以及除此之外还有没有其他致死的原因。

挑起的尸体衣着整齐，没有搏斗和挣扎的痕迹，可以断定是毫无防备的状态下被竹枝一刺而死的。可人的身高低于竹枝高度，这竹枝又是怎么刺进后脑的？总不会自己拐弯吧。还有，这样年轻壮实的尸体吊挂着，那根竹枝却没有显现出该有的弯曲度。

俞有刺用分水刺碰了碰尸身，尸身轻轻摇晃了一下。

“当心，我瞧着有加料，按他的身手不该被根生竹给插串了。”水油爆在提醒俞有刺。

俞有刺没说话，只是点点头。不过他也没再碰那尸身，而是转到了尸体的正面。

刹那间，俞有刺的眼睛睁得很大很大，脸色惨白中透着青绿。随即便转身弯腰，发出蛙鸣般的干呕声。这个杀人不眨眼的湖匪头子竟然吐了，是吓的？还是恶心？两者都有。

鲁天柳虽然好奇，却绝不敢去多看一眼。这方面的承受力，她自知比俞有刺要差多了。所以当水油爆抿了口酒走到尸体旁，一把将尸体朝大家这边转过来时，鲁天柳猛然扭头闭眼。

尸体背向大家的那大半边身体已经干瘪成枯皮，半边的头颅完全成了骷髅，只残余几丝新鲜的肉，上面还蠕动翻滚着大片的蛆虫。

死状很可怕，还很离奇。那半边身体的腐败干瘪程度一般数年的陈尸才有，可周天师的徒儿离开大伙儿才两天不到。更匪夷所思的是尸身竟然能半边腐透半边新鲜如生，是被落了药扣子还是中了什么旁门左术？

“难怪能被这竹枝挑起来，就剩半边身子的分量了。哦，不对，里面也被掏空了，连半个身子都没有……”其他人都看着恶心，只有水油爆一点都不在乎，不但凑近了看，还很有兴致地说道着，仿佛是在讨论什么菜式，这让人觉得他心性很残忍。

就在水老头聒噪不住时，从顶上茂密的枝叶间直扑下两个黑影。鲁天柳一拉鲁盛义，蹲在了地上；五郎手中朴刀一摆，护住头部；篾匠侧身躲进一丛斜竹下面，就连弯腰干呕的俞有刺都顺势伏倒。

只有水油爆和周天师没有动。水油爆瞬间安静下来，表情凝重得像石头。周天师也一副无动于衷的样子。

扑下的两个黑影不大，在落下差不多一人高的时候打了个旋儿便分别落在水油爆和周天师的肩上。

水油爆肩上的还是那只红眼奕睿，而周天师肩上落着的却是一只比八哥身材大许多的蓝翎鹦鹉。鹦鹉的翎羽脖颈以上蓝得刺眼，脖颈以下蓝得发黑。这只就是周天师驯养的灵禽，鸟行子里管这品种叫“夜魔焰”。

鹦鹉刚在周天师肩头一落，便开口不停地叫道：“掌教无踪，龙虎被攻，逃了，散了，掌教无踪，龙虎被攻，逃了，散了……”

周天师表情依旧没变，眼中骇人的光芒直刺水油爆：“你到底是什么人？！”鹦鹉的呱嘈根本无法影响他话语的清晰和劲朗。

“掌教所派之人。”水油爆的话从未如此简练淡定过。

“掌教哪里去了？”

“去该去之处，走该走之路。”

“都被你算计好了。”

“是有人算计晚了。”

“真是了不得，掖在龙虎山这么些年，还骗得掌教信任。幸好宝贝尚未启出，你显形早了。”

“心中一团清灵气，便无形可显，也可随境随形。”水油爆不单是淡定，还显出些仙闲气度。

“我的鹦鹉飞行比那八哥日缓百里，估计总要慢上四五天，所以它离开龙虎山要在你那八哥离山传信之前，却不知你那鸟儿从何处传的掌教口信？”周天师的推论很在理，提出的问题也很有力。

“哎，老周，你可不要这么说，搞得我汤不是汤羹不是羹的。我又不是天师，掐不来算不来，你那些劳么子别问我。本来我要走的，是你们硬留的我，怎么这会儿变成臭猪鼻子下老卤，谁的理儿说不清了。”水油爆突然间又回复到那副玩世不恭的表情，说的话也带出了无赖劲，这是没法回答周天师的问题在瞎打岔。

“好！刨出根查出底，别让钉子压鞋里。”俞有刺唯恐天下不乱。这些天他没少和周天师、水油爆争执，总算见到个泄愤的机会。

“到底怎么了？两个人站那里跟篙子似的，还走不走？别光掼话子不动窝。”篾匠从斜竹下面钻出来，看到两个老头这副模样很诧异。

“你们先走。”

两个针锋相对的老头说话却是异口同声。

“那我们就先走了。”鲁天柳一直在仔细地听，并且听出其中蹊跷。周天师的“夜魔焰”带来口信，说龙虎山被别人攻破，掌教天师失踪，所以周天师对水油爆的真实身份和意图产生了怀疑，而水油爆言语间却是在暗讥周天师别有用心。这是个眼下谁都说不清断不明的事情，所以鲁天柳决定暂时回避。

“我们真走了。”鲁天柳又回头看了看两个如同斗鸡般对峙的老人。

周天师和水油爆都没说话，只是同时微微点了点头。

绕过挂在竹子上的尸首朝前走，他们渐渐发现，那些歪倒斜长的竹子变化不大，而挺直朝上的却都比前面见到的要粗大许多。

就在鲁盛义要分开乱枝朝前走时，鲁天柳在冷杉林前有过的感觉突然再次出现，她一把拉住了鲁盛义，断然说了声：“等等！”

这里的竹子上有不属于竹子的东西，在没有找到那些东西并妥善处理好之前，他们一步都不能走。

两个老头的对峙从言语的交锋变成了目光与气势的冲撞。

这一刻，最尴尬的是鲁天柳这几个人，往前进不得，往后退不走，不想留却又不能不留。蛆虫往尸体的脸上蠕动，让一半死尸一半骷髅的脸显出个诡异的笑，似乎在嘲笑这几个人的无奈。

红眼八哥和“夜魔焰”突然腾空飞起，这让所有人都以为周天师和水老头要动手了。回头看时，其实两个人动都没动，而两只灵禽也未飞远，就在竹林中盘旋扑腾，显得惊恐和慌乱。

“灵禽示警！”鲁天柳知道这现象意味着什么。她不由倒退一步，集聚心神，用清明的三觉在林中仔细搜索。由于多日的奔波劳累和精神的高度紧张，鲁天柳的三觉目前无法提升到最好状态。可即便这样，她还是听出有东西在极缓地爬动，带着一股很难闻的味道。

鲁天柳忽然感觉视线有些恍惚，她用力眨了眨眼，尽力抖掉眼睫毛上的水珠。视线还是有些晃，一些不该动的东西在动。是什么？是竹子！是竹干！是竹干上的竹节！

“那竹子！”鲁天柳不知道该怎么说，只是把竹子指给其他人看。

也就在这一指之间，眼看到有一段“竹干”突然间离得近了，变得大了，抖动着往鲁天柳头顶落下。

“快跑！”说话的同时，篾匠一把把鲁天柳推开，同时，一根金黄的篾条甩出，裹住了那段“竹干”。被裹住的“竹干”掉落在林中，但竹林中持续不断抖动弹出的“竹干”却无法全部用篾条一一裹住。

往回奔逃的鲁天柳终于发现来路是倒叉口，自己这些人已经是进了倒壶兜的鱼，没法往回退出。

“啊！烫死我了！”断后的五郎发出一声响彻竹林的惨叫。能让这个铁汉子发出如此惨烈的叫声，痛苦可想而知。

五郎叫唤的同时，伸手到背后，一把撕下一张淡绿的“竹皮”，随着这“竹皮”一起被撕下的还有五郎背上的衣料，裸露出的肌肤上可以看到一条“竹皮”留下的焦痕。

“往哪里走？回去没路了！”

“钻左面林丛子！”

“要不先躲到那片细竹底下。”

“不行，太多了，一会儿被围住哪儿都走不了！”

大家真的慌了神，此时那些“竹干”已是铺天盖地抖动着飘飞过来。

“往这里来！”是水油爆的声音。

周天师和水油爆的对峙不知道什么时候已经结束，此时水油爆正站在一片枯竹前朝鲁盛义挥手叫嚷。

鲁盛义迟疑了下，他真的无法确定该不该跟着水油爆走。也就是这迟疑的瞬间，一段“竹干”落在他的脖颈处，并且整个一圈缠裹住，就像给他围上一条淡绿的围巾。围巾围得太紧也太暖了，鲁盛义眼珠暴凸，连声惨叫都没能发出便“咕咚”一声栽倒在地。

鲁天柳挥动飞絮帕击飞两个飘飞而来的“竹干”，腾出左手想帮鲁盛义把脖颈处的绿色“竹皮”撕掉，但一时竟找不到环接之处，不知从何处下手。

“噗——”水油爆一口酒往空中喷去。这一口酒的量很大，但水油爆的这口气息更长。悠长的气息把大量的酒喷洒成一个硕大的篷盖，将鲁天柳他们几个完全罩在其中。这口酒最后几滴刚好滴在鲁盛义的“围巾”上，那“围巾”颤动了几下，一下便柔软松弛下来。

水油爆抓住鲁盛义后衣领，一把就将他给提了起来。然后松开抓衣领的手，不等鲁盛义再次软倒，抢先在他背心口拍下一掌。这一掌让鲁盛义缓过气来，虽然脖颈处灼烫疼痛难忍，脚下却站住了。

随着水油爆喷洒到空中的酒幕展开，那些已经扑飞过来，并且已经离得很近的“竹干”，突然间加大了抖动的频率和幅度，倒飞回去，有的落回竹子，有的掉入竹丛。

“快走，这酒只能暂时阻挡一下。”水油爆边说边推了鲁盛义一把。

恢复清醒了的鲁盛义没有更多选择，只能跟在水油爆背后快速奔逃。

水油爆发现的是条完全被低矮杂枝覆盖的路径，必须弯着腰才能往前走。可眼下只要是条路，只要能躲开攻击，哪怕是爬，他们都会拼着命往前。

一直到跑不动了，他们才跌坐在地大声喘息。不过到现在为止他们还没跑出低矮杂枝覆盖的路径。

稍稍缓过口气，鲁天柳便到鲁盛义旁边帮他查看伤势，发现他脖颈处的皮肤已经焦黑萎缩，上面还有许许多多很细很密的小孔，小孔中也不见有血流出。

“这是什么怪东西？这伤也很奇怪。”鲁天柳把目光望向水油爆。

没等水油爆说话，篾匠抢先开口了：“这是‘竹节蝙’，俗称‘火流虫’，花纹、颜色几乎和淡竹干一模一样，只在淡竹林中生存。它身下有百足，既可行走，也可作为吸食管口。在淡竹林中，它吸食竹叶水，在体内转化为巨腐溶液。遇到活物时，黏附在身，百足刺入肌肤下，先吐出溶液，溶解肌肤血肉，再吸食进去。吸足后，爬回竹干，将吸来的体液排泄到竹根。所以有‘竹节蝙’寄居的竹子生长得都特别高大粗壮。周天师徒弟的尸体也是被这东西吸的，要不然焦枯得没那么快。”

“怎么不早说？那东西好像还会飞呀？”俞有刺说。

“不是飞，是跳。这玩意我以前也见过，可最多也就筷子大小，谁知道还有这么大的。”篾匠答道。

其实这“竹节蝙”也叫“类竹蝙”，在《异虫点谱》中就有过记载：“类竹蝙，其形色如竹，吮血肉如火灼，同硕其居竹……”

“可这伤该怎么处理？”受伤的有自己的老爹和五郎，所以鲁天柳非常关心伤势的危险程度和治疗方法。

“肌肤被溶液灼伤，所以会变成这样坏死的模样。不要管，自己会慢慢恢复的。”水油爆说。

“唉，老水，你那酒瓶里的酒好像做什么都管用，给他们治了试试。”俞有刺现在开始对水油爆的酒感兴趣了，也难怪，他的瓶中酒已经屡见神效了。

“不是什么菜加盐都好味的，这伤我也没办法。”水油爆说。

“问问周天师，看他有没有办法。”篾匠对旁边的俞有刺说。

“周天师！哎，这老牛鼻子哪去了？没跟着我们走嘛！”

这下大家才发现周天师不见了，也不知道是一开始就没跟大家一起走，还是半路上走丢了。

鲁天柳心里突然莫名有种受到欺骗的感觉，为什么会有这感觉？又是被谁欺骗了？她并不清楚，但肯定是有人欺骗了他们，周天师！或者水油爆！

如果是周天师，那么还算幸运，至少眼下摆脱了他。不对！也可能已经被他送上了不归之路。可这路是水油爆带的呀。对了！水油爆是如何知道矮竹丛下隐藏着路的？水油爆的酒为什么就能制服“竹节蝙”？如果周天师的“夜魔焰”带来口讯是真的话，那这水油爆到底是哪路人？

“我们还是赶紧往前，先走出竹林再说。”鲁天柳建议。

终于走出需要弯着身子通过的路径，可是他们仍然没有能走出淡竹林。当他们挺直身体朝前看时，展现在他们面前的还是碧柱挺立，斜枝交错，叶影婆娑。这竹林让他们感觉漫漫无边，怎么都走不到尽头。

“这一段好像清爽了许多。”篾匠终于说话了。如果不是觉得奇怪，他这样的人是绝不会主动打破沉闷的。

篾匠一提醒，其他人也都看出来了。这一片的矮竹细枝越来越少，成堆的细竹丛根本就没有了。斜竹和笔直的竹子变化不大，只是显得有些光秃少叶，还有就是这里枯死和断裂的竹子变多了。

这时是鲁天柳领的路，她不放心让腿脚不便又受了伤的老爹走在最前面。

鲁天柳走得很小心，沿直竹的竹根走，不从斜竹下面穿过，也决不跨越横断枝。这是坎子家最常用的防扣走法。但是随着竹林的变化，情况越来越复杂。如果还坚持这种走法的话，恐怕就无路可走了，所以他们开始壮着胆犯忌前行。

最先中招的是五郎。

就在鲁天柳小心跨过一根横搁的枯竹时，身后紧随的五郎发出一声怪叫，紧接着人就离了地。不过五郎虽然脑子呆板，动作反应却是绝对快的，掌中朴刀刀杆机括一松，刀头垂下，刀杆再一拧，刀头便在身后做了个旋斩。

五郎带着一根杯口粗的竹枝落下了地，那竹枝已经刺穿了腋下，鲜血直涌。

“啊！那竹子会往上蹿，我说刚才周天师的徒弟怎么会挂在竹子上的呢！这竹子会上蹿！”俞有刺清楚看到五郎身旁的竹子猛地往上蹿出一尺多，竹干上面无叶的尖刺竹枝也就随着上升极速地斜刺上去，刺入五郎腋下。周天师的徒弟肯定也是被这样刺中的，当时看着那尸体恶心，就没仔细查看刺死他的竹子。

“什么竹子往上蹿？”篾匠很好奇，越过鲁盛义往前挤，想要看个清楚。

“就是那……啊！”俞有刺话还没说完，祝篾匠也没把竹子看清，竹林中变化突起。竹枝划空声凌厉，竹干碰撞声清脆。

肯定是有人碰到了什么不该碰的，这点毋庸置疑。已经落地的五郎再次被一根竹枝抽打出去，篾匠和俞有刺双腿一下都被竹枝绊绕住，鲁盛义和水油爆被竹枝交叉格拦覆盖，就像进了一个牢笼。最惨的要算鲁天柳，她被地上一根倾倒的竹子击飞得很高很远。还没等落地，又有一棵粗壮淡竹朝上蹿起，竹干上有许多尖头斜枝。其中一根斜枝刺中鲁天柳的腰部，另一根刺中腹部。不过这两根都没能像刺中五郎那样刺穿她的身体，极大的上冲力只是将她挑飞了出去。

鲁天柳落下时很轻盈，到底是练过轻身功夫的。不过落地时是以四肢着地，整个人就像只死蛙那样伸长腿脚匍匐在地，一动都不动。

“都别动！一点都别动！稍有动作竹枝还会变化。”鲁盛义不能动只能喊，“柳儿，你没事吧！”鲁盛义一时没找到鲁天柳，因为两次击飞已经将鲁天柳送到了二十几步之外。

“没事，一点事都没有，就是没弄清楚怎么个弦扣启子，不敢乱动。”鲁天柳回答道。

“是百节纠错阵，不动弦时和平常竹林没分别，一动弦，这些竹子就受力动作，不过除了少数几棵外，其他的动作方式、方向、力道都是随机的，无法判断弦扣的位置。”这时鲁盛义已经看到了鲁天柳的位置和状态。

“这么说就是没解法了？”鲁天柳问。

“是的！没有解法，只能躲让推挡。”鲁盛义说。

“百节纠错阵”，最初叫“狂枝漫野”，为奇门遁甲第十八局。据说是皇帝战蚩尤时，从树神的法道中悟出。这在坎子家中用得不多，因为需要很大的布局和长时间的设置。在兵法上倒是常有采用，宋代杨家将千杆三丈矛破连环铁甲马就是用的此术，还有初唐时李世民鹿角桠杈小桃林擒杀刘黑塔，也是此招。

不过兵家只是用其形，绝不可能达到坎子家这样的细致精密环环相扣。就好比眼下这坎面，枯枝新竹混杂在一起，枝横影斜，分不清辨不明，就算是个坎家高手也未必逃得出。

“五郎，先不要拔那竹子，没预备下堵血坝子拔了会没命，等我们想法子靠过来。”俞有刺喝住鲁莽的五郎。

“咦，奇怪了，我瞧着柳姑娘也被扎刺了两下，她怎么就没事？”篾匠很奇怪。

“呵呵！她身上有我家祖传的宝贝，我把宝都压她身上了。”俞有刺不无得意地说道，似乎已经忘记自己还被叉楞在竹枝丛中。

俞有刺过了嫁贞林之后，便觉出这里的势头太过险恶。自己祖萌气运全给破了，强力而为也抵不过命数。只能是将码子压在一个有灵性的人身上，保得这人齐全得宝，而自己沾点宝气解了自家的厄破。他选中了鲁天柳，这丫头身上的神灵之气他听说过也见识过，应该是个最佳人选。于是偷偷地找了个机会，把他藏在铜船里的“刺水铜甲”让鲁天柳穿上了。

“刺水铜甲”，青铜丝编制而成，但这青铜丝的青铜，是商纣时用来炮烙的铜柱所化青铜。那铜柱被炭烧火烤血淬了无数次，上面浸透不知多少生灵的精血丹气，已经被炼得胜过天铁。后来由周朝隐士廖工全将其制成青铜细丝三千尺，再由阴山麻婆妙手编成全套贴身护甲三套，一套“辟火”，一套“刺水”，一套“裂金”。但这三套护甲在周朝未灭时就已经不知所踪，有人说是赐予姜尚，还有说是赐予诸侯中功劳最大的，孰真孰讹却都无从考证。而俞有刺他们家的这铜甲，却是祖上从海外淘回来的。求教多少行家高人，才从它上面尚可辨认的几个奇异文字获知，这就是三套甲中的“刺水”。但这“刺水”已经不是全套，只是个残件，缺了甲裙、甲袖，也就是说只剩下坎肩模样用来保护前心后背。鲁天柳就是因为有这刺水铜甲在身上，这才连续逃过必死的局面。

“既然不怕扎刺，那为什么不利用扎刺之力，上跃到大竹顶梢，然后挂弯大竹再换到其他竹子上，从高处出坎子。”篾匠说的没错，竹子上的扣子一般不会放在竹梢部分，无路便是死路的坎扣也设不到这里。因为竹梢细软，没人能从上面行走。这样竹梢顶就相当于一般坎面的坎缺。

“柳儿，你起身后退两步，就会碰到一根撑挂的竹枝，启弦后，左侧有一根粗枝会斜下上冲挑刺你腰腹，你可借助这力量上梢子。”鲁盛义把鲁天柳周围情形全看清楚后，才提出这么个建议。

鲁天柳按着鲁盛义所说，后退触弦被挑，挑起后身体就没再下落，她没有像篾匠说的那样挂弯竹梢、抓攀其他竹干，而是在被尖竹挑刺起来后，撒出飞絮帕，用链臂手法缠挂住竹梢，然后两根飞絮帕交替挂住竹梢，荡出了“百节纠错阵”。

见鲁天柳顺利脱出，依旧被困的几个人神情各异。看得出，他们所怀心思各有不同。

鲁天柳虽然担心他们能否顺利逃出坎面，但现在是不得已，既然自己有幸落在坎沿上没被困住，那就必须先走一步，以启宝大计为重。

她轻盈地挂住竹梢，飞荡在空中。当身体荡起到最高点时灵魂仿佛脱出了肉体。

梦醒觉

鲁天柳一下惊醒，才发现自己依旧躺在葫芦潭边，这两天发生的一切都像走马灯似地从她的梦中闪过，然后消失。她能听到自己的心在“怦怦”地跳，刚才梦境中的一切让她想起了很多、发现了很多。她知道，现在还不是自己能够离去的时候。自己的命运已经押在这里，输赢未定，牌点未翻，义父等人如今可能还被困在“百节纠错阵”之中，想到这里，她心中一沉，不觉倒吸了一口冷气。

等自己的心跳稍稍平缓了下来，鲁天柳才扫视了一下周围，这是在找刚才梦中最后一刻惊醒她的两根大黑杠。

身旁只有叠垒得很不规则的两根大柱，要是这石柱是整根的，倒下后离对面的距离倒是差得不多，可惜是大石块叠垒起来的。

“这样的柱子自己也垒过，小时候搭积木时垒过。”鲁天柳心里在自言自语，“好像老爹也陪在旁边，边垒边给自己讲什么来着……”

鲁天柳猛然坐了起来：“以点贯力！”

“以点贯力”是鲁家的传统技法，但它不属于六工之中任意一工，而是属于六工之外一个辅助工种——小工。小工是穿插在六工之间递物传具、和泥运料打下手的，这一工拥有的技法很少，而且和鲁家巧妙技艺有着很大差异，不是《班经》所传，完全是后辈人才自己领悟总结出来的。

“以点贯力，力成一线，形似不实，不输叠面。”这是叠垒时的口诀。其实从力学上来理解就是将重心贯穿成一线，从而保持整体状态的平衡。

当然，说起来容易，做起来难。要运用“以点贯力”的方法将石头砖块垒起来并不是很容易的事，垒起之后看着摇摇欲坠，其实坚固无比就更是难上加难。

“不对！从两根柱子的结构和接面来看，‘以点贯力’的运用并不到位。”鲁天柳仔细推算之后得出了这样的结论，“整体自上而下的力线仍是有偏差的，不应该这么牢固。莫非接面上用了什么特殊粘料？要么就是用了槽扣榫接这一类的手段？”

鲁天柳心中想着，目光则顺着思路往上搜视。当经过刚才挂住“飞絮帕”的位置时，突然发现一道白，镶嵌在绿色的青苔层中。那应该是“飞絮帕”的链条刮划出来的，可石柱没有青苔覆盖地方的石头颜色明明是深褐色的啊，这里怎么会出现白色？

鲁天柳站了起来，来到石柱的根部，在那里的草叶间找到一些褐色的碎石片和白色粉末。鲁天柳用手指沾起一点白沫，清明的触觉发现白沫带着少许的温度。放在自己鼻子下，她闻到了一种熟悉的味道，建宅子时定基、去晦、粉刷都可以闻到这样的气味——石灰。白色粉末是石灰，而且是生石灰，因为只有生石灰粉末在沾水之后能产生热量。

煤矿、水晶矿、石灰岩矿中有种叫做“芋艿矿”的，就是煤、石灰等都被其他没有用的石块包裹隔离，开采出来都是块状的。这种矿藏费力极大，获利极少，一般都视为废矿不作开采。而这里垒叠的石柱竟然就是用的这种矿石，并且还将外包的无用石层凿削为很薄的一层。最为难得的是这里岩石中包裹的竟然是天然的生石灰，根本不需要再次炼制，也不知道祖辈人是打哪里淘来这样怪异的东西。

东西怪异，作用也就独特。两石柱伫立在这里这么些年，无损无破，说明其中的秘密还未曾被人发现。

鲁天柳回身纵跳到另一边，那边的石柱看起来与这边的没什么区别。鲁天柳从背包里拿出一根白锰精钢磨制的“垢剔[1]”，用垢剔的宽尾

1 辟尘一工中用来去除缝隙中污垢的工具，像小的尖头扁签。

在石块上先横着密密地划了好多道，又竖着密密划了许多道，石屑乱飞之后，这一横一竖就隔出许多细小的方格。再用垢剔的尖头挖撬这些方格，并逐渐扩大范围和深度。这种剔石的方法，只有细心又耐心的坎子家才用，它可以避免带动弦扣。

鲁天柳很快又见到了石层下的白色。用尖头挖出一点白色放在鼻子下，味道清晰地告诉她，这不是石灰。鲁天柳兴奋了，又一种新的白色矿石，虽然不知道是什么，但同时出现两种矿石，基本可以断定这是有意的设置，奥妙无穷的设置。

既然是设置，就肯定有机括。从柱形构架的坎面来说，一般机括都会放在根部。叠垒型的柱形则是根部往上第二块的位置。鲁天柳开始用“垢剔”的宽尾仔细小心地清理掉第二块石头上的青苔和泥垢。

没有找到机括，只发现了一条很自然的裂纹，而且两边柱子的裂纹一样。

虽然是条很难发现的细小裂纹，却断在一个极为重要的位置，这位置是柱子“以点贯力”结构的脱力点。在这个裂纹上作用很小的力道就已经让柱子倒下，方向正是朝着小水潭。

可分散的石块掉入水潭又有什么用?

生石灰可以使小水潭的水温度升高，还有就是起到消毒去秽的作用。

对面柱子里的白色矿石是什么东西都不知道，更无法知晓它的作用。

“管他呢！先把柱子倒了再说，走一步看一步，成不了事断了对家念性也是好的。”

鲁天柳拿定主意后取出的是“宽面推”，这工具前头是锋面，后面是铅座儿。主要用于铲除石面、砖面上粘牢的异物、污垢。因为铅座有一定重量，放在面儿上只需前后轻轻推动，锋面就能去除污垢，不需要像用铲子那样费很大的力气。

鲁天柳首先来到生石灰的柱子前，因为了解，所以先动。此时她使用“宽面推”没像平时那样文雅，而是倒抓铅座，甩臂将锋面狠狠砸向柱子上的裂纹。

很准！就像鲁家人做木器瞄线一样准确，锋面正正地砍切在裂纹上。紧接着，鲁天柳清楚看到柱子上的裂纹在延伸，在扩展。随着“嘎嘎”的怪响，柱子倾斜了，往水潭那面倒去。

“以点贯力”叠垒起来的石块竟然没有散，柱子整个倒落。

这情形没让鲁天柳感到惊讶，因为完全断裂开的裂纹已经告诉她，“以点贯力”只是形。柱子里面不但有倒楔扣子，还有条连环的兽筋绷索儿。

就在石柱几乎与水面打平的刹那，那绷索儿突然拉直。一声震耳欲聋的响声，如同炸雷一般，在山谷中久久回荡。

鸟儿、蝶儿早就惊飞得无影无踪，雁翎般的水花那一刻也被震得飞散变形，溢出潭面的水流瞬间像是停止住了。

随着这声巨响，倒下的石柱上所有的石块同时迸炸开来，散落成碎末平整整地铺在绷面很紧的潭面上。山谷中升腾起一股浓重的烟雾，却一时分辨不清是粉尘还是生石灰入水后的蒸汽。

烟雾让鲁天柳看不清了，但她却听到了异常。另一根柱子也开始倾斜，没等鲁天柳去砸切裂纹就自己倾斜了，过程与已经倒下的柱子很相似，只是速度好像慢了许多。鲁天柳明白了，不管自己先对哪边的柱子下手，都会是这样一前一后的顺序倒下。

潭水开始翻腾冒泡的时候，另一边缓缓倒下的柱子也开始分解了。这次的声响没有刚才那声巨响大，却是连续的。石块是逐个迸散开的，炸开后的碎末要比石灰石碎末细，铺撒得也比石灰石碎末均匀。

随着另一边柱子的散碎，笼罩在水潭上的烟尘和蒸汽渐渐淡了，展现在鲁天柳眼前的已经不是那块深翠的潭面，而变成一块白色的平面。那平面雪白雪白，竟然看不到一丝杂质。

鲁天柳在平面旁边蹲下，低头仔细辨别这突然出现的平面是何种材料。随着她的低头，发辫间插的那枝小花掉下了两个花瓣。花瓣飘落在平面上，没有一丝的反应。这现象让鲁天柳判断平面是安全的，于是左手两根手指轻轻地抚了上去。

指头在那白色平面上的感觉是坚硬的，就像石头一样。可是这碧绿的潭水怎么会突然间变成了雪白的石面?

是天然石膏！略一思索，鲁天柳脑中便辨出是什么材料。也只有石膏这种材料能在生石灰产生的高温下充分溶解混合，然后随着热量的退去迅速凝结。雁翎瀑落下的水花，就是这些清凉的山泉在帮助石膏面冷却凝结。

倒柱行

这是鲁家祖先设置暗构时留下的过潭路面！但这路面却是一次性的，随着潭面下水温的恢复，随着潭水张力的加大和雁翎瀑的冲落，这样的石膏路面不会支撑太长时间。

鲁天柳收胯提气，小心地走上石膏面。就算石膏凝结成块，质地还是脆弱的，从上面走有难度也有危险。但对于鲁天柳来说，这是祖先留下的唯一道路，所以必须放手一搏。

石膏面确实不结实，没有十足把握承托鲁天柳的体重。但鲁天柳却有通过这种危险面子的技巧，她的法子是跟俞有刺学的。俞有刺管这叫“鳖履冰”，是他看见只不下十斤重的老鳖精子爬在薄薄的冰面上晒太阳悟到的。鲁天柳在石膏面上也像甲鱼一样，尽量张开四肢，吐气收扁身体，缓慢地朝前爬行。这动作虽然难看，却可以扩大着力面积分散着力点，实际作用显而易见。

最艰难的一段是通过雁翎瀑的下面，那里已经积聚了一层水。虽然雁翎般飘落的水花几乎没有冲击力，但积水的重量，再加上积水上爬行的难度，让鲁天柳的心提到了嗓子口。

速度很慢很慢。任凭水花飘上脸面，扑入盘发，浸透衣服，冲刷身体。鲁天柳就像是在接受着一场洗礼，尽情享受落水的清凉和惬意，久久不愿离去。

周围山岭树木遮掩的暗处，有几双眼睛盯住水花飘飞中那个美丽的躯体。眼中的光芒是复杂的、不可捉摸的。

大水潭外侧的“云柱碍”中，从杂草、石缝等地方，怯怯地现出许多胀鼓污秽的身体，身体很小，眼睛却很大，艰难绽开的眼缝中黄白一团，看不到眼黑子……

鲁天柳爬行到雁翎瀑下时停了一下，因为这部位有瀑水冲刷，是冷却得最早也最坚固的地方。她要在这里稍稍调换一下气息，也是为了让前面的石膏面能凝固得更牢一些。

随着雁翎瀑水花的洒落，鲁天柳能感觉到自己身体被清凉的瀑水完全浸透。洁净的水顺着肌肤流淌，细致地抚摸着每个毛孔，冲刷着每一点的污秽，就像她“辟尘”一样。过程很短，却让鲁天柳找回些东西，也让她继续往前的信心和欲望膨胀起来。

当石膏面上的积水有两寸时，鲁天柳手掌在石膏面上稍稍朝后借力，像条起水的鱼滑过湿滑的船板，一下就到了最里面的潭沿。

这里的潭沿没有立足之处，只有一块圆形的巨石和两边立崖相夹的空隙。要想从这里离开潭面，只有爬上巨石或者钻入空隙。

鲁天柳的轻身功夫完全可以跃到圆石上面，可惜的是她没有借力跃起的位置，脚下的石膏面承受不了那样的力道。

两边的空隙不大，但鲁天柳要钻进去倒不是问题。于是她先轻轻将“飞絮帕”撒入空隙之中，没撞到底，估计其中另有洞天。于是鲁天柳水蛇蛮腰拧动，从一侧的空隙滑了进去。

身体刚进去一半便停住。这是鲁家惯常用的伎俩，进入黑暗之处总是“半入其居半踏路”，处在这样的一个可进可退的状态，是为了先把里面情形摸清，断定没问题后再继续朝里去。

鲁天柳先在一侧石壁边摸着一枚小石子，朝前面黑暗的深处弹去，然后聚气凝神仔细辨别。从石子发出的声响可以知道，前面是个颇大的空间，而且还朝斜下方延伸出很远。然后鲁天柳在伸手可及的地方摸索了一番，周围很干燥，没有青苔淤泥这类东西。

“这里倒是个隐秘的好地方，上面水落如雁翎，可只是飘洒在巨石之上，这下面倒是干燥得很，而且潭水再涨都流不进这空隙，里面又有宽大的空间，的确是个藏东西的好处所。”鲁天柳心里想着，身体伸缩间就已经完全进到了空隙里。

爬进去后，鲁天柳拿出了白蛇眼。借蛇眼的淡光，能看到的不多，也看不远。不过她能看清自己发梢上持续快速滴下的水珠，水珠将面前小块石面上的灰尘冲刷得很干净。

鲁天柳无意间低头一瞄，霎时脸色大变，不顾一切地扭动挣扎着自己的身体往外逃，就连手中拿的白蛇眼都差点丢掉。整个的过程中，她还在不住地祷告，但愿自己莽撞地闯入还没来得及造成什么后果。

从空隙中退回的鲁天柳匍匐在水潭的石膏面上喘气，被吓得不行。心里不住埋怨自己："江湖没少闯，怎么还是不够细心谨慎？"

这只是严格要求自己的自责，其实正是因为她的细心，才发现冲洗掉灰尘的石面上有Z字纹形的凿痕。

Z字纹形开凿只有明朝时的皇家工匠采用，明孝陵的甬道铺石最早采用这种技法。《明黄理后策》中有甬道铺石的描绘："……道为巨方，纹作双直斜连……"，所以工家把这技法叫做"皇道纹"。由于这种开凿手法最初是用在皇家陵墓的，所以阳宅和一般人家都不用，转而用更为美观的绞丝纹或者直道纹。如果工匠在阳宅中用这样的纹路，严格地说就算是暗破，有碍风水吉相。

不管是吉相还是凶相，绝对是朱家人动过手脚的迹象，所以往那里面去可以有坎有扣，却绝不会有宝。

鲁天柳之所以会如此肯定，还有另一个原因——"玄武局"，且是"玄武溢液"的局相。也不知道是先寻到风水局才在此藏的宝，还是先藏了天宝，然后在宝气的作用下才形成此局。无论如何，此种灵圣天局中藏孕的必定是"水"宝，而"水"宝的藏处绝不会是无湿无润的干薄之处。半入空隙时她已经有所察觉，所触位置都是干燥无比，但却被忽略了。

不过从里面石洞、石纹可以知道一个实情，对家这百十年中，对此处不但是进行了无数次的探寻，而且还动了手脚。

"对家花费如此巨大的人力财力都没破解的秘密，我能找到吗？"鲁天柳在问自己。

石膏面上存积的瀑布落水越来越多了，随着积水水位的上升和积水重量的增加，石膏面随时都会被压碎，石膏面上的鲁天柳也随时会掉入带有吸力的怪异水潭中。

时间紧迫，反倒使鲁天柳的心境沉静下来。

“浑圆点合之，触为点，心为点，非浑圆者皆有线面，其形为何以玄觉之。”这段出自《玄觉》中“形篇”的文字在鲁天柳脑海里扑闪几下后渐渐浮现清楚。

现在最应该做的就是把这里的形看清，把点找准。鲁天柳双手攀扶住圆形巨石光滑的表面，勉强抬头朝上望去。这种姿势很艰难，如果不是她曾跟俞有刺学过“鳖挺身”的腰腹柔功，这动作还真做不出来。

飘飞的水花不停息地落下，落在圆石上，也落在鲁天柳的脸上。纷乱的水花中，光线会扭曲，物体会变形。更何况水模糊了浑圆的瞳孔，视觉发生了意想不到的变化。

正如《玄觉》“形篇”中所言，浑圆的物体是以点合集而成的，它的中心是点，它的表面也是点，只要是平直的物体与之相接触，就必定是点接触。而不是浑圆的物体则肯定会出现线和面，但线和面组成的形状到底是什么，却是各自心中不同的领悟。

一个被山壁相夹的巨石，不管瀑水如何冲刷，它成为一个浑圆之体的可能性几乎为零。既然成不了浑圆之体，那这巨石上的线与面到底构成的是怎样一个形状？

在飘飞的水花下，勉强抬起头的鲁天柳偏偏看出个极为简单的、似是而非的房屋形状，虽然那也只是水花作用下并不稳定的表象，可鲁天柳竟打心底认定了这个房屋形状，根本不考虑光线的扭曲和视觉的误差。

有房屋的形状，就肯定有门的位置。鲁天柳没有看到门，所以只能凭着灵性和清明的三觉去寻找。

不知不觉中，鲁天柳站了起来，站在了脆弱的石膏面上。看得出，此时的她已然进入了一种忘我的状态，忘记了自己的存在，忘记了身边许多的东西，忘记了可能的危险。

也正是这样一个忘我的状态，将鲁天柳清明的三觉提升到一个难以想象的境界。

她听到水滴的浸渗、雾气的升腾、花朵的开放。

她从巨大的圆石上、雁翎般飘落的水花间闻到了丝丝花香。

她在瀑水流淌的圆石上抚摸，没摸到门，却摸出了一条石缝。

巨石终归是巨石，就算巨石上裂开了缝，那也只是石缝而不是门。鲁天柳摸到的算不算石缝都很难说，那个细的像发丝的线条只有半寸来长，更不知能有多深。

这一条只有鲁天柳的清明三觉才能发现的纹路，让她无比的兴奋和欣喜，仿佛已经抓住了宝构的门环。不同的是门环一般都是或铜或铁的硬物件，而那细丝纹路之中却明明有点柔软、娇嫩的感觉。

这种柔软和娇嫩只有刚冒土的嫩芽才有。可奇怪是，新嫩的芽尖怎么会从石头里冒出头来？这是要彰显大自然的造化神奇还是要喻示天命宝力的不可逆？

芽尖在生长，花香渐渐浓郁，石上的纹路也在延伸、在扩展。

于是迷离恍惚中的房屋开启了一扇门，真实中的巨石裂开了一条缝。

随着石缝的扩大，从中挤出一丛不知名的花草，青翠可人，娇弱柔嫩。每根枝上都坠着许多精致的小花，花色清白中略带些淡蓝，晶莹剔透如同美玉。这花儿和鲁天柳头上戴的那枝野花简直一模一样。

鲁天柳伸手抚过那些花枝，感觉枝叶间散出一股湿暖的雾气。而随着不停延伸扩展的石缝，更多的花枝不断地从石缝中钻出来，弯曲、弹跳、伸展。

种子发芽生长时的力量是无法估量的，巨石上的那个缝隙便成了这种力量的突破点，就像坎面上的缺儿。巨石在这种神奇力量的作用下，缓慢、平稳地绽开一个口子。

花开石

破裂巨石的花枝对于鲁天柳来说，却显得如此的柔顺娇嫩，就像个需要呵护的小妹妹。在鲁天柳双手轻轻拨抚下，怯怯地退缩到一旁，让裂开的石缝真正像个房屋的门。

跨入巨石的缝隙那一步，鲁天柳走得是那样的自然惬意，就像投入母亲怀抱那样理所当然，而且这一步下去，满满匝匝的枝叶花朵在她落脚之时，仿佛小动物一般，瞬间闪到一旁。

石头里并不黑暗，不知从何处发出的莹莹光线足够她用肉眼就把里面的细小花朵看得清清楚楚。从石头的裂口开始往里，地上、壁上、顶上，全是这种不知名的植物，密密匝匝的。绿色枝叶中镶嵌着的蓝白色小花，如同满天的繁星，枝叶间始终有淡淡的烟雾缭绕，如同仙府洞天一般。

石头的内部真不是外面看到的圆形，不过也不像房屋，而是像个窑洞。它是一种最古老房屋：窟屋。这种窟屋有一定的进深，顶为弧、地为平，有凿石而建，也有用石砌垒的，在《居架本纪》中有过记载。

不过这里的窟屋却更像是个狭形的山洞。也就是说，两壁相夹的圆石其实是个滚圆的长棍石，从水潭那边看到的只是长棍的圆头。从裂口往里走，脚下有窄窄一条道儿，很平坦，而且石质和圆石的质地不一样。

鲁天柳只走了五六步，就到了狭形石洞的中间。她在这里停住了脚步，是因为脚前的一蓬花枝长得特别茂盛，花枝间蒸腾的雾气也特别的浓郁。鲁天柳蹲下身来，小心地拨开那丛花枝，看到下面有个直径两尺左右的洞口，里面散发出清淡温暖的雾气。

站在洞口，鲁天柳定住心神，脑子里的丝丝缕缕逐渐串联起来……

这洞口肯定是与外面小水潭相通的。石灰柱倒下，使水发热沸腾，随后石膏面封闭了水潭面，使得水蒸气只能通过相连的通道从这里的洞口进入圆形巨石中。圆形巨石中蒸汽无法飘散，湿暖的环境便让巨石中的植物种子迅速发芽生长，从而用这种大自然的神奇力量涨开了预留的石缝。

这里的一切全是人为设置的，整体是个妙到毫巅的断弦括（一次性的机括）。布置的人当初应该是从石头下方与水潭相连的通道进入到圆石中，而这些不同石质的路面石，应该是布置完成后用来堵住那个通道的，让它除了蒸汽之外无法让其他东西通过。

隐秘、巧妙却无杀伤力的机括，鲁天柳有理由相信这是鲁家祖先的杰作。但赞叹机括巧妙的同时，她没有疏忽更为神奇的一件事情：“究竟是什么植物的种子能在巨石中存留数千年后依旧可以发芽，究竟是什么植物能够不被湿热蒸汽捂闷而死，反而快速生长，不需要泥土养料，只要温度和水分，并且表现出无比强悍让人心撼的生命力？也许不是花草自身具备的能力，也许是天宝的灵光宝气赋予了这种不知名植物令人叹服的神奇。”想到这里，鲁天柳不由得兴奋起来，她有些急切地再次蹲下，拨开繁密的枝叶花朵寻找起来。

寻找的动作才一开始便停住了。鲁天柳有些慌乱地回过头来。

她的反应是正确的，就在她拂到花枝刹那，身后巨石的裂口外闪过一条青灰色的影子。

鲁天柳站起身来时已经非常慌张，清明的触觉告诉她，周围气流在怪异地波动着，多股无法捉摸的力量正朝着她所在的巨石包围过来，那些力量的可怕应该远远超过“八十四风云旗桩”里隐晦刺骨的寒意。清明的听觉告诉她，巨石外多个地方有人在运力绷涨、气行骨动，这些是随时可以大开杀戒的躯体。

霍然站起来的鲁天柳随手抓住一枝带着小花的花枝，和平常的女人一样，害怕时不自觉地就会抓住点东西。这枝本来漂浮生长在积水上的花枝长满细小的带着淡蓝色泽的白花，花瓣上洒满晶莹水珠，整个花枝如同玉雕。

巨石外的目光、气流、异响在一点点逼近，而鲁天柳体会更多的是这种逼近带来的危险和恐惧。即将到来的力量是自己无法抵御和承受的，所以只能赶紧离开，把这个隐秘的石中世界让给别人。只有留着性命，才能留住寻宝定穴的机会。

爱惜草木花朵的鲁天柳不会随手丢弃任何一枝美丽的花朵，连花草都爱惜的人更不会轻易丢弃自己的生命。于是她转身快步往裂口走，边走边将刚捡来的花枝插上发髻，而原来插在头上的那枚花枝已经让雁翎般飞落的水花击打得叶落瓣碎，鲁天柳便将它摘下，在钻出石缝时轻轻插入裂缝一旁的花丛之中。

从巨石裂纹中钻出后，眼前的情形让鲁天柳一愣。不知道什么时候，雁翎瀑已经不再往下落水了，无数飘飞的雁翎状水花已经变成偶然才滴落的几颗水珠。水潭上的石膏面也已经被积水压碎，中间的大部分都沉入水中不见了，只有些许挂在潭沿上。

水面上虽然没了石膏面，却多了其他东西。也不知在什么时候，小水潭上支架起两根细长的淡竹。这和最后困住鲁盛义他们的“百节纠错阵”中的竹子一样，青淡淡粉灵灵，就好像刚抽出的笋芽。

鲁天柳已经不敢再多想，更没有四处寻找架起竹子的人，玄妙的感觉让她意识到危机迫在眉睫。急切中只管晃悠悠地上了竹子，三步并作两步来到两水潭交合的葫芦腰。

大水潭的风熏藤也被绷拉得更加平直了，难道真有人在暗中帮她？可是这种不祥的感觉到底是敌是友呢？

这一次鲁天柳没有马上过去，而是先抬头往水潭对面的石林瞄了两眼。她是在畏惧那里刺骨的寒意，也是在考虑退路。

终于，她鼓足勇气提虚升气踩凌燕步快速从风熏藤上通过。过去后，脚下没有丝毫停滞，反而将步伐放大，直接闯入“八十四风云旗桩”。

整个过程中，鲁天柳都绷紧颈椎两旁肌肉，头颈都不敢稍有斜盼。只是在从“八十四风云旗桩”中出来时，才扭头往后瞟了一眼。只是转瞬间的一眼，但依稀看到一个熟悉的身影从石壁上落下，直扑圆石而去。

虽然鲁天柳也好奇这背影是谁的，却未因此停下脚步。也正因为背影是熟悉的，她更加快了奔出的速度。

出石柱林便是拐弯的狭道。转入峡道后，鲁天柳听到水潭那里原有的流水声被兵刃格击的声响代替了。果然是血色刃光的是非之地，鲁天柳心里着实庆幸自己判断的正确。

很快到了“三断旋板桥”前，那桥还是过来时的老样子。鲁天柳和原来一样轻车熟路地过去了。

过桥之后，稍稍定了下神，她也没有想到能出来得这么顺利，看来进来时卜的顺出卦相是灵验的，但还是有许多事情无法理解。小镇中的坎面能顺利地通过已经是不可思议，难不成也这样轻易地放她走？或许对方是腾不出手来阻止她，或许他们还有更为来势汹汹的人要对付。比如说脱出“百节纠错阵”的老爹他们。

想到这里，鲁天柳抬腿便往外跑。现在是她逃出的最好机会，也是她及时拦住鲁盛义，防止他们再被小镇中坎扣困住的最好机会。

也就在此时，三断桥下的水面无声地旋起四五个漩涡，那漩涡不大，但从水旋的速度和深陷的涡眼可以看出，导致漩涡产生的力量是强大的。

从这道街下去往外，必定要经过松了弦的“迭步巷”。就在鲁天柳距离巷口还有两个店面的时候，旁边一家寿衣铺的门一晃，蹦弹出一个青色的身影。

那身影粗短厚实，并不十分矫健潇洒，但速度却是快得惊人。整个人就像大力弹起的一只青色的皮球，而力道却远比皮球凶猛得多，就像空中飞行的一块青色石碑。

鲁天柳虽然也有很好的轻身功夫，但突然的袭击再加上极快的速度，她没能躲得过去。青色的身影在鲁天柳背上重重拍下一掌，鲁天柳连眼珠都没来得及转动一下，便直直飞出，跌扑在地，一动不动。

青衣人走到鲁天柳身旁，他没有蹲下身，更没有伸手试探鲁天柳的脉搏鼻息。他很自信，被他在背心拍上一掌，就是大罗神仙都抵受不住，更不要说这个娇弱的女娃子。再说了，他这样的高手断定一个人的生死已经不用试脉搏鼻息，从气息起伏经脉流转就能全然知晓了。

青衣人只是没有想到自己会这样轻易偷袭得手，也没想到这女子会死得如此果断。按道理说这女子是个绝顶高手，在太湖夜战中，未动身手就已经看出自己力道和气息的走向。这次如果不是在自家巢窝里，仗着对环境布局的熟悉，是绝不敢贸然袭击的。

没错，青衣人正是在太湖上被鲁天柳吓走的黑胖子。虽然他的心中尚有疑惑，却已经不愿再多做思考，这种人只对杀人感兴趣。只见他转身顿脚，一阵狂风般往雁翎瀑的峡口奔去，大概是他敏锐的嗜杀欲望发觉那边有更多血腥和杀戮的气息。

鲁天柳是被雨水浇醒的，雨很大，天色很昏暗，她不知道现在已经是什么时辰，自己在这里已经趴了多长时间。

背心有些火辣辣地疼，就像被刚灌的汤婆子给烫着了。这是唯一让她证实自己遭到袭击的凭证。袭击发生中，听觉和嗅觉没有获取任何信息，只有触觉感受到真实的力量和疼痛。那一刻，她清楚自己无法抵御这样的攻击，更害怕强大对手的重复攻击，于是在倒下的瞬间，她将一口气息存住，然后用龟息法一点点吐出。

鲁天柳缓慢爬起来，她知道受到重击的人要特别注意骨骼筋脉的反应，如果胡乱的动作也许会导致残疾甚至丧命。

她缓慢地挥摆四肢，小心翼翼地扭腰、蹦跳，一切都是正常的。刺水铜甲果然神奇，虽然在“百节纠错阵”中已经抗住竹枝的击打，但那力度毕竟与高手的全力袭击是无法相比的。

晦涩的天空分不出晨夕，所以夜色也就降临得毫无征兆。还没等鲁天柳心中的自喜泯去，黑夜就已经将她淹没在了墨色之中。

墨色里穿行在危机四伏的小镇是件可怕的事情，可也不能站在这里，等对家高手回来将自己再杀一次。

雨更大了，雨声很响，这已经不像是春雨，而更像是夏日的暴雨。“三断旋板桥”下面沟水的翻腾，三断旋板也开始无端地缓慢转动起来。

迭步巷里更加黑暗，鲁天柳虽然有白蛇眼却不敢拿出来照亮。幸亏鲁天柳有清明的触觉，虽然双目看不清，可她只需要将“飞絮帕”撒出，便能感觉出巷内地面的情况。

巷口往里三步和原先一样，坎面没有恢复，于是鲁天柳走了进去。当她快走到对面巷口时，却突然听到一片由远及近的杂乱脚步声。其中有一个脚步是熟悉的，其中有许多脚步是一致的。

一阵雨水在巷口溅起，随即一张惨白惊恐的脸庞模模糊糊地出现在巷口。

“老爹！”鲁天柳从颠跛的脚步声中已经辨出来的是鲁盛义，这让她感到一丝欣慰，老爹没事！他们已经从“百节纠错阵”中脱出。

可那些非常一致的脚步声是谁的？脚步很轻，体型不大，步法笨拙速度却很快。听声响没穿鞋，应该是哪种用双足奔走的小兽子。

从鲁盛义的脸色看，他已经到了快崩溃的边缘，鲁天柳的一声突如其来的“老爹”，更吓得他魂飞魄散。

“啊！啊啊！柳儿？快逃！赶快逃！被圈住就没命了！”鲁盛义虽然被鲁天柳吓着，脚下却无丝毫停滞。

鲁盛义拉着鲁天柳就走，转身间鲁天柳看到巷口处出现了一个浮胀的矮小身体，皮肤颜色也像鲁盛义的脸色一样惨白。

从迭步巷出来，鲁盛义立刻从挎着的木箱下层中抽出一片锋利的青钢盘锯，甩手飞入背后的小巷，同时拉住鲁天柳侧身闪躲到巷口旁边。

随着一声利刃入肉的“扑哧”声，巷子里怪异的脚步声停止了。鲁天柳有点奇怪，后面明明许多的脚步声，怎么一击之下，全都停止了？

“哇嘎——”，巷子里传出的一声怪叫，差点没把鲁天柳骇晕过去。随着这声怪叫，有什么东西迸炸开来，碎物、液汁带着浓烈的腥味儿和腐臭冲出了巷口。

巷子外的光线要稍好些，因此鲁天柳能勉强看清一地的黄水和几堆碎肉。鲁盛义飞出的那片盘锯在石路面上滚转了几圈倒下，发出“咣当当”的脆响。

盘锯倒下，一缕青烟升起，那只青钢盘锯生生被溶解了！从小巷里喷出的黄水竟然具有溶解金属的强烈腐蚀性。

青烟的气味很难闻，溶解的情景更骇人。已经被浓烈的腥味儿和腐臭搞得胃腹翻腾的鲁天柳再也支持不住，一口清水喷吐出来。

闪在一旁的鲁盛义却没有反应，似乎早就见识过这种情形。他只是侧转着头，很专心地在听巷子里的动静。

巷子里整齐的脚步再次响起，鲁盛义也再次拉起鲁天柳疯狂奔逃：“快走！刚才那只不是主婴。”

“那是什么？那些怪物是什么？”

“鬼婴！”解答只两个字，人已经奔出了六七步。

鬼婴壁

此时，在街尾端三断桥那里，有两个人正从桥下的深沟中慢慢地后退上来。他们背对着鲁盛义和鲁天柳，没法看到奔逃过来的父女俩，可这两人竟然连静寂街道中回响的脚步声也没注意到。出现这种状况是因为他们正全神贯注地戒备着，把他们从水中逼出的怪东西随时都会趁他们微小的疏忽发动攻击。

“五哥，快溜哉！”鲁天柳看到前面退上来的两个人，也认出那是关五郎和俞有刺。

“不要过来，这里危险！”五郎听到鲁天柳的声音，但仍没有回头，只是吐掉衔在嘴里换气的猪尿泡，瓮声瓮气地回了一句。

鲁天柳和鲁盛义奔逃的脚步戛然而止，因为他们看到逼迫五郎和俞有刺的矮小身影和后面追赶自己的一模一样。

鲁盛义停住脚步的同时，转身朝后，一手持“子午钉雨盒”，一手持“十形碎身刨”，这两样东西都是可以远距离连续射杀的暗器。既然无处可逃了，就只能设法阻止鬼婴靠近。

后面追赶的那些鬼婴没有即刻扑上来，而是散成一排封住了道路，然后和那些从水下出现的同类一样，以缓慢的速度、一致的步伐渐渐逼近过来。

黑暗之中，迭步巷中不断有鬼婴出现，层层叠叠封住了街道。沟水里也不断有鬼婴出水，同时沟道对岸的峡口里也有，它们动作一致地走入水中，凫水而来。

四个人被逼退到一起，再没有退逃的余地。

鬼婴们在一个很近的位置也止住逼近的脚步，将四个人团团围住，睁绽着两线黄白盯视住面前惊恐无望的人。

雨不知什么时候变小了，像靡靡的雾幕弥漫在夜色中。

鲁天柳到此时才彻底看清那些鬼婴，它们的体型和模样真的很像婴孩，但动作显得有些笨拙呆滞，要不是亲眼见到，很难想象它们能跑得这么快。鬼婴全都一丝不挂，惨白的皮肤上暴出根根青紫色的粗大血脉。最怪异的是鬼婴的脸，硕大的滚圆头颅，却长得龇牙尖鼻。一双眼缝很长大，却像怎么也睁不开一样。

鲁天柳打了个冷战，这寒意与大水潭边差点让她冻结住的寒意是一样的。现在鲁天柳终于知道意识上的寒劲是从何而来了，是眼睛，鬼婴的眼睛。

“动一动，不要让它们集中盯视，那样会冻结你们的意识。”鲁天柳赶紧提醒大家。

四个人开始动作了，背背相对转着圈，这样那些鬼婴就不能把目光长时间集中在谁的身上。

鬼婴也开始动了，最前面的没有动，后面的则开始往前面的身上爬。爬的动作很一致，爬上去后的姿势却是各异的。

“到底有多少？”鲁天柳看着越堆越高的怪异玩意儿，禁不住自语了一句。

“总要有一百多只。”鲁盛义说。

“它们这是要干什么？”俞有刺问。

“垒墙壁。”鲁盛义说。

“是百婴壁？”鲁天柳发出一声惊呼。

“不，比那更厉害，是鬼婴壁！”

百婴壁，其实技法与坎子家有很大区别，它更接近于术家，并且应该算是邪术。是利用一个活婴为引，用九十九只种下“生相符咒”的药浸死婴为器，以音和形的惑力破坏被困人的心神，直至被困人承受不住而自毁。这些死婴还伤不得，只要一伤，就会启开“命血附”的蛊咒，死婴会不休不止缠抓伤它之人，直到那人的鲜血布满它全身每个部位才会休止。而药浸的死婴手脚如铁，力能裂石，它们获取人的鲜血都是抓破胸腹颈脉，中者无有生还，所以内行的坎子家在伤到死婴后，都是立刻断腕割肉，趁死婴还未伤到自己，抢先喷溅鲜血涂满死婴全身。

鬼婴壁又有不同。鬼婴都是杀死怀胎待产妇人，入土七七四十九日后再将腹中婴身剖出用药浸泡。与百婴壁的死婴相比，其音、形的惑力更烈，而且还能以眼意惑人。另外它们体内充满巨腐的尸液，伤它一处则全身俱爆，那喷溅物只要沾上一滴，就会全身腐化成水。鬼婴壁在数量上也与百婴壁不同，鬼婴壁已经不限制为百个，因为其主婴不用活婴，这样就不用考虑到控制力的大小，数量也就没有了规定。

现在鬼婴壁已成，就像是个圆筒，将四个人牢牢罩住。成壁后的鬼婴各具形态，难怪它们要比百婴壁数量多，因为它们有大有小，形态各自扭曲。

“百婴壁，圈无命。”这是江湖上坎子家都知道的俗语。不过当百婴壁成圈以后，还是有脱逃机会的，那就是抓控住为引的主活婴。鲁盛义和鲁盛孝曾经在滴翠峡救助被水中“百婴壁”所困的倪家盲爷的老少，所用手段就是寻主婴。当时他们本想用三菱飞凿钉住主婴手臂，却因为水的折射导致位置误差，杀死了主婴，这才中了“断嗣”蛊咒。

现在鬼婴壁也已成圈，可鲁盛义非但没有采取任何行动，反在嘴里反复念叨着：“圈住了！没命了！”

“老爹，侬不是懂寻主婴破圈的路数吗？”知道这是类似百婴壁的鬼婴壁后，鲁天柳反轻松了许多。

“是，可是、可是就是这鬼婴壁中找不到主婴！”鲁盛义已经有些语无伦次，其实刚才这段时间，他无时无刻不在鬼婴群中寻找主婴，但无所获。

鬼婴壁暂时没有启动，只是围着。对家似乎还不想他们马上死，或许是因为有些目的未曾达到，他们活着有用处。

“不能这样等死！”俞有刺觉得这样光转圈可不是办法。

“我杀开条路，你们先走。”五郎的勇敢是毋庸置疑的。

“不行格，侬一动刀，鬼婴受伤爆裂，尸液溅出个，阿拉全都得化成黄水。”此时的鲁天柳反倒是镇定了下来，见识过尸水化盘锯的她赶紧阻止了五郎鲁莽的打算。

“是的，鬼婴不同于百婴壁的死婴，不要莽撞行事。”鲁盛义说道。

“这样回事啊！那我不用刀。”五郎又说。

鲁天柳没理五郎，因为她清明的三觉听到一种奇怪的声响，那声响有些像千年老树的根茎被拔断了。

鲁盛义和俞有刺也没搭话，因为他们看到了人。一个悄无声息出现的人，站在旁边屋顶中脊上，还打着把油纸伞。天黑，看不清脸面，而且还有伞的阴影罩着，只能看到那人挺立的身躯，很是修长挺拔。

“那里有路！”鲁盛义轻声说道。

“知道。”鲁天柳回道。

“只要鬼婴壁一动，我们想办法引下那人，你就能从上面逃脱。”鲁盛义又说。

“行，有机会我就走。”鲁天柳虽然也儿女情长，但江湖危急中必须遵守另一种原则。这个原则鲁盛义从小就教导她：只有最好地保住自己性命，才真正对得起爱护你的人和为你牺牲的人。更何况天宝定凡疆的使命比任何人的性命都重要，而这使命也确确实实需要有人留着性命去做。

五郎和俞有刺也很清楚，他们当中能凭空上房越脊的只有鲁天柳，能将启宝镇凶穴的大事继续下去的也只有鲁天柳，所以即使牺牲自己也要保住她。

打伞的人能上房顶，说明这里的房顶不是死路，而是对家所设的突袭暗道。如果鲁盛义他们三个合力撞开鬼婴壁，再用极突然的手法逼开屋顶上的人，那么鲁天柳逃走还是有希望的。

周围非常寂静，只能听到已经旋转得很快的“三断旋板桥”带出的呼呼风声。

突然，“咯——咔——嘣——”一声巨响，鲁盛义他们都被吓得一个激灵，屋顶上的人也不禁重重一颤，他们全下意识地朝声音发出的方向瞄了一眼，那是雁翎瀑峡口。

鲁天柳看到了房顶上打伞人的反应，这说明奇怪的声音也在对家的意料之外，对家也为这声音感到困惑。

鲁天柳他们四个依旧背靠背转着圈，当鲁天柳转到背朝屋顶上人的时候，她给身边的五郎做了个手势。这手势只有五郎和鲁天柳两个人知道，是他们自己琢磨出来的。五郎虽然不是很聪明，但一见这手势便立刻明白了鲁天柳的意图。

果然，过了不多久，那奇怪的声响再次响起。这次声音更大，甚至感觉到了震动。震动和巨响让鬼婴壁也出现了异动。

也就在余音未绝之际，鲁天柳和五郎同时发出长长的惊呼。鲁天柳尖利的嗓音夹带在五郎浑厚粗亢的声音中，像是把锋利的锯条切割开了雨幕，那感觉比见到了鬼还要凄惨。

屋顶上的人这次不止是往传来巨响的峡口望去，他还在紧张地四处寻找。他也想知道，两个年轻人是被什么惊吓得如此撕心裂肺地惨叫，那东西对自己会不会也有威胁。

也就在此时，五郎将朴刀插在地面的石缝中，空着双手朝鬼婴壁扑撞了过去。

谁都没有料到还有人敢空手扑向如此龌龊诡异的鬼婴们，如果鬼婴们有思想的话，它们自己可能都不会料到。不过鬼婴壁并没有被撞开，天生神力的五郎只是将那个鬼婴们叠垒的圆筒撞得微晃了下。

这在鲁天柳意料之中，如果真能一撞即开的话，那鬼婴壁也成不了江湖上闻风丧胆的坎面了。可鲁天柳并不是要五郎撞开鬼婴壁，而是要借助五郎的纵撞之力给自己添个踏脚点。随着五郎身体纵出，鲁天柳也拧柳腰飞出。五郎撞在鬼婴壁上的刹那，鲁天柳刚好在他肩头一踏，身体在空中一个翻卷，越过鬼婴壁顶端，往旁边屋顶落去。

知女莫若父，从鲁天柳发出尖叫的刹那，鲁盛义就已经知晓两个年轻人会有动作，所以想都没想，“子午钉盒”、“十形碎身刨”一齐启动，雨点般密集的钉子和十片各种形状的刨片挟带劲风朝屋顶那人射去。

屋顶上那人身形未动，只是将手中的油布伞朝鲁盛义这方向微微一倾，就像遮挡斜风细雨一样。这把普通的油纸伞竟然将几十枚钉子和十种形状的刨片尽数挡落在屋顶的瓦片上。这伞要是山西倪家的“雨金刚”，挡掉这些利器还在情理之中，可它只是一把普通的油纸伞啊！

跃起在空中的鲁天柳也撒出“飞絮帕”，“飞絮帕”的钢链缠在油纸伞的一支伞骨尖上，手中再猛然用力回拉。她的想法很实用，要么拉开伞面，让下面老爹手中暗器的攻击奏效，逼得这人让开路；要么借他伞的回夺力量，自己直接从他头顶跃过去。

那把油纸伞确实回夺了，可非但没有带起鲁天柳的身体，反而是将套在手臂上的“飞絮帕”一下子夺去。“飞絮帕”的链尾套子扯下半只袖管，在她手臂上留下一片绯红。

鲁天柳在屋檐往上一点的瓦面上落脚，但没等她完全站稳，持伞的人动了。他没有走也没有跳，身体笔直，无声地从屋脊处滑下。同时纸伞往下一倒，伞面对直撞向鲁天柳。

鲁天柳熟悉屋面瓦沟的构造铺设，在屋脊瓦梁间纵跃奔走也是她的强项，但她竟然没能和那人在屋顶上作丝毫的周旋，直愣愣地任凭那雨伞头在自己胸前一撞，便像片飘飞的落叶那样撞跌回鬼婴壁的圆筒中。

五郎和俞有刺接住横身落下的鲁天柳，却发现她受到的最大伤害竟然是精神上的。跌下后的鲁天柳手掌冰凉，身体颤抖，神情恍惚，一双眼睛直勾勾地，嘴里不断在喃喃着："没有头！没有头！"

顺出否

打伞的人没再理会鲁盛义他们，转身沿屋檐飞速朝雁翎瀑峡口方向奔纵而出。在身体跃离屋顶的同时发出一声怪异的呼喝，然后在伞的助力下，轻松地飘飞到水沟的另一边。

在发出第二声巨响之后，雁翎瀑那里非但喧嚣声不断，其中还夹着人的惊叫和惨呼。发生如此怪异的情况，打伞人当然要过去看看到底是怎么回事。

没等鲁天柳从失魂中清醒过来，持伞人过河时发出的那声怪异呼喝产生后果了。鬼婴壁上的鬼婴开始哭泣起来，声音从低到高，从和缓到刺耳，从有节奏到混乱。哭的腔调也是千奇百怪的，而且每哭过一段，便会变换不同腔调的哭声。

哭声才响，鲁盛义和俞有刺一下就把双耳堵住，脸色变得青灰。哭泣的鬼婴只发出哭声却没有眼泪，而鲁盛义和俞有刺眼中却已是泪水直流。

五郎俯身再次撞向鬼婴壁，样子就像是头发狂的野牛。只是一撞之下便被弹跌回来，叉腿坐在地上，脸上神情比鲁天柳更加迷茫呆滞。

鬼婴的哭声当然是可怕的，迭步巷里一只鬼婴临死的惨叫就已经让鲁天柳心闷呕吐，更何况上百只鬼婴的齐声号哭。

打伞人奔进峡道的同时，两个身影一前一后奔出了峡道口，与他擦肩而过。谁都没理谁，就像根本没看见一样。但打伞的人刚进到峡道里，马上便掉头跟在那两个人后面重又奔了出来。紧接着，峡口中冲出一道巨大的水流，铺天盖地、势不可挡。

水流冲出，如同一只妖魔的巨手，瞬间把峡口的一切都给抹平了。树木不见了，花草不见了，嶙峋的石块不见了，三断旋板桥也不见了，只留下满地碎石断枝。

水流虽然凶猛却没有持续，它刚冲出峡口，两边的山体便重重一震，像是有什么东西把持续的流口给堵住了，所以这股水流全被三断旋板桥下的深沟收入，顺流而走，没能冲到鲁天柳他们的位置。

水流没能将前面奔逃的两个人冲走，他们对这样的水流冲击似乎很有经验，刚出峡道口，便躲到山壁的一侧，并且努力地往上攀援。而那个打伞的人速度虽然比前面两个还快，甚至后发先至地跑到两人的前面，但他终归跑不过急流。水流一冲过后，只看到深沟中纸伞沉浮了一下，就不见了。

冲出的水流顺着沟道流走后，攀在石壁上的人立刻看到了鬼婴壁和被困住的四个人。

“以心度物，无知无觉，万物为虚，百觉为玄，哪管它声色形迷厉音魍态。”石壁山的人发出一声清朗的高呼。

高呼的这句话出自《玄觉》离虚篇，意思是让人把一切美好的、丑恶的都看作虚幻，要以心去感觉事物，那样对世界的认知才能有个新的视角，到达一个极高的境界。

失魂状态的鲁天柳眼珠突然一转，随即发出两道青绿的芒泽。“青瞳碧眼是半仙”，这是天师掌教给她下的定言。

躺在地上的鲁天柳没有马上站起来，而是伸手一指：“是它！”

飞絮帕是随着那指定的手指撒出的。虽然就剩下一根飞絮帕，可目标只有一个鬼婴，这一根飞絮帕足够了。帕子里的球头直入鬼婴口中，这只鬼婴没了哭声，只勉强还能发出几声几不可闻的呜咽。于是其他鬼婴的哭声快速减弱，也变成了呜咽声。

呆坐在地的五郎也眼珠一转清醒过来，他蹦跳起身，再次直冲向鬼婴壁。目标很明确，就是那只被鲁天柳飞絮帕球头塞住口的鬼婴。这次鬼婴壁轻易就被撞开个口子，五郎和那只鬼婴抱打在一块儿。

鬼婴壁散了，因为与五郎缠斗在一处的就是鬼婴壁的主婴。但启动了的鬼婴壁与百婴壁又是不同的，百婴壁用的是死婴，主婴被破，其他死婴便失去蛊咒引子，完全失去作用。而鬼婴不同，没了主婴为引后，它们就会各自为战，目标还是原来的目标。

鬼婴不能用利刃格杀的，如果能忍受住它们的龌龊和恶心模样，那么倒是可以空手和他们角搏一番。但这拳脚间也不能太重，鬼婴的体液溅出来，只需一点就能将你整个大活人给化掉。

所以当散开的鬼婴扑上来时，鲁盛义和俞有刺只能赤手抵抗，只有鲁天柳还能用她的飞絮帕，一边纵跃蹦跳着避让，一边不时用飞絮帕的球头飞击那些鬼婴的眼睛、喉颈等常见的柔弱部位。

很快，五郎被一堆鬼婴缠裹抓拿得不能动上分毫。鲁盛义和俞有刺虽然相互照应着，但也是大口喘着粗气，汗珠噼啪乱甩，已经撑不下去了。

飞絮帕击打根本没有效果，竭力地避让躲闪也越来越忙乱，鲁天柳也慌了，刚刚悟出的一点玄妙心诀一下都丢到九霄云外。她没想到，破了主婴，散了鬼婴壁，自己的局势反变得更加危急。

“有法子毁它们吗？”难得鲁天柳还记得深沟另一边有高人。

“封全身九万九千穴，三钟[1]后即死。”另一边的高人答道。

据说人生下后，身体上包括毛孔共有九万九千穴，这些穴口都是可以用来吐纳转换内息的。杀死这些鬼婴需要将它们全身的穴口都封住，这样的答案等于是在告诉鲁天柳没有办法。

渐渐地，鬼婴们将鲁天柳、俞有刺、鲁盛义三个人逼到深沟的边沿，连辗转一下身形的余地都没了。而深沟现在已经是湍流翻涌，水面漩子套漩子，十分凶险。鲁天柳、俞有刺精通水性，所以一眼就能看出这样的水下已经是死路。

现在能怎么办？恐怕只能在心中期盼奇迹的出现，祷求哪位神仙下凡解了他们的厄难。

没有神仙，却有神仙般的天师。就在鲁天柳手忙脚乱的时候，一个熟悉的声音在旁边的屋顶上响起：“以清驳浊，三脉断无脉；无分生死，心滞则行缓；老君青牛，如静亦千里；太上律令，且看我来行。”随着这清朗的声音，屋顶上有金粉香灰飘飘而下。随着金粉香灰的飘舞

---

1 道家常以撞钟的间隔长短来计量很短时间，一钟大概在十秒左右。

和弥漫，鬼婴们的动作开始慢了下来。

“快上来，这只能让它们暂缓片刻。”这是周天师的声音。在淡竹林里走散的周天师突然出现在这里。鲁天柳立刻纵身朝上，将手中飞絮帕往发出声音的位置抛去。

飞絮帕缠绕在张天师的剑鞘上，那边一带力，鲁天柳就从鬼婴丛中拔地而起，飞落在屋顶上面。

此时下面已经变得安静，鲁盛义和俞有刺依然被鬼婴们缠抱住，无法动得分毫。不过，鲁盛义的朝向正好看到鲁天柳上了房，便扯开嗓子喊道：“断梢木葡萄花，分叉枝鹿角台，断则立断，斧锯齐下。”这话鲁家人都知道，断了梢头的木头可以雕刻葡萄花，分叉的枝料可以做鹿角台，意思是不要在意眼前的优劣，当机立断，做出正确的选择。鲁盛义这是让鲁天柳赶快走，她的顺利逃脱也许反会对眼下的恶劣形势有利。

鲁天柳没有走，也没有设法下去解救老爹他们，而是仔细辨认了一下沟道对面的两个人。天色太暗看不清，但鲁天柳清明三觉却准确捕获到篾匠身上篾条特有的摩擦声和水油爆身上的油腻酒臭味。

此时深沟里不仅水情凶险，而且水的流速已经到了一个可怕的程度，所以那边的两个人只能站在沟道边，无法越过激流来帮忙救援。

“我先走！”不知道鲁天柳是在对谁说。

“行当行，留自留，无旁骛，心犀通，半仙之体自脱俗，勿信魍魉迷离说。”水油爆的话不是谁都听得懂的，但听懂还是其次，重要的是信与不信。

鲁天柳听完，立即转身从屋脊上翻过，往黑暗中而去。周天师紧跟在鲁天柳身后，两人的背影须臾之间便在人们的视线里消失了。

过了两道屋脊，鲁天柳不敢继续在屋面上走了。屋脊上的路是对家的暗行道，这一般都是很窄很难辨别的。而与这些暗行道相接的一般都是更为灵敏快速的坎扣，危险性也更大。于是鲁天柳在一个能确认无事的瓦面位置回到街道上，依旧沿进来时的路径往回走。

往回走的路应该比进来时顺利得多，一些坎扣都已经被破，但更多更大的威胁正渐渐围拢、逼近，而且这一个个威胁都是鲁天柳无法逃避和抵挡的灭顶之灾。

此时，在小镇外石道两边的树林里，聚集着一群机警的动物。他们全都有一副怪异的脸，像是戴着鬼怪面具，又像是唱戏人画的油彩，颜色艳丽，造型诡异。这些活兽扣子已经不是第一次被聚集驱动，本来先前“九转天格”在第八转时这些兽扣子会同时杀出，却没料到祝篾匠三转之后就带着大家逃出设置。兽扣没用上，所以它们都被召唤到此处，蓄势准备上次未能实施的攻杀。

更远处的一条草沟里，一群穿绿衣的蒙面人正往这座低矮的小镇迅速移动。奇怪的是这些人都没有手，而是在左手腕上安着蝎尾尖钩，右手腕上安着双刃豹爪刀。他们都是自小便砍去双手，然后将武器与骨肉用钉销穿连，长成后便固定为身体的一部分。这样的双手除了杀人就不能再做其他事情，所以这些人在江湖上被称作“天生杀”。而这群“天生杀”正是朱家门长下令援助东南巢穴的先头部队。他们此行的宗旨就是杀死全部闯入此地的外来人，夺取门长想要的东西。

与草沟相交的一片草坡上，也有一群服色各异的人在朝小镇的方向前进。他们的行进要艰难些，因为此处石坡明显经过人工修凿，草皮格外的光滑，像是专门派什么用场的。不过人数不多的这群人明显个个都是高手，他们在这样险峻的地方攀援行走很是稳健快速。按这样的速度和路线来看，不久之后，他们将会与那群“天生杀”碰头。

而在千翎山区的边缘入口，曾与鲁一弃有过两次交锋的青衣人也带着大批的人正往悟真谷赶。他的表情虽然镇定，心中却是焦急万分。

前一次在东北，“金”宝未得只能算是失之交臂，再后来海上这趟虽没有收获也不算懊恼，但此地藏有天宝之一“水”宝的说法，是朱家几代殚精竭虑得出的结论，把握最大也付出最多。虽然许多年来都未曾寻到宝迹启宝出位，但始终整个宝构其实都在朱家控制之中。如果这宝贝再落入鲁家之手，那可真是追悔莫及。

在得到有人攻入后的消息后，他本来是要集中力量，消灭一切隐患的，但后来思虑再三，终究抵不过心中一丝贪欲，决定兵行险着，让这里的手下故意放攻入之人进去。在他们启出自家久寻不到的宝贝后，再行下手抢夺。可自己还未到千翎山区，里面就又有讯息传出，说是局面变得不太好控制了，闯入的人分作几路，各行其是，最后也不知道有没有取出宝贝，是谁取了宝贝。

对于这种意料不到的情况，青衣人怎么还能保持住淡定之心。现在必须马上赶在那些人逃出之前将他们全数拿住，不管死活决不能漏掉一个，这是确保宝贝不失的唯一对策。

出路有重重的围堵，镇内是杀机四伏。身边的人无法摸到底细，被困住的亲人也吉凶未卜。鲁天柳的脚步在放慢，最终停住。她抬眼望去，近处有房，远处有岭，只是都浸没在黑暗之中。脚下的路还是进来时的那条路，可现在还能不能走，还让不让走？再有，就算是像自己进来时掌卜出的结果那样，可以顺出，但出去了自己又该去往哪里？

不能就此脱身！还有些事情要做！

夜色霏雨之中，鲁天柳的目光再次灼灼地燃烧起来！

激发个人成长

多年以来，千千万万有经验的读者，都会定期查看熊猫君家的最新书目，挑选满足自己成长需求的新书。

读客图书以“激发个人成长”为使命，在以下三个方面为您精选优质图书：

1、精神成长

熊猫君家精彩绝伦的小说文库和人文类图书，帮助你成为永远充满梦想、勇气和爱的人！

2、知识结构成长

熊猫君家的历史类、社科类图书，帮助你了解从宇宙诞生、文明演变直至今日世界之形成的方方面面。

3、工作技能成长

熊猫君家的经管类、家教类图书，指引你更好地工作、更有效率地生活，减少人生中的烦恼。

每一本读客图书都轻松好读，精彩绝伦，充满无穷阅读乐趣！